'힘쎈여자 도봉순' 이후 6년이 지났다.

한국형 히어로물을 만들어 보겠다는 작의(作意)로 시작된 '힘쎈여자 도봉순'은 당시 JTBC 플랫폼 상황을 고려하면 엄청난 히트를 거둔 작품이다.

특히 '힘쎈여자 도봉순'은 월드 와이드 히트를 한 파워 콘텐츠로 남았고, 지금도 유튜브 조회 수 등을 보면 따라올 드라마가 없을 만큼 압도적 지지를 받았다.

최초의 기획자이자 작가인 내 입장에서는 너무나 반갑고 감사한 일임은 분명하지만 마음 한구석에서 아쉬움이 남은 게 사실이다. 출중한 주연 배우들의 케미스트리 덕분에 히어로물보다는 로맨틱 코미디 장르로 인식되었기 때문이다. 난 히어로물을 쓰고 싶었는데….

그랬다. '힘쎈여자 강남순'의 탄생은 이런 아쉬움의 결과이다.

마블이 정점을 찍고 막대한 예산과 기술력으로 무장한 할리우드 히어로물 사이에서 한국식 히어로물을 쓰고 싶다는 본질적 의도가 다시 꿈틀댄 건 오히려 도봉순이 성공했기에 가능했다. 이미 익숙한 모계 유전 세계관이 디폴트값이 되었기에 접근이 쉬웠다는 점도 부인할 수 없다.

히어로물의 드라마적 구현은 결국 자본의 싸움이다.

돈을 어느 정도 쓸 수 있냐가 드라마의 퀄리티와 직결되는 문제였고, 제작 여건상 빠듯한 제작비 안에서 승부를 보기 위해 내가 할 수 있는 최선은 스토리텔링이었다.

가족들이 다 볼 수 있는 K-히어로물이란 장르 안에서 캐릭터를 만들고, 그 캐릭터들이 모여서 큰 이야기를 쌓아 가는 방식으로 작업을 이어 나갔다.

16개월 정도의 집필 기간, 그 사이에 마약 취재를 치열하게 했다. 그리고 생각보다 심각한 한국의 마약 문제에 직면하고 대본을 몇 번이나 고쳤다.

'힘쎈여자 강남순'이 다루는 마약의 세계는 그야말로 메이크 빌리브, 즉 가상이지만 작금의 심각한 마약 사태를 좌시하면 결국 이런 끔찍한 사태를 불러올 수 있음을 경고하고 싶었기에 마냥 가상이라고는 볼 수 없을 것이다.

마약이란 역린을 건드린 이상 이것을 단순히 도구로 쓰면 안 되겠다는 작가로서의 책임감은 나의 주관적 동력이긴 해도 나에겐 이 작업을 드라이브 하는 방향성이었다.

아무쪼록 드라마를 즐겨 주신 애청자, 코미디 대본을 쓰고 싶어 하는 작가 지망생, 히어로물 콘텐츠를 좋아하는 독자층, 보시는 분들 모두에게 이 대본집이 따뜻한 즐거움이 되었으면 더 바랄 것이 없겠다.

다음 번 힘쎈 시리즈는 어떤 동네로 갈 것인가…

혹시 서울숲? 아니면 지방의 어느 동네?

앞으로도 힘쎈 시리즈는 이렇게 계속 될 것이다.

이 대본집을 읽는 모든 분들이 영혼의 근육이 빵빵 해지기를 염원하며

서문을 마친다.

2023년 11월

작가 **백미경**

강남순
이유미

<u>22세. 순수하지만 그만큼 와일드한 여자.</u>
<u>모계 유전으로 태어날 때부터 본투비 괴력이었다.</u>

괴력을 가진 만큼 그녀는 영웅의 팔자를 타고 난 것일까.
93세 한국 출신 교포 할머니에게 한국어를 배웠다 보니 반말 위주로
한국말을 습득해 대체로 말이 짧다.
아무튼… 그렇게 몽골에서 한국으로 건너왔다. 그리고 타고난 팔자처럼
그곳에서 마주친 희식과 지독하게 얽히게 된다. 기본적으로 '절망', '포기',
이런 걸 모르는 남순. 초원에서 자라 순수하지만 강인한 여자.
강남순의 화려한 강남 활극이 그렇게 시작된 것.

유목 생활 20년… 남순은 대륙의 생활력과
타고난 똘끼와 칭기즈 칸의 기상까지 탑재하고
그렇게 천하무적 세 모녀는 자신들의
어마어마한 재력과 더 어마어마한 힘을
사회악을 일망타진하는 데 쓰기로 결심한다.
형사인 희식의 합세 하에!
근데 막상 하다 보니… 이거 정말 취향 저격이다!

그녀의 힘은 측정 불가.
제네시스나 볼보 같은 일반 차는 남순에게는 그냥 과자 한 상자의 무게다.
적어도 탱크나 경비행기는 돼야 '아 쫌 묵직하구나.' 이런 기분이 든다.
엄청난 파워에서 나온 낙하력은 300m 높이에서 뛰어내려도 끄떡없다.
타고난 유전인자와 더불어
몽골에서 성장해 **뛰어난 시력과 동체 시력**을 가지고 있다.
그리고 강남순 - 황금주 - 길중간 **세 모녀는 극한의 순간에**
서로의 에너지를 느낀다. **동기 감응**을 한다고 보면 된다.
여기서 극한의 순간이란 어마어마한 힘을 쓸 경우이다.
자동차 한 대 번쩍 들거나 하는 경우 말고,
건물이 통째로 무너지는데 그걸 막을 때라든지.
이것은 모계 혈통으로만 내려오기 때문에 아들은 해당이 안 된다.

강남 전당포 '골드블루' 대표.
자존감 드높은 한강 이남 최고 현금 졸부.

44세라고는 하지만 30대로 보이는 동안인데다
가계의 소명대로 피 끓는 나이 스물둘에 딸을 낳았다.
에너지 과잉으로 생태계를 휘젓고 다닌다.
뭐든 멋대로고 남의 말은 일단 잘 안 듣는다.
일희일비의 일상화. 고독을 많이 느끼는데, 다소 산만한 성인형
ADHD다.
부캐는 "골드". 온몸을 명품으로 휘감은 채 강남 한복판을 누비고
다닌다.
마장동에서 정육점으로 돈 번 휴먼 캐시인 엄마 '길중간'의 영향으로
20대부터 이재에 밝고 돈에 대한 촉수가 발달했다.
이런 금주가 전당포를 차린 건 자신의 딸 남순이를 위해서다.
'졸부 아무나 하는 줄 아나? 부모 잘 만난 재벌 그건 순전히
운빨이고… 내 힘으로 졸지에 부자된 게 진정한 능력이지! 뭐야 저
무능력한 재벌충들~~'
이런 마인드다.

황금주   김정은

그래 우리 집 처음에 소 때려잡고 돈 벌었다.
우리 집 특기가 뭐든 때려잡는 거야.
니들이 그 돈으로 살기 좋은 세상 만들었어?
니들만 살기 좋은 세상 만들잖아.
나는 이 돈으로 사람들이 살기 좋은 세상 만들어!

길중간

**남순의 외할머니이자 황금주의 엄마.
힘쎈 모녀 3대의 대장격.**

마장동의 살아 있는 전설, 별명 천하무적 정육 여인.
왕년에 마장동 정육업계의 큰손.
평생 소고기, 돼지고기를 만져 돈을 벌었다.
그 사이 아들딸 낳고, 떡두꺼비 같은 손녀도 보았다지만
동안 DNA의 최대 수혜자인 그녀를 60대로 보는 사람은 아무도
없다.
지금은 은퇴하고 황소 마크가 떡하니 박힌 람보르기니 오픈카를
끌고 다니는 멋쟁이 할매.
그녀는 이제 인생의 4/4분기에 부자 선언을 하고
다른 가치 있는 일을 찾고 있는 중이다.
의식의 흐름대로 스피킹을 하고 유머 감각이 남다를 뿐 아니라
타고난 미모와 젊음으로 시니어계의 팜프파탈이다.
노인들 등쳐먹는 사기꾼들이 많다는 사실을 알게 되면서
그들을 타파하는 일에 남은 인생을 보내겠다고 마음먹은
진격의 할머니, 길중간!!!!

김해숙

경찰대 출신 수재, 지덕체 겸비,
강한 지구대 소속 경위.

이름 강희식. 희식의 이름을 처음 듣는 사람들은 '네 간이식이요?'
라고 물어본다. 물론 남순이도 간이식이란 한국 의학 용어를 알고
있던 터라 그의 이름이 간이식인 줄 안다.
희식은 좋은 집안에서 태어났으며 머리도 좋다. 희식의 집안으로
말할 것 같으면 모두가 서울대 출신 엘리트. 희식이만 빼고!
희식이는 집안에서 유일한 돌연변이로 혼자 경찰대에 진학했다.
그리고 그가 호기롭게 부임한 곳은 '강한 지구대!' 강남 한강
지구대의 준말이다. 이름은 지구대지만 한편으로는 마약 수사를
언더커버로 하는 듀얼 수사대다. 강남 일대에 점점 마약 사건이
심각해지고 있기 때문에 특별히 만들어진 비밀 수사팀.
언더커버란 명분으로 다른 민원팀과 같은 공간을 쓰고 있지만
밀려드는 민원에 언더커버는 커녕 오버커버.
그 가운데 또 만나게 된 힘쎈여자 강남순! '어떻게 사람이 이럴 수
있지?' 강남순을 보고 새로운 문화 충격을 받는 강희식.
작은 소녀에게 이런 힘이 나온다니… 모든 사람을 다 평등하게
대하며 남녀노소 누구에게나 반말을 서슴지 않고 유목민 특유의
노마드 스피릿의 남순이 신선하다. 체계와 규칙을 중시하는
프로세스 타입인 희식에게는 야생마 같은 남순은 그냥 '충격' 그
자체. 그런 남순에게 호기심과 묘한 동경심까지 스멀스멀….
이 여자랑 얽히고 싶다. 아니 이미 지독하게 얽혔다.
그렇게 남순 곁에 머물며 점점 그녀의 사생활 일부가 되는 희식.
그렇게 힘쎈여자 강남순과 의기투합해 사회악을 깨부수려 한다!

강희식
옹성우

류시오

변우석

커머스 유통업체 '두고' 대표, 사이코패스.

7살 때 버려져 러시아까지 건너갔다. 후에 무슨 일이 있었는지도 모르게 다시 한국에 입성. 1세부터 35세까지 그가 어디서 무엇을 했는지 아는 사람은 아무도 없다. 추적도 불가능하다.

그는 본디 겁먹는 일이 없는 사람이었다. 아니 애초에 겁을 모르는 사람으로 태어났다. 그렇게 그는 이제 오버그라운드로 올라와 제대로 된 캐피탈리스트가 되겠다는 야심을 키운다.

그가 가진 어둠의 인맥과 돈, 그리고 탐심을 활용하여 화려한 빛의 세상으로 걸어 나온 것. 바로 'DOO-GO'라는 유통 판매 회사를 만든 것이다. 지배층 인맥들과 앞선 정보와 유통 네트워크들이 어우러져 그는 성공한다. 그리고 그 과정에서 강남순이라는 여자를 알게 된다. 몽골에서 왔다는 이 여자는 순수하고 매력적이고 힘은 상상을 초월하게 강하다. 이런 남순을 이용하면 자신의 목표를 쉽게 이룰 수 있을 것이란 느낌을 받게 되지만 자신도 모르게 남순을 여자로 사랑하게 된다. 남순을 향해 너무나 복잡한 감정의 소용돌이에 휘말리게 된 시오! 약점뿐만 아니라 자비심과 동정심, 그리고 감정까지도 없었는데… 뭔가 이상하다.

그러던 시오는 결국 남순을 자신의 맘대로 컨트롤하려는 묘수를 생각해 내는데….

검은 돈으로 권력을 잡고, 처세술은 기막히고, 감정은 없는 최고 악당이 온다.

남순의 아빠. 사진작가(이혼 후 사진관 운영).
소심하다. 정직하다. 착하다.
봉고는 황금주가 운영하는 선지 해장국 집의 현금을 매일 출장 가서
수거해 오는 신입 은행 직원이었는데 거기서 만난 미소가 예쁜 여자,
젊은 사장 금주를 보고 첫눈에 반했다. 하지만 남순을 잃어버린 후
죄책감에 봉고는 금주와 부부 사이가 틀어졌고, 이혼했다.
그 이후로도 엑스와이프 황금주와는 지독하게 얽히고 떼려야 뗄 수
없는 질긴 인연은 점점 극을 향해 치닫는다.
그렇게 다시 금주와 이혼 부부의 로맨스를 이어 가면서 부성애와
못다 이룬 멜로의 종결자로 거듭나려고 한다.

강봉고   이승준

강남인   한상조

남순의 쌍둥이 동생. 금주의 건물 1층 사주 카페 사장.
이(異)세계에 관심이 많아 사주를 배웠다. 하지만 자신의 앞날은 잘 몰라 지금
4수 중이다.
엄마인 금주는 일찍이 남인에게 경제 활동을 시켜 이재를 가르치는 중이다.
남순에게 힘 유전자가 몰빵 되어 이 집안 남자들은 대대로 힘이 좀 부실하다.
아무튼 할머니가 매일 공수해 주는 소고기를 아무리 먹어도 생기라는 힘은 안
생기고 지방만 생긴다. 그래서 좀 헤비하다. 둥그스름한 외모와 달리 성격은
뾰족하다. 예민한 성격은 몸이 약해서 그렇다며 할머니 길중간에게 오냐오냐
응석받이로 자라 왔다.
엄마인 금주는 잃어버린 누나 생각뿐이다. 그래서 그런지 늘 세상에게 섭섭하고
혼자 삐져 있는 일이 많다. 예민한 촉수 탓에 직관이 살아 있어 타로를 매우 잘
봐 강남 일대의 젊은 여성들 사이에서 '통통 도령'으로 불린다.

황금동 김기두

남순의 외삼촌이자 금주의 남동생, 길중간의 아들. 집안의 폭탄.
허덕이는 캐릭터에다 주식에 미쳐 수억 거덜 냈다.
웹소설 작가로 겨우 살아났다.
힘이 금주에게 몰빵 되어 본인은 너무나 맥아리가 없다. 늘 누워 있다. 일어나도
머리는 꼭 어딘가에 기대어 있을 정도로 몸에 힘이 없다. 멘탈도 메롱인 데다
근력도 떨어지고 지구력은 깡통이다. 입에 한약 봉지를 달고 산다.
그러다 한약을 지어 주는 한의사와 리얼 현실 로맨스를 꾸리나 했는데 그마저도
체력이 딸려 '아! 내 인생에 연애는 사치인가~~~' 싶은 순간…
한 여자가 눈에 들어온다.

지현수 주우재

한강에서 남순과 만나 얽히는 노숙 거지.
잘나가던 직장인이었으나 코인으로 벼락 거지가 되어 노숙자 로드를
걷게 된다. 그리고 빠른 승진으로 지금은 코리아 홈리스 협회 총무다.
매일 경제 신문을 읽고 SNS도 하는 인싸형 노숙자로 재능이 많다.
인생의 현란한 희로애락을 적나라하게 보여 주며 거지부터 스타까지
다 맛볼 수 있는 롤러코스터 인생을 사는 캐릭터.
자본주의 시대와 급변하는 사회를 대표하는 문화의 아이콘이다.

노 선생 경리

돈은 없지만 낭만과 남친은 있는 노숙자.
노숙을 하지만 지현수가 함께여서 슬프지도 외롭지도 않다. 한 쌍의
바퀴벌레 같은 커플로 둘이서 아주 애틋하며 늘 서로를 존중한다..
하나뿐인 삼각김밥 중심부를 지현수에게 내어 주고 자기는
맨밥뿐인 끄트머리만 먹어도 행복하다.
추운 날도 서로를 꼭 안고 자면 꽃샘추위도 견딜 수 있다고 생각하는
로맨틱한 여성.

오영락 영락

마수계 특수팀 돌직구 형사.
마약 수사대 팀 희식의 파트너이자 선배.
가슴 뜨겁고 외모 신경 쓰는 열혈 형사.
후배인 희식을 갈구다가도 챙겨 주는 겉바속촉 같은 남자다.

진선규 유하성

마수계 특수팀 브레인 막내. 별명은 참마(참치마요의 준말).
합기도 선수 출신 강력 전문. 과학 수사에 능하다.
사이버 수사대에서 오래 일한 지능 범죄 전문. 포렌식도 끈기로 다 잡아낸다.
그거 할 땐 밥도 안 먹고 참치마요만 먹는다 해서 별명이 참마.
머리를 많이 쓰기 때문에 DHA가 풍부한 음식을 먹어야 한다는 뻘소리.
가끔씩 너무 머리만 쓰다 보면 이렇게 삐끗하는 경우가 많다.

김석호 송진우

마수계 특수팀 검객, 별명은 쓰봉(맥스봉의 쓰봉).
경호원 출신 태권도 특채 무도 경찰. 언제나 성심성의껏 임하는 열혈 경찰이자,
영탁과 동기이다. 주머니에 늘 소시지를 넣고 다닌다.
마약견을 부릴 때 필요해서 시작한 일인데 자기 입맛에 맞다.

하동석 정승길

마수계 특수팀 대장(팀장). 특전사 출신 마약 첩보 전문.
다혈질, 욱 조절 장애로 힘 있는 윗사람들에게 사랑 받지 못하는 중 돌이킬 수
없는 사건을 마주하게 된다.

리화자 　최희진

화자는 금주가 잃어버린 남순과 너무나
똑 닮았다. 금주를 만난 후부터
화자의 인생은 지화자 꽃길이 된다. 진짜 '강남순'이 나타나기 전까지는.
결국 화자는 남순을 없애려 음모를 꾸미는데….

정나영 　오정연

금주의 비서. 금주의 일을 도와준다.
그녀의 또 다른 수족인 말 많고 허세 투성이 남자와는 결이 다른 찐 비서.
영어와 불어에 능통하고 배트맨의 알프레드 집사 같은 느낌의 여인이다.

브래드 송 　아키라

엄청 섹시하게 잘생긴 희대의 사기꾼.
(미국에 가본 적도 없지만) 월가의 불맨으로 통하는 인물. 투자 전문 회사를
차려 놓고 현금을 굴려 준다고 각종 듣도 보도 못한 사기로 강남 사모들의 돈을
땡겨 간다.
한국 이름이 송수현이라나? 미국 월가에서 일할 때는 브래드 송이었단다.
브래드 피트할 때 brad가 아닌, 크림 빵 할 때 bread라 그런지 달달한 구라가
절로 나온다.
평소 강남의 돈 좀 있는 여자들을 후리며 사모펀드를 모은다는 소문이 돌며
이는 곧 금주와의 만남으로까지 이어진다. 그런데!
금주를 경계하기는 커녕 오히려 금주에게 무한 플러팅을 날린다.
이 남자… 도무지 종잡을 수 없다!

서준희 정보석

남인이 운영하는 사주 카페 바리스타.
증권 회사를 다니다 명퇴 후 바리스타가 되었고 아내는 암 투병하다가 5년 전
사별했다.
이후 혼자만의 시간을 무던히 이겨 낸 채 현재는 바리스타로 활동 중이다.
그러다 그만 길중간의 러브 레이더망에 딱 걸려 버렸고…
그는 초로의 멋진 연하남 바이브로 길중간과 러브 스토리를 만들어 간다.

중간의 남편이자 티베트 구루 경력 보유.
'자아'를 찾겠다며 출가를 감행한 지 어언 10년….
가족들은 그의 생사조차 알지 못했다.
그러던 어느 날, 대책 없이 나타나 중간의 사랑에 브레이크 거는
정말이지 대책 없는 인간!!

황국종 임하룡

등장인물

윤 비서　**윤성수**

류시오의 비서.
류시오에게 오랜 시간 가스라이팅 당해 온 비운의 인물.

류시오의 오른팔. 거구의 러시아 출신 주짓수 챔피언.
사기급 피지컬에 주짓수 복싱 등 인간 병기다. 류시오의 보디가드 겸 비서.

카일 알렉산드로스

Vlasov Konstantin

남순을 키워 준 몽골의 엄마. 씩씩하고 더없이 모성이 강하다.
황야에서 말을 타고 달려온 낯선 아이.
말은 잘 타지만 몽골 말은 할 줄 모르고, 부모도 어디 있는지 모르는 작은
아이는 '강남순 강남순' 제 이름만 반복해서 말했다.
신이 주신 선물이라며 그 아이에게 좋은 집터 찾는 법. 게르 세우는 법. 말
도축하는 법 등등 몽골에서 살아남기 위한 모든 걸 다 가르쳐 주었다.

졸자야　**Batsumiya Batdorj**

코코　**Tsegmid Tserenbold**

남순을 키워 준 몽골 아빠.
등빨 좋은 남자지만 딸 바보다. 딸과 친구 같은 아빠.

CONTENTS

서문 ···················· 4

등장인물 ···················· 6

[제 9화] **악의 뿌리** ···················· 19
(The Root of Vice)

[제10화] **바지 환자, 바지 직원,** ···················· 77
그리고 바지 남편
(The fake people)

[제11화] **일촉즉발** ···················· 135
(Explosive Situation)

[제12화] **용호상박** ···················· 195
(A Titanic Struggle)

[제13화] **군소의 피를 사수하라** ···················· 253
(Defend Sea hare desperately)

[제14화] **예고된 피바람** ···················· 311
(Upcoming Bloodbath)

[제15화] **힘쎈여자 강남순** ···················· 369
(Strong Woman Gang Nam Soon)

[제16화] **사랑과 정의의 이름으로** ···················· 427
(Under the Name of love and justice)

제9화

악의 뿌리
(The Root of Vice)

Title In "악의 뿌리 (The Root of Vice)"

S#1 마수대/N

참마, 타자를 두드리고 있으면 화면으로 두고 CCTV 화면들이
나온다. 화면들, 참마의 타자에 일제히 정전된 듯 꺼지는 가운데.
마지막 남은 화면에 카일과 남순이 대적 중인 모습이 보인다!
참마, 그 모습에 놀라 인이어로 바로 희식에게 말한다.

참마 (다급) 형!! 강 요원 러시아 보디가드한테 들켰어요!!

S#2 희식의 차/N

희식과 영탁, 차에 앉아 대기 중. 희식, 사색이 되는 가운데.

20 × 21

| 희식 | 뭐?! |

이때 바닥으로 누군가 '쾅!' 떨어져 보면! 일체형 PC를 품에 든 사다코 복장의 남순!
순간 희식도 깜짝 놀라 멀어지는 사다코 복장의 남순을 바라 보다.

| 희식 | (창문 열고) 강남… (순!!! 하려다) 야!!! |

남순, 희식의 말을 못 들었는지 그대로 전력 질주하는데!!!
그러자 희식도 차 시동을 켜 부리나케 남순을 쫓기 시작한다.

CUT TO
보통 속력으로도 쫓아가지 못하는 남순의 매서운 질주 속도.
희식, 액셀을 조절하며 밟다 겨우내 닿을락 말락 하는 거리가 된다.
그러자 다시 창문을 여는데.

희식	(목이 터져라) 강남순!!!!!!!! 서?!?!
남순	(이미 저 멀리 속절없이 멀어져 시야에서 사라진)
영탁	(근본 없는 남순의 속도에 기가 막힐 뿐인)

S#3 한강 일각 /N

한강 일각에 도착한 차. 희식, 바로 차 문을 열고 뛰쳐나간다. 영탁은 그 모습을 '벙~' 하게 보면서 "블랙위도우가 아니라 사다코였어." 중얼거린다.

CUT TO
한산한 한강 일각. 벤치에 소복 차림으로 앉아 있는 남순. 희식, 숨을 헐떡이며 남순에게 뛰어오자 남순, 해맑게 웃으며 일체형 PC를 '탕탕!' 두드린다.

희식   네가 말한 방법이… 컴퓨털 통째로 가져오는 거였냐?

남순   응!

희식   하… 난 뭐 정말 대단한 작전이라도 있는 줄 알았네.
　　　　너 보디가드한테 들킨 거 알아?

남순   들킨 정도가 아닌데. 걱정 마 내가 다 생각이 있어 분장을 한 거니까. 나 정말 철두철미한 거 같아. 일 잘해~

희식   (남순 손에 스마트워치 채워 주며) 잘하기는 개뿔.
　　　　(황당, 답답, 걱정) 내가 널 뭘 믿고 거길 혼자 보낸 건지 정말… 내가 잘못이지 내가 잘못이야.

남순   파벨! 류시오를 키운 마피아! 방대한 마약 네트워크를 가진 곳이라며.
　　　　그렇다면 말야… 마약 유통 규모도 우리가 상상하는 수준이 아닐 거야. 간이식 네가 컴퓨터 조사할 동안. 난 그 라인을 파 볼게!

희식   (귀신 분장이 번져서 무서운 남순의 얼굴을 보며 주머니에서 물 티슈 꺼내 닦아 주며) 뭔 귀신이 이렇게 허접해.

남순, 부끄러운 듯 배시시 웃으면, 희식과 남순의 부딪치는 풋풋
하지만 설레는 눈빛들.

S#4   놀이공원 (8화 S#55 확장) /N

손을 꼭 잡고 있는 두 사람. 중간의 손가락에는 준희가 건넨 청
혼 반지가 끼워져 있다. 반지를 보면서 행복하게 걷는 중간과
준희.

준희   그래서 중간 씨 따님은 어떻게 됐어요?
           케냐요~ 불 난 외교관 사저를 사고 나서 어떻게 됐냐고요!
           빨리 얘기해 줘요.
중간   (약 올리듯 보면서) 으휴… 그게 뭐가 그렇게 궁금해?
준희   (징징 짜증) 어떻게 됐어요. 나 드라마 못 봐요. 뒷 얘기 궁금하면
           못 참아서.
중간   (웃는) 남자가… 인내심도 읍다. 그르지 마!
준희   (발끈) 중간 씨!!!
중간   아흐… 이름은 늙었지만 트렌디 한 우리 준희 씨. 알았어~
준희   (집중 딱 해서 중간 보면)
중간   그 불탄 사저를 다 갈아엎고 그 땅에 집을 다시 짓고 있었는
           데….

           [인서트] 사저 일각 /D

젊은 금주, 미국 영화 자이언트의 리즈 테일러 착장(머리에 스카프 두건 두르고)으로 땅 파는 인부들에게 뭔가 지시하는 몽타주가 흐른다. 이때 흑인 인부 하나가 삽을 땅에 꽂은 채 발로 팍 밟으면 분수처럼 석유 줄기가 '팍!' 터져 나오는데!

중간(소리) 거기서 글쎄… 석유가 터졌지 뭐야!

[인서트] 왕족실 /D
왕족 터번을 두른 압둘라와 금주가 악수 하고 있다. 노는 손에는 계약서가.

중간(소리) 사우디아라비아 왕자 압둘라가 그 땅을 금주에게 매입 가격의 100배를 주고 산 거예요.

- 다시 공원 -
놀라는 표정의 준희.

중간 그때부터 걔는 어나더 레벨의 부자가 되기 시작하더라고.
준희 (눈이 커져서) 드라마보다 더 드라마 같은 얘기네요.
중간 근데 또 그게 끝이 아니야!
준희 헉!

S#5 금주의 서재 (8화 S#55 확장) /N

24 × 25

금주, 서재에서 당황해 하는 와중에 울리는 금주의 휴대폰.

금주   (전화 받는) 여보세요? (놀라는 혁) 아빠? (듣는) 한국으로 온다고?
           여태 어디서 뭔한 거야? (듣는) 일단 알았어. 비행기 티켓 끊으면
           몇 시에 도착하는지 알려줘. 공항으로 사람 보낼게. (듣는) 응.

금주, 전화를 끊자마자 금동에게 전화 건다.

- 교차 - 금동의 방
뽕삘 나는 눈으로 누워서 웹 소설 작업을 하고 있는 금동. 기운
이 없다.

금동   (전화 받는) 응….
금주   방금 아빠한테 전화 왔어.
금동   (무심코) 아빠… (하다가 놀라서) 아빠?
금주   한국으로 온대.
금동   이제껏 어디에 있었대?
금주   티베트! 구룬지 뭔지 했다는데… 자세한 얘긴 안 물었어.
금동   아… 당 떨어져. 버겁다. 살아 있다니 희소식인데… 왜 불안이
           몰려오냐.
금주   엄마 어떡해? 불륜녀 되게 생겼어 지금.
           둘이 지금 한겨울 구들방 난로처럼 뜨거운데… 이걸 어째야
           되니?
금동   어쩌긴 뭘 어째! 누난 그걸 말이라고 해?

금주	너 엄마한테 입도 뻥긋하지 마.
금동	뻥긋!

금동, 전화 끊고 내려오다 '쿠당탕' 넘어진다. "아프다~~" 신음소리.

S#6 놀이공원 /N

회전목마 앞에서 사진 찍는 커플들, 바이킹과 롤러코스터로 소리지르는 사람들.
바이킹 타러 걸어가는 중간과 준희.

준희	나 이제 사람들 눈치 안 보려고요··· 나이 들어서 나잇값 하라고 남들이 그러면 더 잘할게요. 우리 중간 씨한테 보란 듯이.
중간	(행복하다. 준희를 꽉 끌어안는다)

CUT TO - 바이킹 일각 -
바이킹 앞에 서 있는 준희, 중간. 사람들 지나가면서 힐끗거리며 둘을 쳐다본다.
중간과 준희, 들어가려는데. 사내 1이 새치기하듯 앞으로 끼어든다.

사내1	할머니! 저희 서 있었는데! 까먹으셨나보다~~

아유 괜찮아요! 우리 할머니도 요즘 깜빡~~ 깜빡 하셔서! (킥킥
댄다)

준희　　　　(중간 잡고 들어가며) 중간 씨. 가요.

사내 2　　　(준희 밀치며) 아이씨. 우리가 먼저 왔다니까.
　　　　　　노인네들이 뭔 바이킹을 타겠다고… 혈압 터지면 어쩌려고.
　　　　　　(하고, 준희를 밀치자)

준희, 넘어질 뻔한 걸 중간이 잡아 준다. 중간, 빡이 치지만.
준희가 중간에게 참으라는 듯 미소.

준희　　　　싸우지 말고 우리 다른 거 타요.

중간　　　　(샤방한 미소) 자기 걱정 마요~ 안 싸워~

중간, 사내 1,2에게 다가간다.

중간　　　　바이킹이 그렇게 좋아?

사내 1.2　　(무시하듯 보고 있자)

중간　　　　그럼 내가 바이킹 태워 줄게~~

중간, 방긋 웃으며 두 사내의 머리를 쓰다듬다가 머리카락을 잡
고 두 손으로 들어 올리자, 사내 둘, 허공으로 올라가며 고통으
로 소리치며 몸부림.
중간, 손을 놓자 사내 둘 널브러진다.
중간, 손을 털고 준희에게 간다.

일각에서 사내들이 비명 지르고 사람들 와서 그런 사내들 보고
놀라는 소리 들리고.
중간, 얼른 준희 시선 다른 곳으로 돌려야 해서.

중간   준희 씨. 우리 이딴 거 타지 말고 클래식하게 놀아요….

준희   네?

중간   나 잡아 봐라~ 하지 말고 내가 잡으러 간다~

그러자 준희, 선두로 출발해 달려가는데. 중간도 '꺄르르' 웃으
며 준희를 쫓아간다.

준희   (뒤돌아보며) 중간 씨~ 길 중간으로 뛰어오지 마요~ 다쳐~

중간   아냐~~ 난 중간으로 뛸래~~ (방방 뛰고)

중간을 잡으러 뛰는 준희, 방방 뛰며 행복한 중간의 모습.
사내 둘은 황비홍처럼 중간 머리가 다 뽑혀 있는.

S#7   팀장의 집 /N

빈 생수병이 널브러진 팀장의 집. 팀장, 갈치에게서 받은 마약을
멍하니 보고 있다.
가루 1g 정도가 작은 비닐에 들어 있다. 체념한 듯 남은 물을 마
시는 팀장.

S#8 남인의 방 /N

봉고의 집에 있는 남인의 방. 일각에 앉아 있는 남인이에게 환청이 들린다.

태리(소리) 쫌만 더 빼면 완전 존잘일 텐데~ 한 알만 더 먹죠?

남인, 자기도 모르게 입꼬리가 올라가며 다이어트약 한 알을 입에 넣는다.
'꿀꺽', 물 없이 그대로 삼키고는 침대에 누워 천장을 바라보는 남인.
전보다 더 심하게 일그러지는 벽 천장을 보면서 행복하게 웃는데. 뭔가에 홀린 듯한 웃음이다.

S#9 허름한 권투 경기장 (류시오 엔딩과 관련된 중요 장소) /N

허름하고. 버려진. 눅눅한데다 습해 보이는 지하 권투 시합장.
낡은 링에 누군가 올라가 있는데. 보면, 땀 범벅돼서 샌드백 치는 류시오다.
'퍽… 퍽…' 붕대 감은 손으로 빠르고 날렵하게 샌드백을 치고 있는 모습 위로.

[인서트] 지하실 일각 /D

넓은 지하실에 10세의 안톤과 누군가(빙빙)가 스파링을 뜨고 있다. 두 아이 외에도 여러 명의 아이들이 서바이벌 스파링을 하고 있는 처절한 모습. 안톤, 얼굴에 피떡이 져 있다. 빙빙의 일격에 바닥에 쓰러지는 안톤. 아이들의 격투를 지켜보던 마피아.

마피아   (러시아어) 이기지 못한 자는 밥을 먹을 수 없어.
          결국 굶어 죽게 될 거야.
안톤   (휘청거리는데)

마피아 눈에 안 띄게 안톤 멱살을 잡아 일으켜 세우는 빙빙.

빙빙   (다가와 작은 소리, 러시아어) 내가 신호 주면 날 넘어뜨려.
안톤   …
빙빙   (러시아어) 계속 굶었잖아. 너.

빙빙, 안톤에게서 멀어지자 안톤, 그런 빙빙을 바라보는데.

안톤   (러시아어) 너… 이름이 뭐야?
빙빙   (러시아어) 빙빙.

'퍽퍽!' 붕대 감은 손으로 계속해서 권투 중인 류시오! 마지막 일격에 샌드백이 날아가는 순간! 샌드백을 '탁!' 휘어잡는 매서운 류시오의 눈빛에서.
[디졸브]

S#10 한강 조깅로 /D

다음날 아침. 풍광 좋은 조깅로에서 아침 운동을 하는 금주. 이
때 어디서 나타났는지 자연스럽게 합류하듯 옆에 서는 누군가.
보면… 브래드 송이다!!!

브래드   하하하… 저를 또 마킹하셨나요?

금주   아 깜짝이야! (짜증나네) 그럴 리가.

브래드   (콘셉트 없이 껄껄껄 웃는다)

금주   (어이없다)

브래드   (갈래 길이 나오자) 혹시 어느 쪽으로 가실 건가요?

금주   오른쪽이요.

브래드   그럼 전 금주 씨 가시는 길 반대쪽으로… 이만.

금주   저기요… 빵 씨….

하는데, 브래드 송 '어림없지.' 하듯 손 흔들며 뛴다.
브래드, 나름대로 자기는 밀당했다는 듯 만족스럽게 으쓱대는
모습까지.
금주, 그런 브래드 송에 어이가 상실하다 못해 거의 소멸 수준.

금주   진짜 희한한 새끼네. 와~~ 어이없어~

S#11 금주의 서재 /D

시크한 정장 차림으로 갈아입은 금주. 준비를 마친 뒤 자신의 모습을 체크하는 위로.

희식(소리) 모르실 것 같아서 말씀드리는 건데 남순이가 두고에서 이명희한테 습격을 당했어요.

이때 남순이 방에서 나온다. "엄마 나 간당~~" 하려는 남순을 붙잡는 금주.

금주 남순아.

남순 (보면)

금주 … 너 화자 때문에 다칠 뻔했다고?

남순 (헉, 놀라면)

금주 걔 지금 어딨어?

S#12 병원 휴게실 /D

홀로 의자에 앉아 TV 시청 중인 화자.
사방으로 뻗친 병실 너머로 정겨운 웃음소리가 들려온다.
화자, 확 짜증나 TV를 끄고 휴게실을 나가려는데 누군가 앞에 선다. 금주다.

금주 … 왜 그랬니?

화자	…
금주	대답해. 왜 그랬어.
화자	… 미웠습니다. 걔만 안 나타났어도 아줌마 딸로 살 수 있었으니까요. 강남순이 뺏어갔습니다. 전부 다!
금주	세상이 원망스럽니? 신도 원망스럽고?
화자	…
금주	신을 네 편이 되게 만들어. 그게 뭔지… 가르쳐 줄까?
화자	…
금주	진심으로 반성해. 속죄하고… 그럼 신도… 나도 널 용서할 거야.
화자	…
금주	착하게 살아 봐…. (진한 눈빛으로 보는)
화자	(그 시선 맞받아 금주를 바라본다. 눈빛이 일렁인다)
금주	너도… (따뜻한 시선) 내 딸이 될 수 있어.

금주, 돌아서 나가면 '울컥!' 하는 화자.

S#13 두고 대외협력팀 사무실 /D

남순, 류시오가 8화에 준 페이퍼들을 보고 있다. 맨 마지막 장 보면 러시아 바이어들 회사가 적혀 있는데, 러시아어로 작성되어 있어 알아볼 수 없다.

역시나 스마트워치로 볼 수 있게끔 팔을 들어올린… 다소 기괴한 자세로 외우다 백 대리 쪽으로 눈길이 간다. 백 대리 책상에 놓인 서류철에 '해외 물품', '해외 코드' 등 해외로 시작하는 단어의 파일 철이 대다수인데.

남순	이봐 백 대리….
백 대리	(자기 부른 거 알지만 상종하기 싫다)
남순	두고에서 해외로 보내는 게 뭐야? 이 바이어들. 해외 관련 사람들이잖아. 두고와 거래하는… 맞지?
백 대리	(불쾌한 듯 보다 결국 앙칼지게) 너 자꾸 반말할래?
남순	나보다 어리잖아. 그럼 반말해도 되는 거 아냐?
백 대리	(그 소리에 동공 흔들리는) 뭐?
남순	너 나보다 어리잖아. 딱 봐도 나보다 어린데….
양 부장	백 대리 80년생이야. 중년이야.
백 대리	왜 남의 나이를 함부로 밝혀요 부장님….
남순	허억! 미쳤나 봐. 나보다 동생인 줄 알았어.
백 대리	아 뭐야…. (좋아서 표정 관리)

하는데, 윤 비서가 인상 잔뜩 굳어져 들어온다.

윤 비서	대표님실 컴퓨터가 도난당했습니다. 대협팀 파일에도 전부 보안 걸어 놓으세요.
일동	!!!

S#14 두고 류시오의 대표 이사실 /D

윤 비서, 대표실 문을 열고 들어가면 카일과 류시오가 대화 중이다. 류시오. 잭나이프 날을 만지면서 카일의 이야기를 듣고 있는데.

카일 (러시아어) 보안팀 말로는 CCTV가 해킹 당한 것 같다고 합니다. 전날 영상이 전부 날아가서… 복구도 힘들 것 같고요.

류시오 (윤 비서 보면)

윤 비서 카일이 말한 뛰어내린 지점 살펴봤는데… 사각지댑니다. 그나마 사거리로 빠지는 곳엔 CCTV가 있어서 요청해 뒀습니다.

류시오, 이내 싸늘하게 웃으며 윤 비서와 카일에게 걸어간다.

윤 비서 (그 모습에 겁먹고) 계속… 추적하겠습니다.

윤 비서를 보며 섬뜩한 표정을 짓던 류시오! 이내 옆에 있던 카일의 허벅지를 칼로 찍어 버리는데! 그러자 카일, 비명 지른다!

류시오 (러시아어, 카일 노려보며) 여길 지키지 못한 건… 날 지키지 못한 것과 같아. 내가 대표실 보안에 신경 쓰라고… 누누이 말했을 텐데.

카일 (러시아어) … 죄송합니다.

윤 비서 죄송합니다.

류시오 누가 내 컴퓨터를 훔쳐 갔을까? 감히 내 방까지 들어와서 말이야.

윤 비서	(얼어붙어 있으면)

[인서트] 헤리티지 클럽 내 1번 룸 (7화 S#4) /D

금주	두고의 실제 '쩐주!'가 누군지 알고 싶어요. 주주 명부에 나와 있는 주주들 말고… 실제 쩐주!
류시오	두고 관련돼서 올라온 무기명 주식 증서… 파기했어?
윤 비서	네. 대표님께서 당일 올라온 자료는 그날 확인하고 바로 파기하라고 하셔서. 본부대로 진행하고 있습니다.
류시오	(광기 어린 눈빛, 표정 싸늘하게 굳으며)

S#15 마수대 /D

류시오 일체형 PC 분석 중인 참마. 뒤로 희식, 영탁, 쓰봉이 보고 있는데.
너무나 이상할 정도로 텅 비어 있다. 헝가리 무곡, 어린 남자 둘 (빙빙과 안톤)이 찍힌 사진이 전부인데.

참마	(어이없다) 리얼 퓨어 그 자체예요. (속삭인다) 이 새긴 야동도 하나 없어요.
쓰봉	인간미 없어 보이더만….
참마	파일이라곤 이게 다라니까요. (헝가리 무곡 튼다)
쓰봉	(기가 막힌다) 감성 마피아야 뭐야… 와… 어떻게 이렇지.

희식	남순이 말이 맞을지도 몰라요.
일동	(보면)
희식	고작 대한민국 하나 먹겠다고 회사에 코인까지 설립해서.
	해외까지 진출하진 않았을 거예요.
	애초에 포커싱이 국내가 아니라 해외였을지도 모른단 거죠.
영탁	판 자체를 크게 생각했다? 어차피 국내엔 퍼지고도 남을 거니까?
참마	정상적인 루트로 유통시키면 컴퓨터에 암호 걸어 킵 할 이유도 없죠. 어차피 성분 검출도 안 되는 마약인데. 뭐 하러….
일동	(아! 뭔가 깨달은 듯한)

희식, 뭔가 생각난 듯 "잠시 만요." 하고는 벗어난다.

S#16 두고 대외협력팀 - 마수대 (교차) /D

남순, 대외협력팀에 있는데 희식으로부터 전화가 온다.

남순	(희식인 걸 숨기기 위한 연기톤) 어머. 희자야. 무슨 일 있니? 내가 지금 일하느라 바빠서~~
희식	희자… (하다가) 류시오 컴퓨터. 아무것도 안 나왔어.
남순	뭐라고?? 아니 그렇게 다 퍼다 줬는데 아무것도 없음 어뜨케~~

하면서, 남순이 사무실 밖을 나간다.

CUT TO

사무실을 나온 남순. 주변을 둘러보다가 이내 심각한 표정으로 작게 속삭인다.

남순 진짜 암것두 없어? 컴터는 디립따 크더만… 모냐.

희식 네가 일하는 대외협력팀… 해외 라인 관리하지?

남순 응.

희식 거길 파자.

남순 오케이… 나도 그 쪽으로 수사 방향을 틀었는데.

희식 (어이없는) 또 통째로 들고 나올 생각 말고… 이번엔 제발 그냥 명단을 뒤지는 쪽으로. 아주 투명한 방법으로 유통하고 있을 가능성이 커.

남순 … 내 생각과 같군. 좋아. (끊는다)

S#17 두고 대외협력팀 사무실 /D

남순, 커피 들고 백 대리에게 '언니~~~' 하며 엉겨 붙는다.

백 대리 (기분이 아이스크림처럼 풀어져) 언니는 무슨.

남순 (방긋) 미안했어. 너~~무 어려 보여서 내가 실수했지 뭐야.

백 대리 ('핏' 웃음이) 그럴 수 있지. 실수 안 하는 사람이 있나….

남순 언니 나 일 잘해서 인정받고 싶거든.

백 대리 (보면)

남순	해외로 보내는 수출 물건 뭔지 알고 싶어.
백 대리	안 돼. 신입은 볼 수 없어.
남순	나… 시오가 일 빨리 배우라고 했단 말이야. 안 그럼 나 잘려 언니.
백 대리	그래도 안 돼.

남순, '피~' 하며 자기 자리로 돌아가 인터넷을 켜는데. 두고 관련 기사가 보인다. '두고 해외 진출 성공하나. 4000만 달러 매출 세운 류시오 대표의 비결은?' 헤드라인 아래. 류시오가 인터뷰한 기사들이 나온다.

[인서트] 마수대 /D
참마, 남순이 보는 기사와 다른 두고 기사를 보여 준다. 러시아에 첫 해외 진출 발을 내딛었다는 부분이 보인다. 그 기사 보는 희식, 영탁, 쓰봉.

참마	4000만 달러… 제조회사도 아닌데 뭘 팔아서… 저 매출이지.

남순(소리)	확실히 여기에… 뭔가 있어!

S#18   동 마수대 /D

쓰봉, 남순이 건넸던 헤리티지 클럽 리스트들을 복사해 각 팀원들에게 나눠 준다.

쓰봉	강 요원이 파온 헤리티지 클럽 리스트… 거기 안병호 청장님 있어.
희식	네. 안 청장님 올해 임기 끝나면 정치 입문 한대요. 금동앗줄이 필요했겠죠.
영탁	예전부터 정계에서 입질이 많았잖아.
희식	저 헤리티지 클럽에 들어가 보려고요. 거기도 분명 단서가 있을 거예요. (하다, 주변 보곤) 팀장님은요?
쓰봉	부산 마수대 지원 수사 가셨어.
영탁	근데 희식이 넌 뭔 수로 헤리티지 클럽을 들어갈 건데. 거기가 강남 클럽이야? 아님 뭐 빽이라도 있냐?
희식	(피식, 미소) 그거요. 빽! (가슴 치며) 있습니다! (폰 확인하고는) 잇츠 파뤼 타임! (하고, 나가는데)
쓰봉/영탁	(그런 희식 어이없게 보는)

S#19 남인의 사주 카페 /D

브레이크 타임 팻말이 걸려 있는 남인의 사주 카페. 중간은 기계 옆에서 원두를 갈고 있다. 그것도 맨손으로! (라텍스 장갑은 착용함) '까드득 까드득' 소리가 난다. 옆에서 놀라서 보는 준희.

준희	(모래 같은 고운 가루를 만지며) 이게 바로 진정한 핸드 드립?!
중간	(수줍게) 뭐든 이 손맛을 못 따라오잖아요~ 왜? 감자전도 강판에 갈아야 더 맛있고~ 내가 준희 씨 도와주고 싶어서 원두 좀 뽀샤 봤는데… 어때요? 더 갈까요?

준희	아니요. 중간 씨~ 이 고운 손으로 더는 힘쓰지 마요~
중간	아 왜~ 난 스트레스 풀리고 너무 좋은데~
준희	(그런 중간 보다가) 근데 우리 강 사장은 연락도 없이 카페에 오질 않네요.
중간	(그 말 끝에 남인이 늘 앉아 있던 자리를 보는 시선에서)

S#20   봉고 사진관 – 남인의 방 /D

날이 밝음에도 어딘가 우중충해 보이는 남인의 방.
'꿀꺽… 꿀꺽…' 물 넘기는 소리 따라가 보면 널브러진 생수통
들이 보인다. 침대에 앉아 물을 들이키는 남인.
초점 없는 눈빛으로 물을 마시는데… 물이 입가로 새는지도 모
르고 기계처럼 생수병을 들이키는 그로테스크한 모습에서.

S#21   두고 류시오의 대표 이사실 /D

카일 서 있고, 윤 비서가 들어온다.

윤 비서	(서류 보여 주며) 황금주 씨 법인 및 개인 소유 차량들 넘버입니다. 두 고 근처에 온 흔적은 없습니다.
류시오	(카일 보며, 러시아어) 그날 봤던 인상착의… 말해 봐.
카일	(러시아어) 무슨 소복 같은 걸 입고 있었고… 귀신 가발을 쓰고 있

었고… 키는… (자기보다 한참 낮은) 이만… 그러니까….

이때 이사실 창문을 뚫고 들어오는 작은 데시벨에 세 사람 이사실 복도쪽 창밖을 바라보면. 스마트워치를 들고 바이어들을 우스꽝스럽게 외우는 남순이다.

카일   (러시아어) 키는 딱… 저만 했는데. (하다가, 표정이 점점…?!)

류시오, 카일의 표정을 보다 남순을 보고는. 한동안 말이 없다.

류시오   (그러다) 황금주 딸… 잃어버렸다 찾았댔지. 힘도 세고.
윤 비서   네.
류시오   체첵 이력서. 확인해 봤어?
윤 비서   네. H1 비자 발급으로. 여권 상 이름도 체첵 칸입니다.
           좀 더 알아볼까요?
류시오   아니. 내가 해.

S#22 병실 /D

화자, 병실에 처연히 앉아 있다. 화자의 슬픈 표정 위로.

금주(소리) 너도… 내 딸이 될 수 있어.

화자, 눈 젖어 있으면 여 순경 아닌 다른 교대 순경이 들어온다.

순경   이명희 씨… 면회입니다.

S#23 주차장 → 류시오의 차 안 /D

병원 주차장에 들어서는 순경과 화자.
순경, 어딘가를 안내하며 입구에 서 있으면 화자 앞에 류시오 차
가 서 있다.

CUT TO - 류시오의 차 안 -

류시오   긴장 풀어요. 민증 위조 죄 따지러 온 건 아니니까.
화자   (보면)
류시오   강남순. 누군지 알죠?

화자, 눈동자가 흔들리며 침묵을 유지한다.
화자를 바라보며 대답을 기다리는 류시오. 의미심장하게 미소
짓는데.

류시오   내가 당신 구속 안 되게 도와줄 테니까… 모든 걸 사실대로 얘
           기해요.
화자   뭘….

류시오	황금주 가짜 딸 행세를 했으면 뭘 알 거잖아요?
	(툭) 혹시… 체첵!!… 황금주 딸이에요?
화자	!!
류시오	체첵이… 혹시… 강남순인가…?
화자	…
류시오	친딸이 나타나니까 죽이고 싶었던 거지.
	(이제 대답을 다 들은 듯 비죽이는 웃음이 나는 찰나에)
화자	아닙니다.
류시오	!
화자	걘 강남순이 아니에요. 힘자랑 대회에서도 본 적 없고요.
류시오	황금주 진짜 딸, 봤어?
화자	(눈이 떨린다)
류시오	솔직하게 얘기해. 안 그럼 당신… (눈빛, 표정) 죽을 수도 있어.
화자	… 네… 봤습니다.
류시오	(강한 눈빛으로 다음 말을 기다리는)
화자	체첵… 아니에요.
류시오	…
화자	진짜 딸… 걔는… 한국말 잘 못해요.
류시오	…

두 사람 사이에 흐르는 긴장의 기운.

류시오	지금 하는 말 다 사실이지?
화자	체첵이 뭐라고. 내 목숨까지 걸면서 거짓말을 해요?

류시오	(생각에 잠긴 듯 앞을 바라보며 끄덕인다)
화자	용건 끝났음 가보겠습니다. (내리려고 하는데)
류시오	(기습적으로 차갑게) 그럼 왜 죽이려고 한 거지?
	칼로 찌르려고 했잖아.
화자	(순간 눈빛이 확 변한다) … 반말하잖아. 하지 말래도 계속 반말하잖아… 난… 반말 진짜 싫어하거든.
류시오	(보면)
화자	걔가 강남순이었으면… (눈빛, 표정) 벌써 내 손에 죽었어.
류시오	(그런 화자 보다 피식 웃는다) … 알았어요. 들어가 봐요.

S#24 금주의 서재 /N

금주 앞에 앉아 있는 젠틀맨.

젠틀맨	파벨과 그의 집단에 대한 자료 사진입니다.
	젠틀맨, 패드를 띄우면 마피아 파벨의 초기 흑백 사진들이 여러 장 뜬다. 흑백 사진의 알카포네 느낌인. 파벨 창립자 타고르 사진 위로.
젠틀맨	파벨. 1954년 타고르 파벨이란 헝가리 출신 러시아 마피아가 세운 범죄 집단입니다. 초기엔 마약, 매춘, 도박 사업 등 단순 범죄 집단이었으나.

다른 사진들이 뜨기 시작하면 앞에 사진과는 분위기가 다르다.
사바키(현 파벨 보스)의 젊은 모습이 뜬다. 아프리카계 흑인인데.

젠틀맨   80년대 사바키란 자가 파벨을 먹고 들어가면서 노선이 바뀝니
다. 그는 예맨 출신 고아로 영국 명문대인 켄트대학교까지 나온
화이트칼라입니다. 파벨의 수장이 되자마자 곧바로 호텔 사업
에 뛰어들었고요.

호텔과 카지노. 볼륨이 확 커진 느낌 나는 사진들과 함께.

젠틀맨   호텔 사업에 손대면서 파벨은 세계 최고 카지노 마피아로 우뚝
섰어요. 검은 화폐 시장의 실세가 됐고. 파벨은 이를 기반으로
화이트칼라들을 육성했습니다.

흑인 사바키의 모습이 멀리서 찍힌 사진 위로.

젠틀맨   그러다 최근 강력한 실세이자 차기 후계자가 나타났습니다. 코
드명은 노쉬. 신원은 추적 중에 있습니다.
금주   노쉬? 러시아말로… 칼이란 뜻인데….
젠틀맨   어떻게 아셨습니까?
금주   (웃으며) 제가 전당포를 하잖아요. 러시아 보검 많이 받았었죠.
젠틀맨   사바키는 뛰어난 브레인이었으나 몸이 약해 질병 치레가 잦았
습니다. 그래서 차기 후계자는 전형적 마피아형으로 선회한 거
같아요.

금주	파벨 마피아들은 다 고아들인가요?
젠틀맨	네… 고아들을 납치하거나 수입해서 인간 병기로 키웁니다. 철저한 통제 하에서요.

금주의 매서워 지는 눈빛에서.

S#25 류시오의 차 - 도로 /N

운전 중인 류시오. 윤 비서에게 받았던. 기사에 올라온 강남순 사진(어린 여자 봉고)을 본다. 그제야 안심된다는 듯 경쾌한 클래식을 튼 뒤 볼륨을 높이는데.

CUT TO - 도로 -
신호가 바뀌자, 부드럽게 달려가는 류시오 차량의 모습에서.
[디졸브]

S#26 두고 일각 /D

다음 날 아침. 카일, 남순이 뛰어내린 지점 근처에서 '벙~' 하고 서 있다. 손에 가발 든 채 보고 있으면 출근하던 남순이 카일과 마주친다. 카일, 칼에 찔려 절룩거린다.

카일	(남순과 눈 마주치는데 왜 섬찟 놀라는지 모르겠는)
남순	너 괜찮냐? (하다, 자기가 놓고 간 가발 보는)
카일	(러시아어, 포물선 그리며) 저기서 뛰어내려서 이렇게 갔어. 그러면 죽었을 건데. 없어. CCTV도 먹통이야.
남순	(보면)
카일	(러시아어) 근데!! 난 분명히 봤어. 너무나 끔찍하게 못생긴 귀신의 모습이었어.
남순	근데 이상하게 기분이 나쁘네… 뭔 소린진 모르겠지만.

카일, 멍 때리며 남순을 지나치려는데 쩔룩거리자.

남순	(한숨, 한국어) 어부바~
카일	(한국어) 뭐라 했냐 씨방.
남순	업히라고.
카일	(한국어) 헐~~

남순, 카일을 그대로 업고는 뛰어간다. 카일, 버둥거리지만 벗어날 수 없고.

S#27 두고 옥상 /D

옥상 맨 위에 카일을 올려놓는 남순. 그러고는 주머니에서 쭈쭈바 두 개를 꺼내 보이며 웃는다. 아이스크림을 들고 있는 카일의 모습이 앙증맞다.

꼭지가 잘 떼지지 않자, 남순이 떼서 꼭지를 카일 입에 물려주는데.

- 이후 파파고 같은 번역기로 이루어지는 두 사람의 대화 -

남순   네가 훨씬 힘도 센데 왜 맞고만 있어. 같이 때려 주지.

카일   (러시아어) 나는 그에게 복종해야 해.

남순   (카일 보다가) 그런 사람 뭐가 좋아서 지켜 줘?

카일   (보면)

남순   (떠보듯) 너도 알잖아. 류시오 약하는 거.

[인서트] 희식의 차 /D

남순의 스마트워치 영상을 보며 자기도 모르게 긴장하는 희식.

그러자 카일, 아이스크림 먹던 동작을 뚝 멈춘다.

남순   너는 해?

카일   (러시아어) 아니. 안 해.

남순   왜?

카일   (러시아어) 대표를 지켜야 하니까.

남순   대단한 직업 정신이야. (엄지 척) 멋있어. 대단해. 리스펙!!

[인서트] 마수대 /D

희식과 연동돼 동일한 화면 보고 있는 마수대 일원.

참마 대표가 마약을 해…? 보통 마약 왕들은 지는 마약 안 하는데.

근데 걘 어뜨케 멀쩡해요?? 여태까지 다 죽었잖아요.

쓰봉/영탁 (서로 쳐다보면서 뭔가 더 있다는 표정)

이때 남순, 류시오에게 문자가 온다. <어디에요?>

S#28 동 대표 이사실 /D

류시오, 앉아 있으면 남순이 걸어온다. 남순에 대한 의심이 완전
히 해소됐는지 바라보는 눈빛이 편한데.

류시오 같이 갈 곳이 있어서 불렀어요.

남순 카일 상태가 너무 메롱이라서… 오늘은 내가 시오 지킬게.

류시오 … (웃음) 그래요. 근데 한국말을 왜 그렇게 잘해요?

남순 난 한국에 오는 게 목표였거든. 그래서 한국어 공부 열심히 했어.

류시오 왜 한국에 오고 싶었는데요?

남순 (배시시) 한국 남자랑 결혼하려고.

류시오 (그 소리에 귀엽다는 듯 피식 웃으며) 가요.

S#29 헤리티지 클럽 밖 /D

금주가 슈트를 입고 세단에서 내린다. 그리고 누군가가 또 차에서 내린다.

다름 아닌 희식이다. 희식, 금주의 팔짱을 낀다.

그렇게 클럽 안으로 들어가는 금주와 희식의 모습에서.

S#30　헤리티지 클럽 /D

직원들이 1번 룸을 오고 가며 세팅에 한창이다. 마지막 직원이 문을 닫고 나가면 김 마담, 그 모습을 보고 있다. 금주가 들어오자 인사하는 김 마담. 낯선 희식을 '누구?' 하듯 보다 이내 토이보이 정도로 여기고 피식 웃자.

금주　곧 저희 회사가 인수할 티지비 신매체 담당 이사예요. 이곳 회원이 될 수도 있어서 데려왔어요. 신원은 제가 개런티 합니다.

희식　안녕하세요. 제이미 최입니다. (가짜 명함 내밀고)

김 마담　반가워요. 최 사장님… 이리로 모실게요.

그렇게 금주와 희식, 1번 룸으로 들어가면 문이 닫힌다.

S#31　1번 룸 안 /D

희식, 들어오자마자 주변을 둘러보더니 얼른 도청 장치를 테이블 밑에 부착한다.

이어 금주와 눈빛 주고받고는 휴대폰을 드는데.

남순의 스마트워치로 보이는 전경이 어딘가 낯익다.

순간 류시오, 카드 키를 대고 들어가면 금주와 희식이 앉아 있고!

서로 눈을 마주친 금주 '벙!', 남순도 '벙!', 희식도 살짝 당황한 눈치다.

이내 침착하게 웃으며 금주가 자리에서 일어난다.

금주   안녕하세요. (남순 보며) 황금주예요.

남순   힐러리예요. 만나서 반가워요!

금주   반가워요. 참 예쁘시네.

남순   고맙습니다. 하하… 황금주 씨도 아름다우세요.

류시오   제 일을 도와줄 공식 로비스트입니다.

금주   네. (희식 가르키며) 이쪽은 이번에 제가 인수하는 티지비 방송국
         인수 합병 문제 도와주고 계신 M&A 전문가 제이미 최예요.

류시오   안녕하십니까.

희식   안녕하세요. (너스레) 줴이미 췌입니다.

어색하게 눈이 마주친 남순과 희식, 각자 자리에 앉는다.

디저트 메뉴와 커피를 서빙 하는 직원들.

남순, 금주에게 디저트를 챙겨 주는 희식을 발로 '툭툭' 건든다.

'얘가 왜이러나…' 그만하라며 테이블 밑으로 손을 뻗으려는데

남순이 그런 희식의 손을 탁 잡으며 장난친다. 희식, '헉!'

희식(소리)   (눈짓으로) 까불지 마.

남순(소리)   (방긋 눈웃음) 까불 껀돼….

희식, 당황하면서도 남순이 귀여워 저도 모르게 웃음이 나온다.
디저트를 잘라 남순의 접시에도 놓아주는데 류시오와 눈이 딱
마주쳐 버린다.
웃음기 싹 거둔 채 헛기침으로 자리에서 일어나는 희식.

희식   저기 잠시 화장실 좀 다녀오겠습니다. (하고, 나가는)

S#32 헤리티지 클럽 복도 /D

희식, 조심스레 나와 방들을 둘러본다. 보면, 데스크 쪽에 서 있
는 김 마담.
마작패와 도구들을 들고 어디론가 이동하는데.
벽 쪽에 카드 키가 걸려 있지만 다른 직원이 서 있다.
신참인지 어리버리하게 인사하는 모양새에 희식, 핸드폰을 들
어 영탁의 이름을 '정대철 본부장님'으로 바꾼다.
<형. 10초 뒤에 나한테 전화해요> 문자 보낸 뒤 데스크로 걸어
가는데.

희식   정대철 본부장님 방문하신 룸 키가 어떤 거죠??

직원   예? 죄송하지만 무슨 일이신지….

희식	손수건을 두고 오셨대요.
직원	본인이 아니면 룸 키는 드릴 수 없습니다.

순간 데스크에 올려놓은 희식의 폰에서 진동이 울린다.
직원, 희식, 모두 폰으로 눈길이 가면 보이는 <정대철 본부장님>

희식	(전화 받으며) 본부장님. 그 손수건이요.
	본인 아니면 안 된다는데… (직원 보며) 바꿔드려요?
직원	(당황해서 스케줄 확인하곤) 잠시만요.

직원, VIP 키를 희식에게 건넨다. "감사합니다." 인사 후 멀어지
는 희식.

S#33 VIP 룸 /D

희식, VIP 룸으로 들어와 주변을 둘러본다. 그의 눈에 들어오는
커다란 화분.
화분 흙을 살살 들추고는 초소형 카메라를 설치한 뒤 덮는다.

S#34 VIP 룸 밖 /D

갈치 들어가려는데 나오는 희식.

희식	(당황하지 않고 태연하게 안경 닦는 수건을 손에 들고 흔들며)
	찾았습니다. 본부장님 안경 수건.
갈치	(끄덕 인사하고 희식을 보내다가) 잠깐.
희식	(긴장, 멈춤)
갈치	본부장님… 안경 안 쓰시는데.
희식	(긴장돼서 멈칫)
갈치	!! (매서운 표정으로 서서히 다가오는데)
희식	하아… 단순히 안경 닦는 수건이면 이걸 찾으시겠어요?
갈치	…
희식	다른 걸… 닦으십니다. 아주 소중한 거….
갈치	다른 거… 뭐? (눈빛, 표정) 아주 소중한 거 뭐?
희식	…
갈치	…
희식	골프 아이언….
갈치	(의심스레 보다 피식 웃는다) 본부장님 골프에 진심이긴 하지.
희식	하하… 아시네… 역시… 회원 관리… 하하. (툭툭 갈치 치고는 돌아
	선다. 십년감수한 듯한)

S#35 헤리티지 클럽 복도 /D

같은 시각, 1번 룸 앞에 선 채 노크하는 김 마담. 그러자 남순이
문을 열고 나온다.

| 남순 | 뭔데? |
| 김 마담 | (묘한 웃음) 끝나고 잠깐 좀 봐. 갈 데가 있어. |

김 마담, 의미심장하게 웃으며 복도 일각을 벗어난다.
남순, 그런 김 마담의 뒷모습을 어이없게 바라보다.

S#36   1번룸 /D

문 닫고 들어오는 남순.
금주, 티를 마시고 있으면 희식에게 문자가 온다. <설치 끝났습
니다.>

금주	늘 궁금했는데… (눈빛, 표정) 두고의 무시무시한 '섀도우 파워!'가 누굴까???
류시오	궁금한 게 두고입니까… 아님… 납니까?
금주	…
남순	(살벌해진 분위기에 흠칫, 눈치 본다)
류시오	뭐가 됐건 당신은 당신이 궁금해 하는 걸 나한테서 알아낼 방법은 없을 겁니다.
금주	…
류시오	날 이길 자신 있음… 혼자 한번 해 보던가….
금주	나랑 한 내기가…그렇게 우습나?
류시오	(보는)

금주	3년 밖에 안 된 회사가, 부채 하나 없이 시총이 2조에 육박한데. 그 성장 배경이 궁금한 건 당연한 거 아니겠어? 나 같은 장사꾼 한텐?
류시오	…
금주	(눈빛, 표정) 러시아 마피아의 돈으로 움직이는 거야? '파벨'….
류시오	(파벨이란 소리에) !!!
남순	!!!

류시오, '파벨'이란 단어에 순간 평정심 잃고 눈빛이 일렁인다.

금주	게임 체인저가 되고 싶다고 했지? 넌 게임 체인저가 될 수 없어. 파괴자지. 멈춰 이쯤에서! 안 그럼… 네가… (하는데)
남순(V.O)	말씀이 너무 지나치시네요. 황금주 대표님.
류시오	(살짝 놀란 눈빛으로 보면)
금주	(이하 동문)
남순	(진지한) 비즈니스 자리에서 너무 감정적이신 거 같네요.
금주	(당황했지만, 표정 유지) 제가 좀… 그랬나요. 기분 나빴다면 사과하죠. 어쨌든 제 뜻엔 변함없습니다. (일어난다)

금주가 1번 룸을 나가면 류시오, 그런 남순을 보다 금주가 나간 문을 날카롭게 바라보는 데서.

S#37 1번 룸 (시간 경과) /D

류시오, 말없이 위스키를 마시고 있다.

한눈에 봐도 분노가 눈에 그득거리는 게 건들면 안 될 듯한데.

남순   시오… 괜찮아?

류시오   황금주….

남순   …

류시오   몹시… 거슬려. 죽이고 싶을 만큼.

남순   !!

S#38 헤리티지 클럽 앞 /D

윤 비서, 류시오가 차에 타자 문 닫고 출발하면 그 모습 바라보
고 있는 남순. 이후 고개 돌리면 의미심장한 웃음으로 김 마담이
서 있다. 따라오라는 듯 눈짓 주며 주차장 쪽으로 걸어가는데.

남순   워디 가냐?

김 마담   너 몽골에서 왔잖아. 바다 본 적 없지? 바다 구경시켜 주려고.
          보믄서 얘기도 좀 하고….

남순   어휴… (김 마담 쓰다듬으며) 고맙기도 하지… 그르자…. (하고, 앞서
          가자)

김 마담   (킹 받는)

S#39 금주의 차 안 /D

금주, 앉아 있으면 폰 울리고. 보면, <길 여사>
금주, 전화 받는다.

금주	어. 엄마.
중간[F]	나 오늘 경찰청에 표창 받으러 가는데. 사진 찍을 사람 필요해. 준희 씬 카페 봐야 되니까 너 3시까지 경찰청으로 좀 와.
금주	엄마 지금 어딘데?
중간[F]	금주병원이야. 금동이 수면 내시경하러. 회충이 있는 건지 먹어도 먹어도 계속 기운이 없다잖아.
금주	(한숨) 알았어. (끊고는 기사에게) 골드블루 들렸다 바로 경찰청 가요.
기사	네 회장님.

S#40 수면 내시경 회복실 /D

중간, 회복실에 앉아 금주와 전화를 끊으면 앞에는 의식이 몽롱한 금동이 누워 있다.

간호사	황금동 씨 30분 뒤에 나가심 돼요.
중간	(헤롱 거리는 금동을 안쓰럽게 본다) 으이구….
금동	(헤롱 거린다) 아…?

중간	(얼척 없이 본다) 뭐래… .
금동	(힘겹게 눈뜨며) 아빠… 보고 싶었어… .

그러자 중간, 금동을 한 대 '빡!!' 친다.

중간	이게 증말… 정신이 헤까닥 해도 할 말이 따루 있지.
금동	(정신이 번쩍) 아빠…!! (다시 헤롱) 티베트에서… 옴마니반메홈 했다며… .
중간	이놈이 근데… .
금동	아빠… 내일… 온다며… (헤롱헤롱) 근데… 아빠… 엄마가 남자가 있어… .
중간	(예사롭지 않다) !
금동	아빠… 새됐어… . (하고, 다시 눈을 감는)
중간	!!?!!

횐자 뒤집어지며 여전히 헤롱 거리는 금동과 다르게 '쿵!!' 내려 앉는 중간의 눈빛.

S#41 서울 경찰청 [*타 장소 가능] /D

강당에 올라 서 있는 중간. 목에는 꽃다발과 모범 시민상 상패를 들고 있다. 금주, 경찰청 앞에 서서 중간 사진을 찍어 주면 경찰 1, 2가 꽃을 들고 중간에게 걸어간다. 그런 중간 보며 배시시 웃는 금주. "길 여사 모범 시민 축하 축하" 박수 짝짝.
중간, 그런 금주에게 걸어가는.

중간	야 너 나 좀 봐. (일각으로 끌고 가는)
금주	(끌려가는)
중간	내가 뭘 좀 확인할 게 있는데… 너 솔직하게 말해. 안 그럼 너랑 나 모녀 합동 제삿날이야.
금주	아니 뭔데 이렇게 요란해. 뭐!
중간	네 아빠…!!
금주	(쿵!!) 어.
중간	네 아빠. 혹시… 한국에 와?
금주	(곤란) …
중간	대답해.
금주	응….
중간	(헉, 눈을 질끈) 언제?
금주	(계속 눈치 보면서) 내일… 낮에….
중간	(부글부글)
금주	(그런 중간의 전조에 불안을 느끼고 슬쩍 떨어지며) 엄마… 저기….
금주	(사자후, 포효한다) 으아아아아아악!!!!

경찰청 사람들, 중간의 고함에 놀란다.
금주가 "엄마! 엄마!" 부르며 달려가 껴안으면 중간, 놓으라며
금주 때리는!
이어 분에 못 이겨 결국 표창장 바닥에 내려치고! 꽃다발 들어

다 괜한 시민상에게 화풀이하며 '안 돼!!! 안돼!! 개자식!!! 개새끼! 오지마!!!' 때린다.

"어휴… 모범 시민상 받으신 분이…." 하며, 어쩔 줄 몰라 하는 형사들.

금주, 다가서지도 멀어지지도 어쩌지도 못하며 안절부절 바라보면 어느 순간 머리가 '핑~' 도는지 스르르 미끄러지듯 쓰러지는 중간!

금주, 그제야 다급하게 중간을 부축한 뒤 김 기사에게 전화 건다.

금주　　김 기사… 차 대기 시켜!! 길중간 여사 쓰러졌다. 최 박사님한테 연락하고. (전화 끊고는) 이게 무슨 난리야.

S#42 항구 /N

김 마담의 차. 컨테이너들이 쌓인 일각에 도착하자 남순과 김 마담, 차에서 내린다.

남순　　히야… 바다… 죽이네. (김 마담 보면서) 할 얘기란 게 모냐?
김 마담　아무리 생각해도 이해가 안 가서 말이야.

미로처럼 쌓인 컨테이너 일각에서 '슥… 슥… 슥… 슥…' 모습을 드러내는 조폭들.
저마다 흉측한 무기들을 들고 남순을 노려보며 다가오는데!

김 마담   네가 무슨 수로 류 대표의 마음을 샀는지. 내가 좀 봐야겠어.
찔러도 피 한 방울 안 나올 것 같은 그 인간이…
(가소롭게 웃는다) 뭐 때문에 너한테 넘어갔는지!!

김 마담이 조폭들에게 눈짓으로 신호 주자 남순에게 달려드는
조폭들!
남순, 한 사람을 들어다 빙빙 돌리며 세 사람 처리하고!
뒤에서 치려는 조폭 두 명을 잡아 박치기 시킨 후 조폭들 무리
로 발로 차 버린다!
그렇게 조폭들을 도장 깨기하듯 '드루와 드루와!!' 순식간에 격
파하는데!!
김 마담, 그 광경에 넋이 나가다 정신 차리고 차로 서둘러 걸어
간다.
그러자 '쾅!' 눈앞에 컨테이너가 떨어지자 놀라 주저앉는 김
마담.
피식하는 남순, 에어워킹으로 컨테이너까지 단번에 뛰어오
른다.
김 마담 믿을 수 없는 표정으로 굳어진. 그렇게… 김 마담을 내
려다보던 남순!!

남순   어디 가? 얘기 좀 하자면서. (기세등등한)

S#43 금주의 집 내 중간의 방 + 거실 /N

중간의 진료를 마친 최 박사 나가고 그런 중간 눈치 보는 금주.
벗어나 거실 쪽.
이때 현관문이 열리고 메이드 안내 받으며 봉고가 들어온다.
금주, 그런 봉고 보는 표정.

S#44   금주의 서재 /N

금주, 자리에 앉고 봉고, 맞은편에 걱정스럽게 앉아 있는데.

봉고   남인이 때문에… 요새 좀 이상해. 도통 방에서 나오질 않아.
         먹지도 않고.
금주   지금 남인이 어딨어?
봉고   친구 만난다고 나갔어.
금주   카페도 안 나온다는데 요새… 무슨 일이야 대체. 연애하나?
봉고   그러면 다행인데… 안 먹어도 너무 안 먹어. 하루 종일 물만 마
         시고.
금주   (끄덕) 물 많이 마시는 거… 다이어트 필수 과정이잖아.
봉고   당신은 근데… (뭔가 맺힌 답답함을 뱉어 내는) 자식 걱정은 안 되냐?
금주   왜 또 시비야?
봉고   아니… 남순이는 왜 그런 곳에서 배달 일을 하고 있으며… 남인
         이가 지금 저렇게… (하는데)
금주   (O.L) 아빠 한국 온대 내일.
봉고   (황당, 당황, 말문 막히는) 뭐?

S#45 중간의 방 /N

중간, 준희에게 받은 반지 보며 울면서 통화 중이다.

중간   준희 씨 우리에게 무슨 일이 있더라도 날 믿을 거죠? 나… 당신 끝까지 지킬 거니까… 내 옆에 있어요. 알았죠?

중간, 전화 끊고 '부르르' 하더니 다시 금주에게 전화한다.

중간   네 아빠 내가 마중 갈게. 너 있어. 내가 처리해. (전화 끊는, 표정)

S#46 금주의 서재 /N

금주, "알았어." 전화 끊는다. 황당하게 앉아 있는. 더 황당하게 앉아서 멍한 봉고.

금주   (구시렁) 그래 둘 문제야. 부부끼리 알아서 해라 제발….

하는데, 퇴근한 남순이 노크 후 들어온다.
남순, 봉고 보고 "아빠", 봉고, "남순아" 반가운데.

금주   어서 와.
남순   엄마. 어쩌려고 류시오한테 그렇게 말해!

금주	너야말로 거기서 그렇게 끼어들면 어떡하니?
남순	엄마가 더 큰 실수할까 봐 내가 멈추게 한 거야.
	아니 그냥 투자 얘기만 꺼내지 거기서 파벨 얘기는 왜 꺼내냐고!
금주	내 나름의 골드타임이야!
	사업을 할 때도 사람과 기 싸움을 할 때도… 난! 일단! 예상치 못한 순간에 어택을 해. 한 박자 빨리!!
남순	(한숨) 엄마… 류시오… 생각보다 훨씬 무서운 인간이야.
	류시오는 그렇게 다루면 안 돼 절대.
금주	너 지금!! 엄마한테 대드는 거야?
남순	어!!!!

그런 두 사람 보고 있던 봉고, '벙!' 해서 어쩔 줄 모른다.

봉고	아니… 근데 대화로 해결할 거지? 힘센 여자 둘이 붙으니까… 불안해….
남순	내가 아무리 힘세다고 엄마를 때리겠어 아빠?
봉고	그건 아니지만 내 말은….
금주	하… 나한테 이런 날이 올 줄이야. 내 딸이 나한테 대들 줄도 알고….
남순	…
금주	네가 이렇게 주체적으로 엄마랑 맞서다니… 내가 딸이랑 싸우는 내 친구들을 얼마나 부러워했는데….
봉고	…

남순	아무튼 엄마! 다신 그러지마. 부탁할게! (하고, 나간다)
금주	(피식 웃는다)
봉고	(꼬방시다는 듯, '풉')
금주	내가 딸한테 당하니까 꼬숩냐?
봉고	(자기도 모르게) 응. (헉) 아니!

S#47 두고내물류창고 /N

불 꺼진 물류 창고 안. '뚜벅뚜벅…' 남성 굽소리가 묵직하게 울린다.
잠시 후 '끼이이이익—' 창고 문이 열리며 류시오가 들어오는데 CCTV 불빛이 빨갛게 빛나지 않고 꺼져 있다.
마약이 흡수된 듯 어딘가 흥분되고 목과 팔의 힘줄이 '팟팟!!' 튀어나온 상태!!!

[인서트] 1번 룸 /N

금주	(눈빛, 표정) 러시아 마피아의 돈으로 움직이는 거야? '파벨'….

순간 소리 지르며 팔을 확 앞으로 뻗는 류시오!
그러자 택배들을 쌓아 놓은 철근이 부러지면서 물류들 쏟아진다!
순간!

- 느린 화면 -

흰 깃털 하나가 마치 '천사의 깃털'처럼 스르르 떨어진다.

그 사이로 보이는 CTA4885!

[디졸브]

S#48　브래드 송의 사무실 /D

금주, 사무실로 들어가면 브래드 송이 가습기에 얼굴을 대고
있다.

브래드　　어… 금주 씨. 잠시. 릴렉스 할 시간이 필요해서.

금주　　　어련하려고요. (미소)

브래드 송, 그대로 의자를 발로 밀쳐 '데구르르…' 금주 앞으로
굴러간다.

금주의 눈동자를 빤히 바라보며 느끼한 미소로.

브래드　　오늘은 어쩐 일로….

금주　　　당신… 류시오 알지?

브래드　　류시오? (금시초문) 누굽니까? 그 사람이….

금주, 브래드 송에게 사진을 건넨다. 류시오와 브래드 송이 함께
찍힌 사진이다.

브래드 송, 그렇게 너스레 떨다 순간 얼굴이 울그락불그락해지
면서 사진을 홱 낚아채는데.

브래드   이 사진… (헉) 이 사진 어디서 났습니까?

금주   (역시나) 똑바로 말해요. 당신… (하는데)

브래드   당신… 내 스토커야?!

금주   아니… 스토커가 아니라….

브래드   (O.L) 아니 이 사진을 어디서!! (흥분, 당황)

금주   … (저 반응 뭐야)

브래드   말해 봐요 어디서 구했는지….

금주   왜 그렇게 흥분해요? (하는데)

브래드   말 안 할 거면 나가요 당장!!!

금주   (헉!)

브래드   나가라고요 당장!! 끌려 나가기 싫으면.

금주   나 지금 또 쫓겨나는 거야?

브래드   나가라고요. (사진을 좍좍 찢는다)

금주   그걸 왜 찢어요 함부로?

브래드   (분노로 '부르르', 내선 전화) 황금주 씨 추방시켜 당장!

금주   헉! 추방?

남비서와 여비서 들어와 금주를 한 팔씩 들고 끌고 나간다.

금주   (끌려 나가며) 아니 이거 뭐야… 빵 씨… 답이나 해. 빵 씨….

브래드   (기분 나빠서 씩씩대다 가슴기를 손으로 맞으며 흥분을 가라앉히는)

S#49 인천 공항 /D

중간, 준희와 있을 때랑 다른 국민 엄마, 억울한 부인 모습으로
남편을 기다리고 있다. 게이트 문이 열리면 티베트 그루 같은 착
장과 비주얼, 대책 없는 한량 바이브 풍기면서 들어오는 중간의
남편(이하 황국종). 중간이 보이자 금니 드러내며 환하게 웃는다.

국종   중간아~~ 내 사랑 중간아…. (하며, 감격에 겨운데)
중간   (미소) 왔어?
국종   잘 있었어? 고대로네 당신….
중간   …
국종   나 티베트에서… 사유를 많이 했어.
중간   … 그래서 결론은 뭐야?
국종   당신에게 좋은 남편으로 살다 죽기로 했어.
중간   (미소) 일단 죽기로는 한 거지?
국종   ???
중간   (싸늘해지며) 그럼 일단 죽는 거부터 하자.

중간, 그대로 황국종을 때려 저 멀리 날린다.
공항에 있던 사람들 일제히 그 어이없는 상황에 '벙!'
저 멀리 날아가 바닥에 처박힌 황국종. 사람들 황당해서 중간을
보면!

중간   처자식 버리고 10년 동안 가출하고 돌아온 무책임한 남편 응징

한 겁니다. 다들 각자 일 봐요. 남의 가정사 신경 끄시고.

공항 경찰   (다가와서) 119 불러야 될 거 같은데….

중간   아뇨… 제가 끌고 가면 돼요. (하고, 기절한 황국종을 질질 끌고 간다)

그런 중간의 엽기적 행각과 공항 사람들의 패닉 상태의 표정들
이 가득해지면서.

S#50 봉고 사진관 /D

봉고, 사진관 문 열다 '우당탕!' 들리는 소리에 고개 돌리면 화장
실인데.

CUT TO
반쯤 열린 화장실 문. 보면, 실신한 남인이가 보인다.

봉고   남인아!!!

남인, 꺽꺽거리다 이내 정신을 잃는다.

S#51 두고 류시오의 대표 이사실 /D

대표 이사실로 들어오는 류시오. 자리에 앉으며 확인하는 휴대폰.

<범>에서 온 부재중 전화. 류시오, 바로 전화 건다. (갈치에게)

류시오   너 누구하나 죽여야겠다. (듣는) (눈빛, 표정)

S#52 두고 대외협력팀 /D

백 대리가 조용히 작업 중이다. 백 대리 피곤한 듯 기지개 편다.
이때 백 대리 손 위에 아이스크림을 꽂아 주는 남순.

백 대리   아 깜짝이야. (그러다 아이스크림 보고) 서프라이즈가 콘셉트야?
남순   언니… 화장품 뭐 써? 피부 너무 좋아.
백 대리   무슨….
남순   (구렁이 담 넘어가듯) 근데 이건 모야? 씨티알? 씨티지?
백 대리   어머. 이거 함부로 보믄 안 되는데… 해외 수출 코드란 말이야.
남순   (백 대리 손잡고) 언니! 나도 두고우먼이야… 우리… 식구잖아…
         식구끼리는…옷장에 빤스가 몇 갠지도 다 알아야지… 나 빨리
         업무 익혀야 된단 말이야.
백 대리   (아이스크림 빨면서) 빤스 숫자까지? 오버 아니야?
남순   대표님만 관리하는 품목 같은 게 있어? 그래서 보안이 철저한
         거야?
백 대리   그럼.
남순   CT는 뭐야 대체….
백대리   해외 수출 물품은 다 CT로 시작해.

남순, 자신의 스마트워치로 팔을 어색하게 들면서 화면을 쭉 녹화하는.

남순	대표님이 특별히 관리한다는 코드명은 뭐야?
백 대리	(말해 줄 듯 한참 남순 보다가) 안 돼 그건. (하는 순간)
양 부장	(들어오면서) 4885 인보이스 다 됐어?
백 대리	네 부장님.
양 부장	내일 출고야. (하다가, 남순 보면서) 가. 어디 신입이 여기서 얼쩡거려.
남순	알았어. 간다 가. 왜 소릴 지르고 있어.

남순, 저만치 가면서 천리안으로 보이는 모니터 화면 상단.
CTA4885.
이때 남순 자리의 전화가 울린다. 남순, 전화 받으면.

류시오(F)	내 방으로 좀 와요.

S#53 마수대 /D

희식, 팀장에게 전화하는데 연결이 안 된다. 앞에는 헤리티지에 설치한 몰래 카메라 화면이 나오고 있다. 연결이 안 되자 '많이 바쁘신가?' 싶은 희식.

S#54 팀장의 집 /D

팀장, 식탁에 가만히 앉아 있다. 진동이 울리다 끊어져 보면, 희식이다.
노트북을 켜 무언가를 작성하기 시작하는 팀장의 다짐한 듯한 모습.

S#55 두고 대외협력팀 - 류시오의 대표 이사실 /D

남순, 대표 이사실 문을 열고 들어간다. 그러자 자리에서 일어나는 류시오.

남순	왜 불렀어?
류시오	(눈빛, 표정) 사람… 죽일 수 있어요?
남순	(순간, 표정 무서워지며 눈빛)
류시오	몽골에서 살았다면서… 그 정도 기상은 있어야 하지 않나?
남순	무슨 말이 하고 싶은 거야?
류시오	황금주… 죽여 줄 수 있어요? 나를 위해서? (눈빛, 표정)
남순	!!
류시오	(껄껄 웃으며) 놀라긴… 걱정 마요. (표정 확 변해) 이미 죽었으니까.
남순	(사색이 되는데)

[인서트] 마수대 /N

희식, 컴퓨터 화면으로 류시오의 이야기를 듣고 있다. 놀라는 희식의 표정.

사색을 감추지 못하는 남순… 그 위로 '끼이이익— 쾅!!' 소리가 울린다!

S#56 거리 일각 - 차 안 /D

비포장도로로 비껴가 있는 금주의 개인 차량.
한눈에 봐도 제법 많은 양의 연기가 거리 일각을 뿌옇게 물들이고 있다.
그 사이로 정신을 잃은 듯한 금주가 보이고… 잠시 후, 수상한 그림자가 금주의 차량으로 다가오는데!!

S#57 엔딩 /D

놀란 남순과 살벌한 류시오!! 그리고 쓰러진 금주!!
그리고 남순 만큼이나 놀란 희식의 표정이 마구 교차되면서 엔딩!!

<9화 엔딩>

제10화

바지 환자, 바지 직원, 그리고 바지 남편
(The fake people)

S#1 사고 현장 /D

앰뷸런스가 금주를 베드에 싣고 간다. 구급 대원 모습 보이고.
그런 금주의 모습을 지켜보고 있는 어떤 시선이 있다.

S#2 어느 도로 /D

금주의 차를 뭉개 버린 덤프트럭이 일각에 선다. 트럭 운전자 얼
굴이 드러나는데 마스크 벗으면 보이는 – 다름 아닌 갈치다. 덤
프트럭의 번호판이 오토매틱으로 다른 번호판으로 교환된다.

- 운전석 -
전화 받는 갈치.

갈치   네.

류시오(F)　　어느 병원으로 이송됐어?

S#3　금주병원 내 1인 병실 /D

환자복을 입고 줄이란 줄은 다 달고 누워 있는 어느 환자. 금주로 추정되는 듯 하지만 붕대로 얼굴을 칭칭 감고 있어 식별 불가다.

갈치(소리)　　금주병원입니다.

S#4　두고 류시오의 대표 이사실 - 동 트럭 안 (교차) /D

류시오　　(갈치와 통화 중) 맞아 그 여자가 병원도 가지고 있었지.
갈치　　　네.
류시오　　죽었는지 제대로 확인해 봐.
갈치　　　네 알겠습니다.

갈치, 전화 끊고는 차를 출발시키는데 차가 직진하다 핸들이 말을 듣지 않고 휘청 휘청, 갈치 당황해 사색이 되고 결국 어딘가에서 '펑!' 소리 내며 멈춰 서는데.
갈치, 내려서는 트럭 확인하면 - 트럭 바퀴에 꽂혀 있는 마름쇠. 트럭 바퀴는 바람이 제대로 빠져 주저앉아 있는데.

S#5 금주병원 복도 /D

희식, 금주가 입원한 병실 쪽으로 걸어오면 경호원들이 막는다.
경찰 신분증 제시하면.

경호원1   지금은 어떤 면회도 불가능합니다.

희식, 그런 경호원1을 일견하고 병실 쪽을 걱정스런 시선으로
보는데. 그런 희식의 뒤로 중간이 걸어가는 모습이 보인다.
중간, 도도하게 걸어가는데 그런 중간 옆으로 달달달 거리는
베드.
다름 아닌 공항에서 아작 난 황국종인데.
꼬리뼈가 부러져 곧장 포지션으로 엎드려 누운 채 끙끙 앓으며
실려 가고 있다.
희식, 금주의 병실을 살펴보는 순간 들리는.

중간(소리)   (버럭) 앓는 소리 내지 말고 조용히 안 있어? 소리조차 안 나게
해 줘?

희식, 그 소리에 놀라 주변 살피면 엎드려서 가고 있는 베드만
보일 뿐.

S#6 두고 류시오의 대표 이사실 /D

류시오와 마주 서 있는 남순. 맘을 알 수 없는 표정으로 류시오를 본다.

남순   사람을 죽이고 싶다고 그렇게 막 죽이고 그럼 안 되지.
류시오   (그런 남순 보는) …
남순   …
류시오   당신은 내 편일 줄 알았는데… 아닌가?

남순과 류시오 사이에 흐르는 눈빛과 감정의 텐션.

남순   (결국 툭) 맞아. 시오 편. 그래서… 그 사람은 죽었대?
류시오   … 확인되면 알려 줄게요. 오늘 안 죽으면 다음에라도 죽을 거
        예요. 난 그 여자… 너무 거슬리거든.
남순   (그런 시오에게 시선 고정 한 채 보고 있는)
류시오   내가 죽이겠다고 생각한 사람은 다 죽어.
남순   날 고용한 이유가 그거야? … 사람을 죽이기도 해야 해?
류시오   … 왜요? 못할 거 같아요?
남순   내가 왜 못해. 시오가 원하면… 할게…. (확신을 주는 눈빛으로 보는)
류시오   (미소, 표정)

S#7 병원 일각 /D

중간, 자신의 분노를 단전에서부터 침착하게 다스리지만 숨결

은 거칠다.

그렇게 금주에게 전화 연결하는 <딸년> '전화를 받을 수 없어…
음성사서함…'

중간   뭐 한다고 전화를 안 받어? (짜증 내다 음성 남기는) 야 황금주… 나
지금 네 병원 VIP 병동에 있는데… 10년 만에 네 아버지를 만났
드만 으~찌나 반갑던지, 반가움이 말로 표현이 안 되드라고. 그
래서 한 대 쳤지~ 아주 사알짝… 티도 안 나게! (끊고는 그대로 걸어
가는)

S#8   황국종의 병실 /D

티 나게 처참한 국종의 꼬라지. 꼬리뼈가 박살나 "아고고" 숨 쉴
때마다 국종, 요란하게 앓고 있다. "아이고… 나 죽네… 나… 죽
어… 죽어… 아이고… 고국에 10년 만에 왔는데… 죽게 생겼네
아이고…."

의사(소리)   요추 1번이 나갔어요. 긴급 수술이 필요한데.

S#9   담당의의 방 /D

엑스레이가 판독대에 걸려 있다. 중간이 싸하게 앉아 있고.

그런 중간에게 국종의 상태를 설명하는 의사.

의사   (엑스레이 보이며) 보시면 여기가 요추 1번인데… 꼬리뼈 골절이 일어나면서 요추 1번 압박도 같이 일어났어요. 물리 치료는 힘들고, 나사못을 삽입해야 합니다.

중간   나사못 말고 대못으로다 박아 줘요. 아주 '꽝꽝!' 모름지기 수술을 할거면 제대로 해야 잖아요?

의사   하하하… (웃는) 근데 황금주 대표님 지금 병원에 입원 중이시라던데….

중간   (놀라는) 입원요? 금주가요?

S#10 동 병원 - 금주의 병실 앞 /D

중간이 흥분해 분기탱천해 병실로 온다. 병실로 들어가려는 걸 막는 경호원들.

그 경호원 1   면회 금지입니다.

중간   뭐라는 거야. 내 딸이야.

그 경호원 1   어떤 면회도 불가능합니다.

중간   이것들이 (죽이삘라) 내 딸이라고~~

경호원들 그런 중간을 딱 막아서자, 중간, 그대로 사내들을 '휙' 밀어서 대충 날린다.

황당하게 넘어져 눈이 커지는 사내들. 중간, 그대로 문을 열고
들어간다.

S#11 금주의 병실 안 /D

중간, 들어와서는 문을 잠근다. 그리고 금주에게 다가간다.
뭔가 덩치가 더 커 보이는 금주가 얼굴에 붕대 감고 누워 있다.
중간, 오열의 전조가 보이더니 이내 오열하기 시작한다.

중간   금주야… 어머… 내 딸 금주야… 이게 무슨 꼴이야 대체…
    어떤 놈이… 널… 일어나야지… 얼른… 아아… 아아아… 금주
    야… 어쩜 좋아… 내가 (부르르) 무슨 일이 있어도 너 살려… (그러
    다 또 오열하는데) (그러다 분노) 너 이렇게 만든 놈 누구야… 내가 사지
    를 찢어 놓고… (꺼이꺼이) 대가리도 부셔 놀게… 누구야… 아아….

중간의 휴대폰이 울린다. 슬픔에 젖어 있는데 벨이 끊어지지 않
자 짜증 나는 가운데 울먹이며 폰을 확인하면 <딸년>이다.
아무 생각 없이 무시하고 슬픔에 집중하는데 불현듯 '헉!'

중간   (잉?) 딸년? (누워 있는 여자 확인하고 폰 확인하고 결국 전화 받는) 여보
    세요?
금주(F) 엄마!
중간   헉!

금주(F)	뭐 하는 거야 거기서… 엄마는 아빠나 신경 써… 무고한 시민 줘 패면서 모범 시민 표창 받은 거 부끄럽지도 않냐?
중간	(침대에 누워 있는 여자의 붕대 눈 부분을 획 까본다) 누구세요?
금주(F)	누구긴! 바지 황금주지!
중간	@@

S#12 두고의 화장실 /D

거울 보는 남순. 그리고 그 위로 오버랩 되는 9화 남순의 얼굴.

[인서트] (회상) 9화 S#46 확장

남순	류시오 그렇게 건들었다가 엄마한테 무슨 일이라도 생기면 어떡해? 걘 어떤 짓이라도 할 수 있는 애야.
금주	남순아. 이 엄마가 기본적으로 겁대가리가 없긴 하지만 사람 무서운 걸 모르지 않아. 강남의 가죽 부츠로 살면서 온갖 사특한 인간들 다 만나 봤어. 그래서 그만큼 모든 준비와 각오가 빵빵하게 돼 있어. 걱정하지 마.
남순	준비 빵빵?
금주	류시오를 도발하는 게 목적이었어. 충동적이고 감정적이면 인간은 실수를 하게 돼 있지. 류시오가 뭐라도 흘려야 해.
남순	…

금주	트랩 속에 치즈를 둬 봐야 머리 좋은 쥐는 갇히지 않아.
	그럴 땐 쥐를 다른 방법으로 약 올려야 해. 아무튼 넌 엄마 믿
	어 봐.

- 다시 현재 -

| 금주(소리) | 남순아~ 예상대로야. 쥐가 약이 바짝 올랐어. 엄마 괜찮아. |

남순, 금주의 메시지 보고 기뻐하며 안심한다. "역시 우리 엄마!!"

남순	(그러다 갑자기 태세 전환) 류시오 너 진짜 나중에 가만 안 둔다!
	감히 우리 엄말 건드려? 아주 정성껏 박살 내 줄 거야.
	머리털부터 발톱까지 다!

화가 난 남순, 힘 조절 못하고 화장실 수도를 반대로 꺾어 버린다.
그런데 그때 백 대리 들어오고, 거울 보며 머리 매만지는데, 아
무것도 모르는 백 대리, 수도꼭지 틀었다가 그대로 얼굴로 물 분
사 당하는, '어머어머' 놀라는 백 대리.
남순, 얼른 수도꼭지 끄고 백 대리 얼굴 닦아 준다.

남순	어머 예쁜 언니~~ 이게 무슨 일이래~
백 대리	아 이게 뭐야~~ 화장 다시 고쳐야 하잖아~~~ (파우치 꺼내는)
남순	근데 생얼도 예쁜 언니. CTA4885말야… 어디에 있는지 알아?
백 대리	어디 있긴. 두고 물류 창고에 있지.

남순	물류 창고 어디? 섹션 많잖아. 대표만 아는 어떤 곳에 따로 보관돼 있는 거 아닐까?
백 대리	그걸 내가 어뜨케(어떻게) 알아. 물류팀 허 팀장이 알겠지.
남순	… 허 씨?

S#13 두고 물류 창고 안 /D

남순, 물류 창고로 여유있게 들어온다. 무슨 일인지 안에서 소란스러운 소리와 함께 문이 활짝 열려 있는데.

CUT TO
남순, 소리가 나는 섹션으로 걸어가면 무너진 선반과 철근을 복구하는 직원들의 구시렁거리는 소리. 사이로 허 팀장이 보인다. 허 팀장 역시 걸어오는 남순이를 발견하는데… 어딘가 힘이 없고 피골이 상접한 모양새다.

허 팀장	어쩐 일이야. (살피더니) 화이트칼라로 승진하더니만 신수가 훤하네?
남순	그래? 근데 허 씨는 꼬라지가 왜 그래? 많이 후달려?
허 팀장	한국말 느 거 봐. 말이나 못하면, 네가 시킨 대로 날계란 백 개 다 먹었다가 위아래 쭉쭉 빼내고 죽는 줄 알았다. 사람을 뭘루 보고….
남순	(히죽) 시킨다고 그대로 하는 사람이 어딨냐? 근데… 여긴 왜 이

난리야?

허 팀장   아이씨… 누가 철근을 부러뜨려 가지고… (하더니) 혹시 너냐??

남순   내가 왜?

허 팀장   네가 전적이 한두 개야??

        물건 훔치다 걸리고!! 안은진… 아니 이명희 아작 내고!!

남순이 부러진 철근과 선반들을 살핀다. 심상찮은 눈빛이 되는.

허 팀장   아주 박살을 냈다니까. 딱 하는 짓이 체첵 너라고.

        니같이 힘센 사람이 두고에 또 있어?

남순   … (표정)

허 팀장   CCTV도 꺼져 있고… 젠장… 근데 너 뭐 또 훔치려고 왔어?

남순   아~ 니. 나 이제 안 훔쳐. (떠보듯) 누가 그런 건지. 전혀 모르고??

허 팀장   모르지. 대표님이 그냥 조용히 덮으래서 덮는 거야.

남순   (덮으랬다고? 뭔가 이상하다)

하는데, 남순의 천리안으로 보이는. 송장 스티커에 CTA4885가
붙은 물류.

남순   ! (마음의 소리) 4885.

허 팀장   계속 여기 있을 거야?

남순   저기 4885… 저거 해외 수출 품목이잖아… 저거 뭐야?

허 팀장   그걸 네가 왜 알아야 되는데?

        나가! 너만 오면 불안해! (다른 쪽으로 걸어가는)

남순의 시선은 4885 물품에 고정되어 있다.

S#14 마수대/D

희식이 들어오면 영탁과 쓰봉이 한참 이야기 중.
사체 부검한 사진들이 붙여져 있는 가운데. 자료를 희식에게 건
네는 쓰봉.

쓰봉   그 마약! 호르몬을 조절하는 접형골이 관건이었어.
        그게 쪼그라들면서 뇌척수액이 마른대. 갈증도 그래서 나는 거고.
        보통 뇌척수액이 검사하기 전까지는 투명한 색인데 이번 마약
        으로 죽은 사체는 첨부터 적색이래.

영탁   문제는 두고 계약직 홍정호! (하면서, 걸려 있는 사체 사진 탁 치는)
        마약으로 죽었어!

희식   네?

영탁   관할서 수사 기록에 물만 마시면서 일을 했다고 적혀 있길래 조
        사해 봤지. 물! 거기에 딱 삘이 와서… 근데 역시나네.

희식   하아… 그 마약이 지금… 그 정도로 퍼져 있단 거예요?

쓰봉   마약이 다양한 형태로 둔갑해서 국내에 유통된단 거지.
        자양강장제 형태로도… 3일 밤을 새도 피곤하지 않았다니까.

희식, 심각한 표정 위로.

참마(소리)	덤프트럭 번호판 조회 됐습니다.
희식	(다가가면)
참마	예상대로 개인 소유 차량이고 차량 번호도 가짭니다.
	근데 사고 당시 여기 마천대로 35길 CCTV에 이게 잡혔어요.

번호판이 바뀌는 모먼트! (키보드 '탁' 치면)

- 화면 -
흐릿하게 보이는 번호판 차량이 바뀌는 순간이 보인다.

참마	이걸로도 충분히 말겠는데요? 도로교통법 위반!
	운전사 얼굴이 안 뜨는 게 문제죠. 마지막 행선지는 분명 CCTV
	없는 사각지대에다 차를 가져다 놨을 거고. 차량 실소유주는 또
	번호를 바꿀 테고.

S#15 동 병원 VIP 룸 대기실 + 안 /D

중간, 두리번거리고 있는데 누군가 팔을 낚아채 안으로 들인다.
'헉!' 해서 보면 모자 쓰고 마스크 쓴 금주다.

중간	너 여기서 왜 이런 요상한 짓을 해? 너 뭐 스파이 영화 찍냐?
금주	엄마 나… 지금 아주 큰일 하고 다녀.
중간	그니까 무슨 큰일?

금주	악의 무리를 무찌른 달까.
중간	지랄 똥 싸고 자빠졌네. 네 자식이나 잘 건사해. 남인이 요새 카페도 안 나오고 뭔 일 있는 거 같단 말이야.
금주	뭔 일은… 다이어트 하는 거지. 잘됐어. 아주 잘됐어. 걔 좀 빼야 돼.
중간	그건 그렇다 치고… 도대체 넌 왜 이러고 있냐? 바지 황금주까지 두면서?
금주	어떤 새끼가 날 죽이려고 했어.
중간	(정색) 누가? 어떤 새끼가?

금주, 싸해지는 표정 위로 사건의 전사가 플래시백 된다.

S#16 금주의 차 (9화 S#48 확장) /D

금주, 브랜드 사무실에서 나와 골드블루로 향하는데.
보면, 사이드 미러로 매섭게 쫓아오는 덤프트럭이 보인다.
금방이라도 부딪칠 듯 아슬아슬한 거리로 쫓아 붙는 모습에 금주, 액셀을 '꽉' 밟는다. 금주, 다급히 희식에게 전화 거는데!

희식(F)	여보세요?
금주	나예요. 예상대롭니다. 05 마 3554 덤프트럭이에요. 마천대로 34길 사거리. (눈빛, 표정) CCTV 확보해 놔요.
희식(F)	혼자 괜찮으시겠어요?

금주   백업 하는 사람이 있어요. 걱정 말아요.

금주의 백미러로 보이는.

[인서트] 동 도로 /D
젠틀맨이 오토바이를 타고 미친 듯이 달려오고 있다.

- 다시 금주 -
금주, 그렇게 덤프트럭과 맞대결을 '부릉부릉' 계속 하는데.
오히려 액셀을 밟아 버리며 덤프트럭을 향해 직진하다 아슬아
슬 부딪히기 직전 그대로 덤프트럭을 지나쳐 저만치 달려간다.
덤프트럭 유턴을 해 그대로 금주 차량을 추격한다.
그렇게 달려가는 덤프트럭 뒤로 바짝 붙어 추격하는 오토바이
탄 젠틀맨 뾰족한 마름쇠들을 능수능란하게 '휙휙' 던지면 트럭
바퀴에 '턱턱' 박힌다.
금주, 백미러로 보이는 덤프트럭이 점점 속도가 느려지는 것을
보고 피식. 결국 멈춰 서서는 버튼 누르면 특수 범퍼. 그리고 다
가오는 덤프트럭! '펑!!' 하며 운전석, 조수석, 뒷좌석… 온갖 곳
에서 에어백이 터지면서!

S#17 거리 일각 (9화 S#56 확장) /D

비포장도로로 비껴가 있는 금주의 개인 차량.

한눈에 봐도 제법 많은 양의 연기가 거리 일각을 뿌옇게 물들이고 있다.
에어백 덕분에 멀쩡한 금주. 하지만 기절한 척 다시 쓰러지는.
눈꺼풀의 미동조차 없는 금주… 정신을 잃은 듯하다.
잠시 후, '끼이익!!' 오토바이 정차하는 소리가 들린다.
뒤이어 수상한 그림자가 금주의 차량으로 다가오는데!! 보면…
젠틀맨이다!

S#18 사고 현장 (동 회차 S#1) /D

앰뷸런스가 금주를 베드에 싣고 간다. 구급 대원 모습 보이고.

S#19 동 거리 일각 (동 회차 S#1 확장) /D

젠틀맨, 은밀하게 전화 건다.

젠틀맨   여성 대원 1인 금주병원 지원 요망! (전화 끊는다)

S#20 다시 동 병원 VIP 대기실 /D

중간   아니 그럴수록 네가 멀쩡하단 걸 보여 줘야지? 이렇게 쇼할 이유가 뭐야?

금주   제갈공명도 이순신 장군도 내 죽음을 알리지 말랬잖아.

            적을 방심하게 하고 난 내 수를 쓰는 거야. 되게 재밌어. 아주 딱

            적성이야.

중간   미친년. 어휴….

금주   (다시 모자 쓰고 일어나 나가려다) 아참, 아빠 긴급 수술 들어갔어.

중간   흥~

금주   엄마가 나 키울 때 뭐라고 가르쳤냐? 힘을 아무렇게나 쓰면 절

            대 안된다고 가르쳤지? 힘 잘못 쓰면 힘도 없어진다고.

중간   (옆에 놓여 있는 복숭아 통조림 뚜껑을 손가락으로 뿍 누르자 툭 터지는) 봐~

            힘 남아 있는 거? 잘못 쓴 힘이 아니란 거야!

            네 아빠 맞아도 싸다는 조상님의 윤허야!

금주   (놀라는) 그르네.

S#21   금주의 집 /D

정 비서가 안경 '탁' 쓰고 눈빛 빠릿해져 컴퓨터로 단체 DM을
발송한다.

<황금주 대표님이 병원에 입원 중입니다. 회복에 시간이 걸릴
듯해 업무상 차질은 불가피합니다. 중대한 비즈니스 안건은 금
주 홈페이지에 남겨 주시기 바랍니다.>

정 비서, 금주의 클라우드에 있는 비즈니스 카테고리에 단체 문
자를 발송한다.

S#22 헤리티지 클럽 어느 룸 /D

문자 확인하는 김 마담의 피식 하는 표정. 그리고 노크 소리 후 문이 열리고 들어오는 태리.

김 마담   많이 돌렸니?
태리   네, 언니.

테이블 아래에 붙어 있는 도청 장치.

S#23 동 지구대 /D

희식, 헤리티지 클럽 도청 중이다.

김 마담(F)   팔로우 잘해. 결국 우리 비즈니스는 해독제야.

희식   … 해독제?

김 마담(F)   목숨 앞에서 돈을 기꺼이 쓸 수 있는 부자들만 상대해야 된단 거지.
태리(F)   그럼요. 알고 있어요.

희식   (예리한 눈빛과 표정)

S#24 남인의 방 /D

남인이가 식은땀 흘리며 누워 있다. 그런 남인을 쓰다듬고 있는
봉고.
봉고, 금주에게 전화 걸려고 하다가 멈춘다. 혼자 남인을 돌보는
봉고의 쓸쓸한 모습.

S#25 금주의 집 /D

정 비서 (전화하는) 대표님 디엠 발송 끝났습니다. 네. (듣는) 염려 마세요.
네.

이때 노크 소리 들려서 나가 보면 다름 아닌 눈시울 붉어진 금
동이다. 당황하는 정 비서.

정 비서 금동 씨?

금동 우리 아빠가… 드디어 내 곁으로 왔어요.
(갑자기 다리 힘 풀려 주저앉는다) 근데 엄마가 아빠를 때렸대요.
그래서 지금 아빠 수술한대요.

정 비서 어머~ 그럼 빨리 병원에 가봐야지 이러고 있음 어째요.

금동 정말 너무 괴로워요.

정 비서 (한숨 쉬는) 병원 가 보세요 그러지 말고.

금동 나 좀 데려가요. 나 너무 힘없어. (팔을 뻗는)

정 비서	(버럭) 혼자 가요. 별걸 다 시켜. (휙)

S#26 브래드 송의 사무실 밖 비서 방 /D

여전히 남비서, 여비서만 조촐하게 일하는.
이때 남자 밖으로 나온다. 별로 마음에 안 드는 눈치로 "너무 불
친절해…" 헛기침하며 사무실 한 번 돌아보고는 마저 걸어가자
남비서 인사한다.

남비서	다음 스케줄 잡아 드려요?
남자	아뇨 됐어요. (나간다)
여비서	(한 번도 입 떼지 않던 그녀, 드디어 한마디) 우리 대표님 왜 여자 고객만 받겠어요? 여자들의 외로운 마음을 현혹하는 거잖아요. 거기 말려드는 여자들 정말 한심하다니까요.
남비서	문정 씨 사표 낼 거야?
여비서	(헐) 어떻게 알았어요?
남비서	첨부터 대표님 그런 거 알았으면서 이제 그런 소리 하니까… (하는데) ('띠릭 띠릭' 문자 알림음 울린다. 확인하고는 눈이 커지더니 일어나 사무실 안으로 후다닥 들어가는)

S#27 브래드 송의 사무실 /D

브래드 송, 빵을 다 먹고 목이 막힌 지 사내답게 가슴을 '쾅쾅' 친다.
그때 금주에게 일전에 뺏어서 찢은 사진(류시오가 있는)을 다시 스카치테이프로 붙이며 사진 노려보면, 남비서가 허겁지겁 들어온다.

남비서   입원하셨대요. 황금주 대표님이?

브래드   (맹하게 보면서) 그래? 뭐 어디 맹장이라도 터졌어?

남비서   그게 아니라 누가 사고를 냈나 봐요. 교통사고.

브래드   (대수롭지 않게) 나대더니만. (쯧쯧)

남비서   가 보셔야죠.

브래드   내가 왜?

남비서   뺑소니인 거 같은데 용의 선상에 대표님이 오르실 수도 있잖아요.

브래드   내가 왜?

남비서   싸우셨잖아요. 추방하셨잖아요.

브래드   허… (어이없다) 이봐 남비서… (하는데)

남비서   대표님이 괜히 용의선상에 올라서 경찰 수사 받으면… 그게 딱히… 대표님한테 도움될 거 같지도 않고요.

브래드, 그 소리에 붙이다 만 사진을 한참 본다.
엄지로 환히 웃고 있는 류시오의 얼굴 부분을 매만지면서 표정 싸해지는데!

S#28 두고 대외협력팀 /N

하나 둘 가보겠다며 퇴근하는 분위기 사이로 의자에 앉은 채 심각한 표정인 남순.

남순   (손톱 물어뜯는 류의 행동과 함께) (마음의 소리) 4885 4885 어찌 빼 내오지? 허 팀장을 어찌 구워삶지? 미인계?
        (절레) 날 꼬와하든데 될까? 그래 다짜고짜 사랑한다고 해 볼까?
        (손으로 훅 쩝을 넣으며) 훅~ 그런 게 통하던데 한국 드라마 보니까….
백 대리   힐러리 퇴근 안 해?
남순   (자기도 모르게) 사랑해~ (헉)
백 대리   (배시시) 으휴… 자긴 내가 그렇게 좋냐?
남순   (아이고) 응….
백 대리   (미소) 먼저 갈게 내일 봐.

남순, 다시 생각 속으로 들어가는 순간 류시오 내선 전화가 온다.

S#29 두고 류시오의 대표 이사실 /N

남순, 들어가면 군소 피로 만든 보라 물을 마시고 있는 류시오. 남순, 뭔가 싶어 보는.

류시오	나랑… 저녁 같이 먹을래요?
남순	(마음의 소리) 나쁜 새끼 내가 너랑 밥을 먹어야 하냐? (하지만 표정 관리하며) 배고파?
류시오	우리가 진짜 한 팀이 되려면 더 친해져야 할 거 같아서….
남순	좋은 생각이야.
류시오	뭐 먹고 싶어요?
남순	몽골 음식인데 괜찮겠어?
류시오	좋아요. 체책 결정 빠른 거 맘에 들어요.
남순	내가 뭐든 좀 빨라.
류시오	(미소, 표정)

S#30 동 지구대 /N

희식, 이어폰으로 헤리티지 클럽 도청, 영상으로는 남순 몰카에.
혼종이 돼서 머리가 빙빙 돈다.

희식	도청 두 군데를 동시다발로 하니 현타 와… 아… 미칠 거 같아.
영탁	하나는 나 줘. 강남순 걸 날 주지?
희식	아뇨…. (하고, 이어폰 빼서 영탁 주는)
영탁	(영상 보면서) 와 근데 류시오 말야… 강 요원 좋아하는 거 같지 않아? 눈빛이 장난이 아니야.
희식	(버럭) 말이 되는 소릴 하세요. 저 새끼가 남순일 왜 좋아해요?
영탁	(어이없게 보면서) 넌 지금 누굴 디스 하는 거야? 강 요원이야 류시

오야?

하는데, 영상으로 보이는 장면에 깜짝 놀라는 희식.

- 화면 -
류시오가 남순의 옷에 묻은 뭔가를 떼 주며 다정하게 웃는다.

희식 미친 새끼 손 떼! 이 개자식아!
영탁 ('헐!' 그런 희식 보는)

S#31 황국종의 병실 /N

금주 혼자 조용히 국종을 기다리고 있다. 이때 금주의 휴대폰으로 문자가 온다.
다름 아닌 남비서다.

남비서(소리) 의식 없으세요? 어느 병원에 입원하셨어요?
금주 (한숨 쉬며) 얘는 아무리 봐도 모자라… 의식이 없는 나한테 문자를 하나?… (생각해 보는) 그래… 브래드 송… 류시오 쪽 인간임이 틀림 없어… 그래 맞아… 덫을 놓자. (하고는, 답글을 문자 찍는다)
금주(소리) 저는 황금주 씨 비서입니다. 대표님은 현재 금주병원 707호에 입원 중이십니다.

이때 문이 열리고 긴급 수술이 끝난 듯 엎드린 채로 베드에서
병실 베드로 옮겨지는 국종. 간호사들 나가자.

금주   아빠!!

국종, 입을 쩍 벌린 채 엎드려 기절해 있다.

금주   아빠… 이게 무슨 꼴이야 대체… 하아….

S#32 동 병실/N

이때 문이 열리고 금동이 들어온다.
눈시울 붉어지며 엎드려 누워 있는 국종의 발 만지며 오열하는
금동.

금동   아빠!
금주   방금 수술 끝났어. 기다려 깨나실 때까지.
금동   (대놓고 아빠 편) 사람 이래 놓고 엄만 어디 갔어?

S#33 동 병원 내 벤치/N

중간이 앉아 있으면 누군가 다가온다. 다름 아닌 준희다.

준희를 보자 눈물이 그렁한 중간. 그런 중간 옆에 가만히 앉는 준희.

두 사람 마음을 자제하며 그저 서로 바라보는데.

중간의 청혼 반지가 별빛에 반짝이는데 갑자기 준희, 눈물이 핑 돈다.

그런 준희를 보고 있는 중간의 가슴은 미어질 거 같다.

그런 두 사람의 모습에서.

S#34 어느 몽골 식당 /N

몽골 초원과 사막 사진이 드문드문 걸려 있는, 몽골 음악이 나오고 다소 게르 느낌을 자아내는 이국적인 분위기의 몽골 식당. 그럼에도 직원이 내려놓는 식기와 수저들은 어쩐지 고급지다.

남순   (메뉴판 보더니) 양갈비…!! 허르헉…!!

류시오   (직원에게) 구운 양갈비부터 허르헉까지 전부 주세요. 술은…
         벌러르로 할까요? (남순 보면)

남순   소욤보! 내가 젤 좋아하는 몽골 술이야.

류시오   (그런 남순 보고 미소) (직원에게) 소욤보로 주세요.

         CUT TO
         소욤보로 건배하는 남순과 류시오. 그렇게 식사가 시작되는 두 사람.

남순	시오는 고향이… 어디야? 어디에서 태어났어?
류시오	모르죠 한국 땅 어디겠죠… (불쑥) 버려졌으니까….
남순	…
류시오	5살 때 러시아로 갔어요.
남순	입양 간 거야?
류시오	말하자면… 비슷해요.
남순	그럼… (떠보듯) 누가 시오를 길렀어? 늑대처럼 산에서 혼자 산 건 아닐 거잖아.
류시오	(잠시 생각에 잠기다 감정적이 되는데) 차라리… 그게 나았을 거 같은데?
남순	(그런 시오 보는)
류시오	(맘을 억지로 추스르는. 그제야 시선 주며) 체첵! 이젠 얘기해 줘요.
남순	…
류시오	당신 그 엄청난 힘! 정체가 뭐예요?
남순	(자신을 응시하는 시선 정면으로 맞받으며) 집안 대대로 내려온 힘이지. (멕이듯) 우리 엄마도 힘이 정말 세거든!
류시오	!!
남순	(피식) 내 몽골 엄마는 내 말 빠빠를 두 팔로 들어 올려서 목욕도 시켰어. 산양젖이랑 양고기만 먹고 평생을 살아서 힘이 정말 세. 나도 그렇게 컸고.
류시오	아~ 하… 나는 체첵이 부러워요. 타고나게 힘도 세고… 또… 좋은 부모도 만났잖아요.
남순	(그런 류시오 보다가) 힘 세지고 싶어? 그럼 이거 많이 먹어… 양고 기~ (하면서, 고기를 시오 접시에 가져다 둔다)
류시오	(데이트 하는 기분인지 행복하게 웃는데)

S#35 동 마수대/N

그 꼴 보고 있는 희식의 여전한 불쾌한 표정. 영탁 옆에 참마까지 와서 보고 있다. (도청 이어폰 끼고)

영탁   (희식의 폰 동영상 보면서) 류시오 잘생기긴 했어. 그지?

희식   (예민한) 뭐가 잘생겼어요? 생긴 것부터 마약인데!

영탁   그게 잘생긴 거지… 마약보다 강렬한 게 어딨냐?

희식   (그런 영탁 마뜩찮게 보다 화면에 집중하며) 얘는 참… 연기 잘해.
          타고난 거 같아. 배우를 하지? (딱히 칭찬하는 모드는 아닌)

영탁   아니지… 참는 거지… 자기 엄마 죽이려고 한 남자한테 웃는 거
          봐. 우리 강 요원 재능 있어. 크게 될 거야 아주.

참마   그러게요. 저번에 보디가드한테 '대표 약하잖아?' 하는데 치고
          빠지는 플로우가 훌륭해요.

영탁   근데 얘들 (이어폰 손으로 가르키며) 마약을 지들끼리 부르는 은어가
          있을 텐데.

희식   퐇!

영탁   퐇! (아하) 넌 이거(자신의 이어폰 가르키고) 그거(희식의 동영상) 양다리
          걸치고 다 들었어?

희식   지구대 여 순경이 녹취한 거 다 기록해 줘서 밤새서 찾았어요.
          수능 공부 하듯이.

영탁   그래 우리 지구대랑 M&A 했지 참.

희식   …

영탁   맞다. 팀장님 부산 마수대 지원 수사 갔잖아. 근데 오늘 그쪽 수

사대장이 전화 왔는데 팀장님 안 왔대.

희식   안 왔다고요?

영탁   (걱정) 어 안 오셨대.

희식   (심각한, 휴대폰 전화로 모드 바꾸려는데)

영탁   전화 꺼 놨어. 음성도 남겼는데 연락 없어.

희식   (표정이 굳어지는 데서)

S#36   어느 바다 일각 (*강이나 호수도 상관없음) /N

눈 밑이 푹 꺼져 있고 입술이 파란. 몰골이 처참한 팀장의 모습.
바닷물을 보고 있던 팀장, 그대로 일어나 결국 바다 안으로 걸어
들어가는데.
그때 일각에서 돗자리 깔아 놓고 치맥 중이던 한 무리의 체육인
으로 보이는 사내들 중 하나가 그 상황 확인하고 팀장을 구하러
뛰어간다.
팀장의 손을 탁 잡는 그 남자. "아저씨 뭐 하는 거예요 지금."
사내, 팀장을 보는데 이미 눈빛은 정상인의 그것도 아니고 사내
흠칫한다. 사내가 팀장을 잡아당기는데 그대로 사내를 밀치는
팀장. 사내가 멀리 나자빠진다.
그러자 일행인 다른 사내 3인이 걸어오고 팀장은 바다로 들어
간다. 4인이 팀장을, 힘을 합쳐 힘겹게 밖으로 구조해 온다.

사내 1   (가쁜 호흡) 경찰에 신고해야 돼 이 아저씨… 이상해…. (하는데)

다른 사내	야… 이 사람 경찰이야. (팀장의 몸에서 삐죽 나온 경찰 신분증 꺼내 보이면서)
팀장	(그들에게서 벗어나서 멍하게 어딘가로 걸어가는 데서)

S#37 동식당 /N

남순은 밥을 먹으면서도 호시탐탐 정보를 캐낼 생각뿐.

남순	근데 시오… 두고에서 수출하는 해외 물품 말이야….
류시오	(그 소리에 경각돼 보는데 전화가 울린다. 전화 받는)
	(러시아어) 여보세요. 아 내일 중으로 출발합니다. 걱정 마십시오. 안전하게 받아 보실 수 있을 겁니다… CTA4885.

[인서트] 마수대 /N
참마가 돌리고 있는 화면 옆을 보는 희식 - 류시오의 러시아어가 번역되고 있는데.
'내일 중으로… 안전하게… CTA4885' 그 정보에 놀라 휘둥그레지는 희식.

남순, 스마트워치에 류시오를 잘 담기 위해 팔 들어 소용보 원샷으로 마시며 '캬~'.
전화 끊은 류시오.

류시오   데려다줄게요 집에.

남순   (그 소리에 술이 딱 깬다) 집? 우리 집?

S#38   동 몽골 식당 - 거리 /N

류시오, 대리기사에게 키를 건네고 남순 차에 태우려는데.
남순은 희식의 문자를 초조하게 기다리고 있다. '지르르르~' 휴
대폰 진동. 몸을 부르르 떨던 남순, 휴대폰 확인하면.

희식[소리]   우리 집으로 가 있어. 주소랑 비번 알지?

류시오   타요. (차에 태우는)

남순   알았어. (휙 들어간다)

S#39   류시오의 차 안 /N

뒷좌석에 앉아 있는 남순과 류시오. 남순은 서울 야경을 구경 중
이다. 은은하게 빛나는 대교부터 빌딩들도 별처럼 빛나는 모습.

남순   한국은 밤이 더 예쁘다. 반짝거리는 거 봐.

류시오   왜 그런지 알아요?

남순   (보면)

류시오	(의미심장) 밤엔… 생각보다 많은 일들이 일어나거든.
	그걸 다 숨기려면 저렇게 빛날 수밖에 없어요.
남순	… 그건 진짜 빛이 아냐… (류시오 보며) 가짜지.
	난 진짜 빛이랑 가짜 빛 구별할 수 있어.
류시오	난… 진짜 빛이에요 아님 가짜 빛이에요?
남순	(마음의 소리) 말 잘해야 되는데… 뭐라고 하나….
류시오	뭐라고 말할지 고민돼요?
남순	(마음의 소리, 헉) 너 천재구나… (웃으며) 가짜인지 진짜인지 자신은
	모르지만 노력하면 진짜가 될 수 있는 빛?
류시오	(그 소리에 반응해 남순 보는, 의외로 감동한)

S#40 희식의 집 앞 /N

남순, 류시오의 차에서 내린다. 차 안에 있는 류시오에게 손을
흔든다.

류시오	여기가 체첵 씨 집이에요?
남순	아니. 친구 집. 내가 그냥 빈대 붙고 있어.
류시오	(웃는) 빈대….
남순	가~~

차 떠나고 남순, 희식의 집으로 향하는. 류시오, 그런 남순에게
이미 빠져든 듯 피식.

S#41 류시오의 차 안/N

혼자 남겨진 류시오, 남순의 말을 곱씹는다.

남순(소리) 가짜인지 진짜인지 자신은 모르지만 노력하면 진짜가 될 수 있
는 빛?

그렇게 생각에 잠기는 류시오.

[인서트] (회상) 어딘가 /D
파벨의 요원으로 보이는(얼굴 보이지 않고) 사내가 어린 류시오(10
살)에게 총을 건넨다. (*이하 모두 러시아어) 옆에는 빙빙이 서 있다.

사내 얼른 죽여! 배신자는 동료에 의해 사살 당해… 파벨의 원칙이지!
어린 류시오 (총을 들고 벌벌 떨고)
사내 (러시아어로) 죽여! 당장 죽이라고!
어린 류시오 (땀, 눈물, 피가 범벅된 얼굴로 총을 쏘지 못하고)

어린 류시오가 총구를 겨눈 사내는 러시아 마피아 배신자(성인)
다. 꿇어 앉아 눈을 감고 죽음을 기다리는. 빙빙 그런 류시오를
보며 끄덕, 죽이라는 듯.
어린 류시오, 눈빛이 잔인해지면서 결국 '탕!' 총소리 들리면서.

- 다시 현재 -

류시오, 회상에서 깨어나 깊은 눈으로 창밖을 보는데 보이는 별빛.

S#42 희식의 집 앞 + 안 /N

남순, 비번을 누르고 집 안으로 들어간다.

- 안 -
남순, 집 안으로 들어와 목이 마른지 냉장고에서 생수를 꺼내 마신다.
'끄억!' 시원하게 마시고 소파에 앉는다. 술을 마셔서 '알딸딸…'

남순   오랜만에 마셨더니 째리네…. (하고, 획)

S#43 황국종의 병실 /N

국종, '끄응~~' 마취에서 깬다. 지켜보고 있던 금주와 금동.

금동   아빠….
금주   아빠….
국종   (쳐 엎드려 힘겹게 자식들 보는) 금주야… 금동아….
금주   아빠… 정신이 들어요?

국종	(끄덕이는)
금동	아빠…. (우는)
국종	니들….
금주/금동	(다음 말 기다리는데)
국종	많이… 늙었구나….
금주	(어이없다)
금동	아빠… 왜 이제 온거야. 왜~

국종, 엎드린 채로 여전히 시름시름 앓고 있다.

국종	우리 금주… 금동이… 아빠가 미안해.
금동	도대체 어디서 뭘 하고 산 거야 아빠?
국종	… 처음은… 남순이를 찾기 위해서였어… 그래서 몽골에 갔지….

엎드린 채 눈빛이 아련해지는 국종.

국종	높은 데라면 환장하는 우리 손녀 딸… 높은 데 높은 데… 더 높은 데… 제일 높은 데만 찾아 다녔어.

[인서트1] 공항 /D
국종, 진 빠진 채 티켓을 보면 울란바토르에서 라사로 가는 행선지가 적혀 있다.

국종(소리)   티벳 라사가 세계에서 해발고도가 젤루 높다는데…
            이거다… 울 손녀딸이라면… 여기 있을 수도 있겠다….

            [인서트2] 고산지대 /D
            '헉헉' 고산지대를 오르는 국종. 그러다 '삐-' 소리와 함께 귀가
            먹통 된다.
            아무것도 들리지 않는. 속도 울렁거려 발라당 드러눕는 국종.

국종(소리)   거기서 한 구루를 만난 거야.

            [인서트3] 실내 어딘가 /D
            외국어로 '쏴라라라~' 중얼거리며 국종에게 호흡법을 알려 주는
            구루.
            국종, 잘 모르지만 그대로 '쓰읍… 후우…' 따라 하는데 점점 소
            리가 들린다.

국종(소리)   그러고 깨달았지… 이건 신의 뜻이다… 남순일 위해… 여기서
            기도하라며… 신이 날 거둔 게 분명하다….

            [인서트4] 사원 /D
            수도승 차림. 빡빡 민 머리로 앉아 기도하는 국종.
            이때 장이 꼬이는 듯한… '꾸루루루룩…' 소리가 들리자.

국종(소리)   하지만 장 트러블 만큼은… 신이 거둬 주지 않았어.

국종, 어느새 눈가가 촉촉해져 있다.

국종   또 깨달았지… 진정한 신의 뜻은… 한국 밥을 먹어라… 그러니
           빨리 한국으로 돌아가라….

금주   아빠 남순이 찾으려고 티베트에 간 거였어? 그 소릴 왜 안했어?

국종   …

금동   아빠가 우리 버리고 가출한 건 줄 알았잖아.

금주   이제 보니 가출이 아니라 출가였네.

금동   그래서 엄마도 아빠를 얼마나 원망했는데.

국종   남순이를 찾아서 돌아오려고 했지… 근데…. (눈시울)

금동   남순이 찾았어 아빠!

국종   (놀라는) 뭐?

금주   (끄덕) 찾았어. 남순이… 우리 곁으로 돌아왔어.

국종   정말이야? (갑자기 스르르 벌떡 일어나는) 정말 찾았다고 남순이를?

금주   응. 그렇다니까!

국종   (티베트어) 옴 벤자 싸또 싸마야 마누 빨라야!
           <자막: 오! 금강살타시여! 서언을 수호하소서!>
           하아… 이제 남은 인생 네 엄마 손 꼭 붙들고 행복하게 살 일만
           남았구나. (행복한데)

금주/금동   (동시에 깊은 한숨)

S#44 동 병원 벤치 /N

준희가 중간의 손을 꼭 붙든다.

준희   이름은 중간인데 그 무엇하나 중간인 게 없는 우리 중간 씨…
                나 우리 중간 씨 절대 포기 못해요. 아니 안 해요!
                나한테 다 맡겨요. 내가 다 해결해요!

중간, 그런 준희 보며 통절한 한숨을 내뱉는 데서.

S#45 희식의 집 / N

남순, 널브러져 자는데 집으로 들어온 희식이 그런 남순을 본다.
누워 있는 남순을 보는데 입을 벌리고 자는 남순의 입 안에 뭔
가가 있다. 벌레 같은 게… 희식, 얼굴을 서서히 초근접 해서 남
순을 보는데 남순이 눈을 뜬다. '휙!' 놀라는 희식, 그리고 남순.
남순이 벌떡 일어나다 희식과 뽀뽀가 된다. 얼른 몸 떼는 두 사
람. 어색한.

희식   아니 입 안에 벌레가 있는 거 같아서… 빼 주려다가….
남순   뭐래… 뭔 벌레….
희식   충친가? 야…너 치과 가 봐.
남순   나 그런 거 없거든?
희식   아무튼… 일부러 그런 건 아니란 소리지 내 말은.
남순   알았어. 나도 아니야.

어색한 두 사람. 이때 남순의 폰이 울린다. 남순, 확인하면 <시오>다.

시오(소리) 잘 자요.

희식, 흘깃 곁눈질로 보면서. 기분 나쁜 표정.

희식 (작은 소리로 구시렁) 미친놈….
남순 (그런 희식 귀엽다는 듯 보다가) 근데 류시오 말이야… 마약을 하는 건 확실해. 힘이 세지는 특징… 내가 봤거든!!

[인서트1] (플래시백1 5화 S#41 물류 창고) /N
류시오, 경계하듯 놀라 소스라치게 확 치자 남순이 그대로 날아간다.

[인서트2] (플래시백2 동 회차 S#13 물류 창고) /D
부러진 철근과 선반들.

남순 근데 왜 애는 멀쩡한 거지? 물도 생전 안 마셔.
희식 (뭔가 생각해 보는) (그러다) 해독제… 해독제 얘길 했어.
남순 해독제?
희식 그게 비즈니스에 연결돼 있는 거 같아.
남순 하아… 내일 CTA4885가 출고돼.
희식 그걸 빼내자. 목숨 걸고.

| 남순 | (결의에 찬) 알았어. 걱정 마~! |
| 희식 | (그런 남순 보는데 입술만 보이자) 야… 나 배고파. 저녁을 못 먹었어. |

CUT TO - 식탁 -

라면을 끓여 냄비째 먹고 있는 희식.
희식 앞에 앉아 그런 희식을 턱 괴고 귀엽게 보고 있는 남순.

희식	왜… 한 입 줘?
남순	(그 말 끝에 장난치듯) 한 입? 아까 준 거 아닌가? 한 입?
희식	(끄응~) 뭐든 장난으로 만드네….
남순	(희식 젓가락 뺏어 한 줄기 먹으며 또 장난) 맛있다. 한 입.
희식	(그런 남순 귀여운데 어쩌지 싶고, 젓가락 뺏는)
남순	나 한 입만 더 줘.
희식	그래? 그럼 젓가락 가지고 옆에 앉아.
남순	야호…. (하고, 젓가락 가져와 옆에 앉는)
희식	다시 해 봐. 한 입만~
남순	(손가락 하나 펴서 귀엽게) 한 입만!
희식	(쪽, 뽀뽀)

빠빠의 말방울 소리 '띠리링~' 남순, '짜르르' 기분이 좋다.

| 희식 | (젓가락 뺏으며) 됐지 한 입… 저리 가… 라면은 안 돼. |
| 남순 | 아쉽다… 맛있던데…. |

묘하게 시선이 '찌리리' 해지는 두 사람. 그런 두 사람의 풋풋한 모습에서.

[디졸브]

S#46 남인의 방 /D

계속해서 자고 있는 남인. 이를 뒤로한 채 컴퓨터로 뭘 검색 중인 봉고. 보면, 남인이가 먹고 있던 다이어트약인데. 아무리 검색해도 나오지 않는다. 봉고, 속이 답답해진다. "뭐야 대체…."

S#47 화자의 병실 /D

화자, 퇴원 준비를 한다. 이때 문이 열리고 정 비서가 들어온다. 정 비서 알아보는 화자, 인사한다.

정 비서	대표님이 명희 씨 지낼 집을 마련해 주셨어요.
화자	(놀라는) …
정 비서	변호사 선임도 했고요. 명희 씨가 구속되지 않도록 모든 힘을 쓰실 거예요. 우리 쪽에선 고소를 취하했지만 현장에서 흉기가 발견돼… 기소는 불가피할 거 같아요.
화자	저기… 두고 대표가 날 찾아왔었어요.
정 비서	…

화자	강남순이 체첵인 걸 눈치 챈 거 같았어요… 나한테 황금주 딸이 누구냐고 물었어요.
정 비서	그래서요.
화자	아니라고 했어요.
정 비서	잘하셨어요. (나가며) 천천히 나오세요. 차 대기하고 있을게요.

S#48 동 병원 로비 - 병실 앞 /D

브래드 송, 어깨 딱 펴고 당당히 걷고 있다. 그런 브래드 뒤로 남 비서가 꽃바구니와 복숭아 넥타 박스를 들고 걷고 있다.

브래드	몇 호지?
남비서	707호요.
브래드	(뜬금없이) 방 번호 좋네. (엘리베이터 열리고 들어가는)

- 병실 앞 -
브래드 송과 남비서, 병실 들어가려 하자 동 경호원들이 가로 막는다.

경호원	보호자외 출입금지입니다.
남비서	(다가와 귓속말)
경호원	(인상 쓰며 휴대폰 들어 전화 연결) 네 여기 브래드 송이란 분이 면회를

청하는데요. (듣는) 네 알겠습니다. (끊고는) 들어가시랍니다.

브래드 송과 남비서, 어깨 펴고 들어가는.

S#49 금주의 서재 /D

금주가 결재 서류들을 확인하고 있는데 정 비서가 들어온다.

정 비서 명희 양 안내하신 집으로 보냈습니다. 근데… 두고 대표가. 남순
    이에 대해 물었다고 하네요.

금주   ‼

정 비서 체책을 남순이라고 의심한 것 같은데… 명희 양이 아니라고 했
    대요.

금주   … 그래… 내가 일간 들린다고 전해.

정 비서 네… 그리고 브래드 송 지금 병실로 들어갔는데…
    눈치 채지 않을까요? 아무리 붕대로 가려도.

금주   모를 거야. 생각보다 멍청한 애들이라….

S#50 금주의 병실 /D

브래드와 남비서 들어오면 바지 환자가 얼굴 다 가리고 이불 덮
고 누워 있다. 링겔 하나 달랑 꽂고.

남비서	하아… 많이 다치셨네…얼굴이 엄청 커지셨어요. (작은 소리로)
브래드	(절통한) 황금주 대표님… 이런 황망한 사고를 당하시고… 마음이 무겁네요. 일전에 제가 추방시킨 일도 있고… 도대체 어쩌다 이렇게 다치셨습니까 좀 조심하시지….

브래드, 누워 있는 바지를 위아래로 스캔하는데 눈빛이 '찌릿!'
뭔가 이상하다.
콧구멍과 입술, 그리고 손… 등 뚫려 있는 바지의 신체 부분 부분을 살피는데 '피식…'

브래드	아무쪼록 쾌유하시고 꼭 건강한 얼굴로 다시 만났으면 좋겠네요. 그럼… 저희는 이만 가겠습니다.
남비서	(당황) 뭐 이렇게 금방….
브래드	(남비서 대충 끌고 나가는)

병실 일각에 있는 CCTV가 돌고 있다.

S#51 병실 밖 – 병원 일각 /D

브래드 송과 남비서, 걷고 있다. 걸으며 얘기하는 브래드 송.

브래드	내가 바지 사장, 바지 회사는 들어봤지만 바지 환자는 첨 봤다.
남비서	바지 환자요?

브래드	(멈춰 서서 주변 살펴보고) (다소 작은 소리로) 황금주 아니야.
남비서	(놀라는) 예?
브래드	가짜라고.
남비서	그걸 어떻게 아세요?
브래드	내가 여자 한 번 보면 눈 감고도 그 여자 몸을 다 그릴 수 있는 사람이야. 우리나라 지도는 못 그려도 여자 몸은 그려요~
남비서	… 아… 근데… 어떻게 아셨단 건지….
브래드	황금주 콧구멍이 아니었어.
남비서	(엥) 콧구멍요?
브래드	(혼자 난리) 난 여자 콧구멍을 굉장히 디테일하게 본다고… 콧구멍으로 그 사람 재물 정도를 파악하거든.
남비서	(어이없게 보다 구시렁) 콧구멍을 언제 그렇게 자세히 보셨어요?
브래드	아무튼 황금주 아니야… 근데 왜 저런 이상한 짓을 하는 건지 모르겠네… 저 여자는 정말… 우와… 이해가 안 가네… 왜 저런 짓을 하지~~

브래드, 다시 걷기 시작하고 남비서, 쪼르르 따라 걷는.

S#52 금주의 서재 /D

남순이 출근룩으로 들어온다. 금주가 그런 남순을 환하게 맞이한다.

금주	출근해?
남순	오늘 아주 중요한 임무가 있어.
금주	들었어. 강희식 경위가 매일 나한테 보고하거든. 어제 너… 외박한 거 아니야?
남순	… 그게 왜?
금주	류시오가 명희한테 물어봤대. 체첵이… 강남순이냐고…!!
남순	(헉!)
금주	너랑 나랑 같이 있으면 들키는 건 시간 문제야. 가능한 그 집에서 계속 지내. 그러다 뭐… 구렁이 담 넘어가듯 살림을 합치면 되지 않을까? 꿩 먹고 알 먹고… 마당 쓸고 엽전 줍고… 님도 보고 뽕도 따고….
남순	간이식 내가 데리고 살 거야. 내가 데려올게 절차 밟아서. (획' 나가는)
금주	누가 황금주 딸 아니랄까 봐….

S#53 마수대/D

두고 물류 창고에서 인천항까지 가는 노선이 그려진 PPT 아래 준비가 끝난 듯 희식과 영탁, 눈빛을 교환하며 끄덕. (준비 됐다는 신호)

영탁	먼저 도착하면 (어느 지점 짚으며) 여기서 대기 타자고.
희식	네. 강 요원 도주 라인은 형이 맡아 주세요. 전 트럭 마킹할게요.

이때 봉고가 마수대 들어오려다 형사 1에게 가로막힌다.

봉고   죄송합니다. 사람을 좀 찾고 있어서… (하다가, 희식과 눈 마주치자)
희식   … 아버님?

CUT TO - 마수대 복도 일각 -
희식에게 남인이가 먹었던 다이어트 약병 건네는 봉고.

봉고   남인이가 먹는 다이어트약인데… 뭔가 이상해.
희식   (보면)
봉고   약 먹은 뒤로 밥도 안 먹고 죙일 물만 마시는데… 쓰러져서 보니
           깐 애 입술이 바짝 말라 있더라고, 며칠 물 못 마신 사람처럼….
희식   (심각해져서) 언제부터요? 얼마나 마신 거예요?
봉고   하루에 2L는 기본인데… 애가 갈수록 초췌해지는 게 암만 봐도
           이 약 때문인 것 같은데… 여기 계좌번호가 있으니까 이걸로 추
           적하면 뭔가 나오지 않을까 해서… 좀 알아봐 달라고 부탁하려
           고 왔어.

희식, 심상치 않은 눈빛으로 약병을 바라본다. 그러다 국과수로
전화하는.

희식   안녕하세요 마수대 강희식입니다. 성분 분석 좀 부탁드리려고요.
           지금 바로 좀 알아봐 주세요.

S#54 두고 대외협력팀 /D

남순, 대외협력팀 직원들을 눈치보다 슬쩍 바퀴 굴려 백 대리 옆으로 간다.

남순	(속삭이듯) 언니. 우리 오늘 나가는 택배들. 몇 시 출고 예정이야?
백 대리	어디 보자… 12시 30분이네. ('왜?'라는 눈빛)
남순	나 잠깐 나갔다 올 건데… 시오가 나 찾으면 말 좀 잘해 주라.
백 대리	시오?
남순	저기. (대표 이사실 가리키면)
백 대리	아~ 대표님~~ 와, 적응 안 돼. 시오래… 대단하다.
남순	암튼 나 빨리 올 테니깐 잘 좀 해죠? 올 때 왕만두 사 올게.
백 대리	나 왕만두 좋아하는 건 어떻게 알았어?
남순	언니 SNS에 만두 사진 밖에 없잖아. 강아지 이름도 만두잖아. 나 팔로우 걸어서 다 알아.

남순, 히죽 웃어 보이고는 양 부장과 다른 직원들 눈치보며 슬그머니 빠져나간다.

S#55 두고 물류 창고 /D

바삐 움직이는 직원들 사이로 슬그머니 보고 있는 남순.
천리안으로 CTA4885가 있는 섹션 쪽을 주시하고 있는데 옆에 택배들은 출고 준비되는 가운데… 그대로 남아 있는 CTA4885.
뚫어져라 섹션을 바라보고 있던 바로 그때! 모자를 푹 눌러쓴
누군가 다가온다.
택배들을 들 것에 싣고 나가는 듯하면서 CTA4885 택배들을 집
어 나르기 시작하는데.
이내 카트를 끌고 뒤쪽 문을 열고 나간다.

남순   (혼잣말) 저기 출고 통로 아닌데…?

S#56　두고 물류 창고 뒤편 /D

트럭 탑차에 CTA4885 택배들을 싣는 운전자.
두고 트럭과 다른, 아무 로고 없는 일반 탑차 트럭인데.
이어 빈 카트를 끌고 다시 물류 창고로 들어가는 운전자.
남순, 이때다 싶어 탑차로 들어가면 잠시 후 다시 돌아온 운전자
가 나머지 택배를 탑차에 싣고 탑차 닫고 걸어 잠근다.
'부릉…!' 시동 걸린 뒤 출발하는 트럭.

S#57　강한 지구대 앞 /D

지구대 앞으로 뛰어나오는 희식, 영탁. 희식의 차도 시동과 함께
출발하고.

S#58 희식의 차 - 남순이가 들어간 트럭 안 /D

트럭을 바짝 쫓아가는 희식과 영탁. 희식이 운전 중.

[인서트1] 남순이가 들어간 화물 트럭 안 /D
마치 야시경을 낀 것처럼 차고 안이 보이는 남순의 시선.
남순, CTA4885 택배들을 미친 듯이 뒤지기 시작한다.

트럭 바로 옆에 붙은 희식의 차.

[인서트2] 동 트럭 안 /D
남순, 택배 더미를 뒤지는 순간 찾았다!! 번뜩이는 눈.
팔을 확 뻗어 뜯어보니 오리털 파카인데!
남순, '이게… 마약…?'이라는 황당함과 놀라움이 섞인 표정!

희식, 인천항까지 남은 노선을 보면 우회전한 뒤 그대로 직진하면
끝이다.
액셀을 밟아 트럭을 추월하고는 신호가 바뀌기 직전 꺾어 들어
간다. 사이드미러로 보면 트럭은 신호가 걸려 정차한 상태.

희식   여기 앞에 세울게요.

S#59 한적한 도로 /D

차들이 거의 지나다니지 않는 한적한 도로, 트럭이 한적한 도로에 진입하면 한 여인이 '혹' 뛰어든다.
운전자, 깜짝 놀라 '빠아아앙-' 하며 급브레이크 밟아 바로 앞에서 멈춘다.

운전자 (창문 내리고) 아씨 이년이 미쳤나… 야!!! 죽고 싶어?!
희식 (운전자 올려다 보며 아련하게) 오빠… 오빠하… 헬프 미….

운전자, 그런 희식과 눈이 마주치는데… 예쁘다…!! 육감적 몸매!! 뇌쇄적 눈빛!

운전자 (단숨에 내려) 왜 왜왜왜 무슨 일이야.
희식 우리 차… 고장났나 봐 꿈쩍을 안해!! (제 머리 꼬며 운전자한테 기대)
   도와줄 수… 있어??

희식, 운전자를 자기 차로 데려간다. 그러곤 운전자가 트럭을 보지 못하도록 앞에 딱 달라붙어 시야를 가리는데.
이때 미리 빠져나와 숨어 있던 영탁이 남순에게 톡을 보낸다.

S#60 동 트럭 안 + 밖 /D

남순, 파카를 껴입고 탈출 대기 타는데 문자 알림음.
확인하면, <지금 탈출>

- 트럭 밖 -

문이 덜컹거리더니 표면이 우그러지고 밖에 잠겨 있던 자물쇠가 부서진다. 그리고 파카 입은 남순이 나온다.

언제 와 있었는지 살금살금 빠져나와 트럭 밑으로 몸 숙이고 있던 영탁에게 파카를 던져 주는 남순. 이내 '우다다다' 도망친다.

영탁, 파카를 보며 남순처럼 어리둥절해 하다 일단 입고 보자 싶어 그 파카를 입는다.

- 희식의 차 근처 -

희식, 그런 영탁 발견하고는 운전자 팔짱을 끼면서 "오빠, 내가 시동 걸어 볼게. 고마워."

희식, 윙크 하고 운전석에 탄다. 그렇게 차 떠나고.

S#61 마수대/N

희식, 화장도 지우고 변장을 해체한 채 젖은 얼굴로 파카 이곳저곳을 뒤져 보다 뭔가 생각이 난 듯 칼로 파카를 북 찢는다. 안에서 나오는 털들이 여과 없는 오리털인데.

허탈해 하던 희식과 영탁, 오리털을 한 손으로 잡고 비비지만 별다른 이상이 없다.

이때 희식!! 멈춰 서고 뒤돌아서 보는.

희식   (번뜩) 물! (하고는, 그 솜에다 물을 부어 본다)

(시간 경과)
물에 반응하는 솜. 서서히 가루가 되기 시작하는.
희식과 영탁 눈빛이 강렬해진다. 두 사람 동시에 검시용 장갑을
낀다.
그리고 가루가 된 마약을 만진다.

희식/영탁   (동시에) 폴!!

S#62 두고 류시오의 대표 이사실 앞 /N

류시오의 대표 이사실로 뛰어가는 남순. 헐떡이는 남순의 모습
위로.

백 대리(소리) 대표님이 너 엄청 찾았어. 어디 갔냐고. 그래서 내가 너 아픈 거
같아서 병원 보냈다고 했어.

남순, 휴대폰을 켜면 부재중 알람이 계속해서 울린다.
보면, 류시오로부터 걸려 온 통화만 10개다. 남순, 걱정되는 표
정인데.

S#63 마수대 /N

패딩에서 얻은 가루를 보고 있는 희식. 팀장에게 전화하지만 받지 않고.

[인서트] 팀장의 집 /N
가루들이 흩뿌려지고, 빈 생수통들이 난무하는 가운데 (S#36 복장 그대로) 숨이 멎은 채 쓰러져 있는 팀장.
희식, 걱정스런 표정으로 전화 끊으면. 갑자기 울리는 휴대폰.

희식	여보세요?
법과학자(F)	긴급으로 분석했어. 그 다이어트약!
희식	…
법과학자(F)	마약이야! 그 분유랑 같은 성분 합성 마약!!
희식	!!!

S#64 금주의 서재 /N

금주, 서재에서 듀얼 모니터와 태블릿을 옆에 둔 채 무언가를 보고 있다.
그러다 이내 바삐 타자 치며 무언가 작성 중에 있으면 희식에게 전화가 온다.

금주	강 경위? 무슨 일이죠?
희식(F)	아버님이 남인 씨가 먹는 다이어트약 성분을 알아봐 달라고 부

탁을 하셨습니다.

금주   (긴장하는) 네… 그런데요….

희식(F)   남인 씨가 복용 중인 다이어트약… 마약이에요!

휴대폰을 쥔 손이 점점 거세게 떨려 오는 금주의 모습에서.

S#65 두고 류시오의 대표 이사실 /N

남순, 조심스레 류시오의 대표 이사실로 들어가면. 류시오, 서울 전경을 보며 위스키를 마시다 인기척에 고개 돌린다. 어딘가 굳은 눈빛으로 남순을 보는 류시오.

남순   전화는 왜이렇게 많이 했대? 뭔 일 있어?

류시오   … 내가… 왜 부른 것 같아요…?

남순, 그 말에 침이 꼴깍 삼켜지는 순간!! 잔을 놓고 남순에게 다가오는 류시오.

S#66 두고 류시오의 대표 이사실 /N

어색하게 웃으며 뒤로 물러나려던 남순이가 턱에 걸려 넘어질 뻔하자, 류시오가 팔을 뻗어 남순의 허리를 안는다.

S#67 엔딩

        희식, 팀장에게 다시 연락을 해 봐도 전화를 받지 않자 불길한
예감에 휩싸인다.
희식, 심각한 표정이 되는데 순간 남순의 스마트워치 화면으로.

류시오   나랑 사귈래요?

        깜짝 놀란 남순과 진지한 류시오. 그리고 굳은 금주와 희식!
네 사람의 모습이 교차되면서.

<10화 엔딩>

제11화

일촉즉발
(Explosive Situation)

S#1 두고 류시오의 대표 이사실 (10화 엔딩 확장) /N

어색하게 웃으며 뒤로 물러나려던 남순이가 턱에 걸려 넘어질 뻔하자, 시오가 팔을 뻗어 남순의 허리를 안는다.

류시오   나랑 사귈래요?

남순   (안긴 채 '벙') 사… 겨?

류시오   (다시 남순 원위치 시키며 미소) 놀라는 거 봐.

남순   (당황, 황당)

류시오   오늘 체첵 씨가 안 보이는데… 너무 궁금하고 보고 싶고….

남순   (어색해서) 하하… 왜 그랬을까나….

류시오   (불쑥) 이거 남자가 여자 좋아하면 갖는 감정 같은데… 아닌가?

남순   (굳어져서 보는) 글쎄… 난 한국 드라마 잼나면 다음 회가 궁금하고 보고 싶긴 하더라고… 그런 걸 수도 있지.

류시오   (웃는) (가까이 가서 보면서) 내가 좋아하는 게… 싫어요?

남순   …

류시오   걱정 말아요. 서둘지 않을 테니까.

남순   그래…. (어색한 수습이 이어지는 가운데 폰이 울린다)

           여보세요? (남인이 소식 들은 듯) 뭐라고? 남인이가?

류시오   (보는)

S#2 금주의 서재 / N

금주, 충격적인 소식에 허둥대며 차 키를 찾는다. 서류, 종이들
이 바닥에 떨어지고.

금주   (목소리가 떨린다) 엄마… 지금 남인이한테 가야 돼. (차 키 찾아 들고,
           겉옷 든 채) 다시 통화하자.

금주, 전화 끊고는 서재 문 벌컥 열고 뛰쳐나가다시피 나간다.

S#3 마수대 / N

희식, 동영상 보고 놀란 가운데… 휴대폰 문자가 울린다.
예약 문자다. 다름 아닌 <팀장님>이다. 경각된 표정으로 문자
확인하는 희식.

팀장(소리)   지금 내 집으로 와. 비밀번호 1016

희식, 이상한 예감에 사로잡혀 그대로 일어나 뛰어나간다.

S#4 두고 류시오의 대표 이사실 /N

남순 나 좀 일이 생겨서 가 봐야 돼. 오늘 못 들어올 것 같은데….

류시오 무슨 일 있어요?

남순 아니… 그냥…. (동생 얘기 할 수 없어서 얼버무린다)

류시오 다녀와요. (미소)

S#5 팀장의 집 앞 /N

집으로 들어오는 희식, 쓰러진 팀장을 발견한다. 팀장, 이미 숨
이 멎었다.
희식, 팀장의 호흡, 심장 등 체크하며 숨이 멎은 걸 확인하고 미
칠 거 같다.
전화기 들어 119에 구조 요청한다.

희식 (음성 가득 잠겨, 울컥) … 팀장님이… 죽었… (우는) 구급차… 보내 주
세요…. (말을 잇지 못하는)

[인서트] 동 마수대 /N
팀장 사망 전화 받는 영탁, 그대로 무너지는.

희식, 팀장을 보면서 마른세수하며 울먹이는데, 팀장의 예약 문자가 더 도착한다.
팀장 번호다. 미칠 거 같은 희식.

팀장(소리) 거실 책꽂이 2열. 왼쪽에서 세 번째.

그 모습에 천천히 일어나는 희식, 거실에 놓인 책상을 지나치면.

- 교차 -
문을 열고 들어온 팀장, 10화 물가에 빠졌을 때랑 같은 착장.
신발도 벗지 않고 책상에 앉아 무언가 타이핑으로 작성하는.
컴퓨터에 보관된 텔레그램 캡처본과 아이피를 USB에 옮겨 담는데. 순간 마약 증상이 올라와 고통스럽다. 머리 부여잡으려 팔을 뻗다 핸드폰 떨어뜨린다.
희식, 인기척에 고개 돌려보면 책상에 세워져 있던 빈 생수통들이 바람에 흔들려 넘어진다. 책상에서 바닥으로 떨어질 듯말 듯 위태롭게 굴러다니자.

- 교차 -
어떻게든 갈증을 버텨 보려는 팀장에게 보이는 환각.
사물이 굴절돼서 과장되고 그로테스크하게 커진다.

희식, 어느새 팀장이 말한 책장에 다다른다. 책들이 바닥에 몇 권 떨어져 있다.

왼쪽에서 세 번째… 책장에 꽂혀 있는 작은 보관함이 보이고.

- 교차 -

팀장, 이내 환각을 피해 도망치다 책꽂이에 부딪친다.
가운데 책상으로 보이는 일지. 가까스로 일지와 증거품을 보관
함에 넣고, 희식이 꺼낸 그 위치에 보관함 꽂는데. 이어 핸드폰
으로 무언가 작성하더니 그대로 '턱', 힘이 풀려 바닥에 쓰러진
다. (10화 사망 장면과 이어지고)
희식, 보관함에서 일지를 꺼내 펼치면 갈치와 나눈 대화가 담긴
USB 녹음본과 구입한 마약이 보인다. 손에 움켜쥐고 부들거리
는 희식.

S#6 봉고 사진관 /N

사진관에 도착한 금주. 잠겨 있는 사진관 도어 록을 '우득' 부수
고 문 열고 들어간다. '삐용삐용' 시스템 울리면. 화들짝 놀라 나
온 봉고. 무슨 일이냐 묻는 봉고를 밀치고 남인이 방으로 간다.

CUT TO
식은땀 흘리는 남인이 보며 정 비서에게 연락하는 금주.

금주   구급차 보내 줘 사진관으로. 남인이 병원으로 옮겨야 돼! 최 박
            사님한테 콜해 줘 정 비서.

봉고	뭐야… 왜 그래….
금주	당신 대체 애를 어떻게 봤길래….
봉고	(보면)
금주	남인이가 먹은 다이어트약… 마약이래!
봉고	!!!

뒤늦게 쫓아온 남순이 보안시스템 알람 끄고 남인의 방으로 들어온다.

남순	엄마. 아빠… (하고, 남인 보는) 남인아…. (눈시울 붉어지는)
봉고	마약이라니….
남순	(그 소리에 놀란다) 마약?
금주	(처연한, 절망) 남인이가 먹은 다이어트약에… 마약 성분이 있대.
남순	(황망할 뿐인데) 어떻게 마약이 남인이한테까지….
봉고	마약일 리가… 남인이가 그럴 리가 없어.
금주	그럴 리 없지 내 아들이!! 다이어트약이라고 속여 판 거야. (미칠 거 같은데)
봉고	(절망) 물만 마셨어… 계속 물을 찾았어. 하아… 살려야 돼. 내 아들….
남순	(기가 막힌데)

이때 울리는 전화, 보면 '간이식', 남순이 그 가운데 전화는 받아야 해서.

남순	간이식… 남인이가… (하는데)
희식(F)	팀장님… 사망했어.
남순	!!

남순, 그 소리에 사색이 되어 남인을 보고 있다. 죽어 가는 남인의 모습에서.

S#7 장례식장 /N

환하게 웃고 있는 팀장의 영정 사진.
울고 있는 노부모의 모습들. 검은 양복을 입고 조문객들을 대응하는 마수대 형사들(참마, 쓰봉, 영탁) 처참한 표정들.

쓰봉	우리 팀장님… 어쩌다 결혼도 안 하셨냐… 참….
참마	(눈물 닦고)
영탁	안 하셔서 차라리 다행이지 뭐. (무참하게 앉아 있는데)

- 장례식장 다른 일각 / 남인의 방 -
희식이 많이 울었는지 눈시울 붉어진 채 남순과 통화 중.

희식	남인이 의식 깨어나도… 절대… 물 주지 마. 물 먹으면 안 돼. 24시간 동안 물 주면 절대 안 돼.
남순	(미치겠는데) 하… 어떻게 물을 안 줘. (하다가) 알았어.

일단 팀장님 잘 보내 드려. 난 동생 때문에 못 가 볼 거 같아.

희식 그래. (끊는)

남순의 멍한 표정 위로 앰뷸런스 사이렌 소리 (E)

S#8 동 사진관 밖 - 구급차 안 - 금주병원 밖 /N

구급차에 실리는 남인. 봉고가 눈물 흘리고. 꿋꿋하던 금주도 눈물을 보인다.

그런 두 사람 보는 남순, 억장 무너진다. 그러다 뭔가 생각해 내는 표정!

남순 엄마… 아빠… 해독제가 있어!

금주/봉고 (그 소리에 눈물이 뚝)

봉고 네가 그걸 어떻게 알아?

남순 강희식 헤리티지 클럽 도청하다 들었어. (봉고 보고) 아빠 내가 사실 그 일을 도와주고 있거든.

봉고 뭐?

남순 암튼 그건 나중에 얘기해 줄게.

금주 (!!) 해독제… 결국 그거였어? (뭔가 알 거 같은)

구급차가 병원에 도착한다. 서둘러 내리는 가족들 모습 보이고.

S#9 남인의 병실 /N

링거 꽂힌 채 의식이 없는 남인. 남인의 피를 뽑는 담당의.
입술이 바싹 타는 금주, 봉고, 그리고 남순.

담당의	일단 검사 결과 나오면 회장님께 따로 말씀 드리겠습니다.
금주	박사님… (절통한) 물을 마시면 안 된답니다.
담당의	??
금주	수액도 물인데 괜찮을까요?
담당의	괜찮지 않다고 해도… (참담한) 영양실조와 탈수가 심각해서 이것 말곤 병원에서 취할 수 있는 조치가 없습니다.
금주	(눈물이 뚝) 알겠습니다.
담당의	(인사하고 방을 나가는)
금주	(표정 굳어져) 남인이… 폰 좀 줘. 알아보게….
봉고	(가지고 있던 폰을 건네는) 소용없어. 문자도 메신저도 암것도 없어.
금주	도대체… 그 약을 어디서 어떻게 산 거야… 하….
봉고	(부르르) 내가 잡을 거야. 남인이 저렇게 만든 놈들 어떻게든… 잡아서… 죽여 버릴 거야. (처음 보는 봉고의 분노)
금주	그 약병에 있는 계좌번호가 단서의 전부지?
봉고	(대꾸 없다. 그냥 그렇게 '획' 나간다)
금주	(그런 봉고 걱정돼서 보며) 남순아… 아빠… 따라가. 네 아빠… 멘탈 나갔어… 네가 아빠 지켜 줘… 남인이는 내가 볼게.
남순	(끄덕이며 봉고를 찾아 따라 나가다) 남인이 깨어나면! 절대 물 주면 안 돼! 알았지?

금주 (끄덕이는) 알았어.

그런 금주, 남인이 보고 있는 눈빛에 후회와 아픔 그리고 모성이
담겨진.

S#10 거리/N

봉고가 누군가와 통화한다.

봉고 하 난데… (듣는) 그럼 잘 지내지… 근데 박 지점장… 나… 뭐 부
    탁하나 할 거 있는데… 계좌번호 하나 줄 테니까… 그 계좌 가
    진 사람 신원 좀 찾아 줘… (듣는) 안 되는 거 나도 알아. 그러니까
    부탁하는 거잖아. (듣는) 안 돼? (화나고) 알았어. (끊는)

이때 남순이 다가온다. 봉고, 흐느적흐느적 걷고 있다. 막연하게
어딘가로 향하는. 보면, 봉고의 주먹에 힘이 들어가 있다. 그런
봉고의 손을 탁 잡는 남순.

남순 아빠….
봉고 찾을 거야.
남순 …
봉고 우리 남인이한테 마약 먹인 새끼.
남순 어떻게 찾아! 계좌번호밖에 없는데.

봉고	(멈춰 서서) 아빠 은행원이었어. 아빠랑 같이 은행 다녔던 사람들 지금 다 지점장이야… 직접 만나면 가르쳐 줄 거야. (하고, 서두르는데)
남순	그냥 경찰서에 가는 게 빠르지 않아?
봉고	(그 소리에 멍)

S#11 강한 지구대 / N

강한 지구대로 허겁지겁 들어온 남순과 봉고. 그런 두 사람을 보는 여 순경.

여 순경	어… 남순 씨!
남순	안녕하세요.
여 순경	어머… 이제 존댓말도 하네. (하고, 봉고 보자)
남순	우리 아빠예요.
여 순경	부모님 찾았다더니 넘 잘 됐다. (봉고 보며) 안녕하세요.
봉고	네… 안녕하세요. (인사 받을 정신 아닌데 어쨌든)
남순	뭐 좀 부탁할 게 있어서 왔어요.

CUT TO
여 순경, 봉고가 건넨 계좌번호 보고 있다.

봉고	다이어트 약병에 적힌 번홉니다. 이 계좌의 주인 꼭 알아야 돼요.

여 순경	사건 접수는 시키셨어요?
봉고	사건 접수하고 그러면 시간 걸려서… 지금 상황이 너무 급해서요. 빨리 알아봐야 해요. 부탁드립니다.
여 순경	(그런 봉고 보는) 저기… 업무상 취득한 개인 신상, 제가 함부로 가르쳐 드리면 안 되거든요. 아버님.
봉고	(미치겠는) 알아야 돼요. 우리 아들… 지금….
남순	아빠… 계좌 알아내도 그 사람들 쉽게 못 잡아… 급한 건 그게 아니고… (하는데)
봉고	약을 구해야 돼요. (눈물) 우리 아들 살릴 약을 이 사람들한테… 구해야 합니다… 제발… 이 계좌 가지고 있는 사람 전화번호라도 좀….
남순	!! (봉고가 계좌를 추적하는 이유를 깨닫고)
봉고	(절실하고 참담한)
여 순경	(그런 봉고 모습에 맘이 무겁다) 저기…제가 직접 알려 드리는 건 안 되지만… 이를테면… 제가 자리 비운 사이에 그러니까… 제가 없을때… 몰래 보시는 건… 제가 보여 드린 건 아니잖아요….
남순/봉고	…
여 순경	저 잠깐 화장실 좀 다녀올게요. (하고, 나간다)

여 순경, 그렇게 자리를 비워 주면 말귀 알아들은 남순과 봉고
얼른 여 순경이 보고 있던 컴퓨터 모니터 확인하는.

| 봉고 | 780322 장항석… 서울시 서대문구… (하면서, 책상 위에 올려놓은 메모지에 적어 내려가는) (그러다) 근데… 이 사람 아닐 거야. |

남순	맞아… 이 사람 아닐 거야.
봉고	신원 미상이나 노숙자 명의를 가져다 쓸 거야.
	은행에서 일할 때 이런 경우 많았거든. 대포 통장.
남순	(그 소리에) 노숙자?

S#12 거리 일각 /N

지현수	난 이제 예전의 내가 아니에요. 나 다른 여자가 생겼어요. 그녀에겐 꽃향기가 나요… 당신은 아니었어요. 난 이제 당신을 사랑하지 않아요.
감독[V.O]	컷!

화면 확대되면 아침 드라마 촬영 중이다. 양복 차림으로 신수 훤해진 지현수.

감독	지현수 씨… 또 왜 존댓말 해. (대본 지시하며) 그녀에겐 꽃향기가 나… 난 이제 당신 사랑하지 않아! 말을 까라고… 헤어지면서 왜 존대해? 예전에 선생이랑 사겼나?
지현수	(제 발 찔린 듯 '헉!')
감독	(신경 안 쓰고) 사람이 너무 곱게 살았어.
지현수	죄송합니다. 다시 하겠습니다.
감독	좀 쉬다가 하자.

CUT TO

지현수, SNS 들어가면 프로필에 배우 지현수라고 적혀 있고, 밑으로는 화보 촬영 같은 사진들이 있다. 팔로우도 제법 많은.

늘어난 '좋아요'와 댓글 보며 뿌듯해 하는데 남순에게 전화 온다.

- 이하 교차 - 지구대 밖

지현수	(전화 받는) 여보세요? 하… 남순 씨… 잘 있었어요?
남순	나 부탁할게 있어서 전화했어. 혹시 노숙자 중에 78년생 장항석이란 사람 있나 알아볼 수 있어?
지현수	78년생 장항석? 노숙자인 건 확실해요?
남순	그럴 가능성이 있어서… 알아봐 줄 수 있어?
지현수	등본상 주소지가 서울이에요?
남순	응.
지현수	노숙자협회 서울지국 총무가 구로 쪽 통인데… 나랑 맞팔해요 아직… 알아볼게요. 시간 좀 줘요. 나 오늘 밤샘 촬영이라….
남순	알았어. 빨리 찾아보고 연락 부탁해.
지현수	당연히 그래야죠.

S#13 동 지구대 밖 /N

전화 끊은 남순. 멍하게 걱정 중인 봉고. 봉고는 일각 벤치에 앉아 있다.

다가와 그런 봉고 손을 잡아 주는 남순.

남순	아빠… 넘 걱정 마… 경찰이 우릴 도와줄 거야.
봉고	나 경찰 안 믿어. 대사관도 안 믿어… 아무도 안 믿어.
남순	…
봉고	너 잃어버렸을 때… (그때 떠올리며 울컥한데) 경찰들 믿고… 내가 경찰서에서 자고… 대사관 앞에서 시위도 하고 별짓 다했어. 근데 못 찾았어. 아니 안 찾아 줬어. 내가 해야 돼… 우리 남인이 내가 살려야 된다고.
남순	남인이 아무 일 없게 할게. 내가 할게.
봉고	해독제… 그걸 찾아야 돼.
남순	마약을 판 인간들이 해독제를 돈 주고 팔아… 그거였어.
봉고	난 몰라… 마약이고 뭐고… 그건 경찰이 하든지 말든지… 난… 내 아들 살려야 돼. 해독제… 그거 구해야 돼. 그것들이 아무리 나쁜 범죄자래도… 지금 나한테는… (입술이 떨리는) 남인이 살려 줄 구원자들이야.
남순	(그 소리에 미치겠는)

S#14 남인의 병실 /N

남인이 깨어난다. 금주, 의식이 없는 남인이를 안쓰럽게 바라보던 순간, 남인이의 손가락이 꿈틀거린다.

금주	남인아!!!
남인	(금주 보며) 엄마….
금주	그래… 남인아… 정신이 들어?
남인	(갑자기 동공이 확장되는)
금주	(그런 남인 보는데)
남인	물 줘. 빨리… 물.
금주	안 돼. 너 물 마시면!
남인	(갑자기 일어나 꽂힌 주사 바늘을 뽑는데 힘이 들어가 흔들리던 링겔병이 그대로 떨어져 깨진다) 물 달라고!!
금주	(그런 남인의 모습에 당황하는데)
남인	(일어나 밖으로 나가려는)
금주	(남인의 표정 살피면 눈빛이 예전 같지 않자 철렁한다) 남인아.
남인	물! 물! 물!!! (버럭)
금주	안 돼. (남인 팔 잡는)
남인	(그대로 금주 손을 탁 치고 벗어난다)
금주	(할 수 없이 남인을 잡아 그대로 침대에 눕힌다)

남인, 포효하며 금주에게서 벗어나려는데 팔뚝에 힘줄이 들어
가면서… 신체의 변화를 보인다. 엄청난 괴력을 발휘하는 남인.
그런 남인의 양팔을 잡고 있는 금주, 그런 남인을 보면서 놀란다.
남인의 괴력에 당황하는 금주. 하지만 금주, 단단히 남인을 잡아
누르는.

금주	잘 들어 강남인… 너 지금 여기서 벗어나서 물 마시면… 너!

죽어!! (핏발 선 눈으로 자식을 설득하는)

남인   (부르르)

금주   여기서 죽을래? 너는 절대… 이 싸움에서 지지 않아.
        이겨야 돼. 정신 차려!!!

남인   (좀비처럼 으르렁대다 서서히 잦아드는, 그렇게 몸에 힘이 빠지는)
        (그러다) 엄마… 나.… 살려 줘…. (눈물이 흐른다)

금주   걱정 마… 엄마가 너… 살려. 너 무조건 살릴 거야… 엄마 눈
        봐… 이겨 내야 해… (심호흡) 그 약… 어디서 샀어?

남인   (들숨 날숨 숨이 거칠어지다가 눈빛이 서서히 순하게 변한다 팔에 힘줄도 연해
        지면서 정상화되는) … 카페에… 찾아왔었어.

        남인, 말을 마치지 못하고 서서히 다시 눈이 감긴다.
        금주, 그렇게 남인을 잡고 있던 손을 놓으면 몸에 식은땀이 난다.
        그렇게 쓰러진 남인을 보면서 전화기 드는 금주.

금주   정 비서 나야… 바로 시작해야 할 거 같아.

S#15 몽타주 - 날밤 새는 사람들

        - 금주의 집, 정 비서가 안경을 쓰고 뭔가 작업을 하고 있다.
        - 황국종의 병실, 금동이가 장항석의 주민번호와 주소를 가지고
          컴퓨터로 뭔가 해킹 작업을 하고 있다. 금동, 전화하는. "다른
          은행에도 이 사람 계좌가 뜨는데요."

- 동 지구대 밖 일각, 그 소리 듣고 눈이 커지는 남순과 봉고. "계좌가 또 있어?"
- 장례식장, 참담한 희식과 팀원들. 웃고 있는 영정 사진 속 팀장.
- 남인의 병실, 남인의 모습을 보며 눈시울 붉히는 금주의 모습.
- 류시오의 집, 류시오가 하늘의 별을 보며 피식 웃는다. "가짜 별… 진짜 별?"

[디졸브]

S#16 두고 류시오의 대표 이사실 /D

류시오, 출근해서 앉아 있다. 결재 서류들 보고 있으면 양 부장이 들어온다.

양 부장	해외 수출 건 통관됐고 현지 시간 40분 전에 도착했답니다.
류시오	수고하셨습니다.
양 부장	저… 근데… (머뭇하다) 체첵 말입니다.
류시오	(보면)
양 부장	저희 대외협력팀으로 들이신 특별한 이유가 있으신지….
류시오	뭐… 문제 있습니까?
양 부장	대표님의 안목을 의심하는 게 아니라 오늘 출근도 안 하고… 팀적으로 커뮤니케이션이 전혀 안 되는 친구인 것 같아서… 확인차 여쭤봤습니다. 하하!
류시오	!! 출근을 안 했어요?

S#17 사무실 /D

축축하고 음침한 분위기를 내는 사무실. 여자로 느껴지는 범의 뒷모습이 보인다. 누군가와 통화 중인데.

범   (러시아어) 두고에서 보낸 물건 확인했습니다. 근데… 물건이 하나 빕니다. 송장에 적힌 개수랑 도착한 개수가 달라요. 누군가 빼돌린 듯 합니다. 패딩 하나당 100만 달러의 약이 들어 있는데… 어떡할까요? (듣다가) 알겠습니다.

얼굴에 거친 흉터가 잡힌 범의 안면이 보이는 데서.

(자세한 얼굴 보이지 않는)

S#18 남인의 병실 /D

남인이 가쁜 숨을 몰아쉬며 다시 휴식을 취하고 있다. 금주, 가슴 아프게 남인을 보며 거즈에 물을 묻혀 입술만 닦아 주다 결국 그 거즈마저 멀리 치운다. 독한 마음을 먹고 남인을 내려다보는 금주.

금주   남인아… 견디자… 견딜 수 있어… 엄마가… (눈물) 미안했어….

그렇게 남인의 손을 잡고 맘이 내려앉는 금주.

이때 병실 노크 소리 들리고 정 비서 들어온다. 뒤이어 김 기자 들어온다.

금주, 얼른 감정을 추스른다. 정 비서와 김 기자, 금주의 명을 기다리듯 서 있으면!

금주	시작해!
정 비서	네.
김 기자	네.

S#19 남인의 카페 /D

커피 내리는 바리스타 준희, 이때 문이 열리며 중간이 들어온다.
준희, 중간을 보고 따뜻하게 웃어 준다.

준희	중간 씨… 어쩐 일이에요?
중간	그런 준희 씨는 어쩐 일이에요?
준희	우리 강 사장이 병원에 있잖아요. 나라도 카페 지켜야죠.
중간	어떻게 알았어요? 우리 손자 병원에 있는 거?
준희	금동 씨요… 중간 씨 아드님… 전화 왔더라고요.
중간	(한숨 쉰다) 무슨 일인지 모르겠어요. 줄줄이 병원 신세니…
	금주가 그냥 카페에 있으래요.
준희	나만 믿으랬죠?
중간	(그제야 준희 보는데 맘이 울컥)

준희	페어플레이 한다고 중간 씨 남편 병원에 안 가고 있는 거예요. 수술하고 치료 중인 사람이잖아요. 그런 사람을 상대로 내가 비겁한 짓 하기 싫어요. (쐐기를 박듯) 내 여자 내가 지킬 거예요!
중간	(손 빼면서) 쉽지 않아요. 아무도 우릴 축하해 주지도 않을 거고.
준희	중간 씨 답지 않게 왜 그래요? 나 사랑한대놓고.
중간	사랑으로 다 되는 게 아니잖아.
준희	사랑이면 다 되지. (버럭) 우리한테 남은 게 뭐가 있어요? 뭐가 겁나? (호기롭게) 기다리라고요. 내가 담판을 지을 테니까.
중간	뭘… 언제… 까지 기다리란 거예요?
준희	그 사람! 실밥 풀 때까지!
중간	(그 소리에 그저 싱거운 미소가 터진다)
준희	그게 내 데드라인입니다. 적어도 실밥은 풀어야 하잖아요. 비겁하기 싫어요. (씩씩대다) 커피 마셔요. 오늘은 다이아몬드 아트 올려 줄게요.

S#20 두고 류시오의 대표 이사실 /D

류시오, 힐러리(남순)에게 계속 전화한다. 받지 않는 남순.
류시오, 걱정도 되고 이상하기도 한 복잡한 눈빛이 되는데.
이때 서랍 안에 둔 류시오의 다른 폰에서 전화가 울린다. '범'의
전화다. (이하 범과 류시오의 통화 및 만남은 모두 한국어로)

류시오	여보세요?

범(F)   4885. 하나가 비어.

류시오   (!) 그럴 리가 없습니다.

범(F)   물건 관리를 어떻게 한 거야?

류시오   제가 창고에서 마지막 확인을 했습니다.

범(F)   24시간 내 무슨 수를 써서라도 찾아. 안 그럼… 어찌 되는지
           알지?

류시오   네.

류시오, 전화가 끊어지자 그 전화 다시 서랍 속에 집어넣는 손이
벌벌 떨린다.
한 번도 본 적 없는 류시오의 겁먹고 긴장한 표정과 눈빛. 그러
다 이내…

류시오   (참을 수 없는 분노) 아직도 날… 지들이 맘대로 할 수 있는 열 살짜
           리 안톤으로 생각해?

류시오, 분노로 부글거리다 클래식 음악을 튼다. 차이코프스키
다. 맘을 달래는 류시오의 표정 위로 인서트 되는 회상. 살인 병
기로 키워진 류시오의 어린 시절이 채도와 명도가 선명하지 않
은 화면으로 지나간다.

[인서트] (회상) 인간 병기 안톤 /N
어린 류시오, 어두운 숲길을 혼자 달리고 있다. 속옷만 걸친 채
그렇게 훈련 받고 있는 10살 류시오와 어린 빙빙. 늑대 울음소

리가 들린다.
그렇게 뛰기 시작하는 시오와 빙빙.

어린 류시오   (러시아어) 여기서 벗어나야 해. 안 그럼 우리 죽어.
빙빙   (러시아어) 안톤⋯ 넌 꼭 살아야 돼. 끝까지 버텨서!
어린 류시오   너도! (다가와서 빙빙의 손을 잡아끌고 간다) 우리 커서 복수 하자.
빙빙   (그 소리에 눈빛 달라지며 시오의 손을 잡는다)

그렇게 미친 듯이 뛰는 어린 류시오와 빙빙의 모습. 어린 류시
오가 눈물을 흘리며 미친 듯이 달리고 있는 젖은 눈동자가 현재
류시오의 눈동자와 오버랩 된다.

류시오   (눈빛 차분해져 내선 전화를 누른다) 부장님⋯ 내 방으로 오세요.

양 부장이 얼마 지나지 않아 방으로 들어온다.

류시오   물건 하나가 누락됐어요. (차분하고 격조 있게)
양 부장   네? 어떤 품목 말씀하시는지⋯.
류시오   러시아 키에노프항으로 보낸 방한복요. 파카 1000벌.
           그중 하나가 사라졌습니다.
양 부장   (겨우 파카 한 벌 가지고 왜 이래 하듯 웃으며) 한 벌요?
           물류팀에서 실수한 모양이네요. 그 정도는 통관 처리 안 하고 그
           냥 우편으로 보내도⋯.
류시오   (순간 날카로워진 눈빛) 당신 지금 뭐랬어?

양 부장	(당황하는) 아 물론 누락하는 실수 절대로 하면 안 되지만… 파카 한
	벌 안 왔다고… 거래가… 끊어질 일은 없지 않겠습니까 대표님.
류시오	(분노로 주먹을 꽉 쥐고 있는- 책상 밑에 감춰진 주먹)
양 부장	(눈빛이 예사롭지 않자 식은땀이 난다) 다시는 이런 실수 없도록 하겠
	습니다 대표님.
류시오	그 물류 탑차 기사! 당장 나한테 오라고 해요!
양 부장	네. (나간다)

S#21 동 대표 이사실 밖 /D

양 부장	(가슴 쓸어내리며) 아니 파카 한 벌 가지고 왜 저래… 하….

그런 양 부장 보는 가드 서고 있던 카일의 서늘한 시선.

S#22 동 장례식장 일각 /D

희식과 영탁, 참마, 쓰봉이 참담한 표정으로 모여 있다. 그들이
시선 두고 있는 건 팀장이 남긴 USB와 사건일지 기록들. 참마가
사건일지 기록을 읽으며 눈물 훔친다.
다들 말로 다 할 수 없는 참담함이다.

쓰봉	일부러 갈치를 만났어. 증거 만들려고… 팀장님 본인이 증거가

되려고 하신 거야.

영탁 죽어 가고 계셨어. 우리 모르게… 그렇게 혼자 이렇게 사건을 해결하는 중이셨던 거야. 난 그런 줄도 모르고….

쓰봉 이거 어떻게 하는 게 좋겠어? 순서를 정해 보자. 이 자료를 검찰에 넘기면….

영탁 우리 팀장님… 그냥… 마약 중독자 될 걸? 헤리티지 클럽… 거기 우리나라 권력자들은 다 거미줄처럼 엮여 있어. 서울지법 차장검사, 판사… 심지어 안 청장님까지….

희식 (그 소리에 분노의 눈빛으로 벌떡 일어나는)

영탁 어디 가게?

희식 팀장님 지키세요… 혼자 너무 외로우셨어요.
가시는 길은 외롭지 않게 해 주세요. (나간다)

일동 (그런 희식 말리지도 못한 채 보고만 있는데)

S#23 희식의 차 안 /D

희식, 운전대에 앉아 그대로 차를 몰고 간다. 차 위에 경찰차 사이렌을 올린다.
사이렌 소리를 내며 달리는 희식의 차, 그리고 단단한 표정의 희식.

희식 류시오! 내가 너 잡는다!

S#24 두고 류시오의 대표 이사실 /D

류시오가 의자 돌려 뒷모습 보인 채 차분하게 기다리고 있으면
들어오는 탑차 운전자. 류시오, 의자 돌려 운전자 보는.
류시오, 일어나 도대체 무슨 일을 할 생각인지 운전자 주변을 빙
글빙글 돈다.
그러다가 문을 탁 잠그는 류시오. 운전자 눈이 커지고 일단 두
려운.
류시오, 목을 '삑삑' 돌리다가 사무실 어딘가 비치된 골프 가방
안에서 골프채를 이거 저거 고르더니 하나 뺀다. 그리고는 '탁'
거꾸로 돌려 들고는 운전자를 그대로 때린다. 운전자 기습적으
로 당하고 쓰러져 허리춤을 쥐고 사색이 된다. 류시오, 운전자를
밟고는 골프채 아이언을 입에 '탁' 박아 버리고.

류시오 자 지금부터 내 말 잘 들어. 물건 하나가 없어졌어.
    너 창고에서 항구로 가는 길에… 무슨 일이 있었는지 잘 생각
    해 봐.
운전자 (눈알이 터질 거 같고 막힌 입가로 침이 줄줄 흘러나온다)
류시오 네가 추워서 파카 하나를 껴입었어? 아니면… 중간에 누가…
    네가 운전하는 차를 급습이라도 했어? 생각나는 게 있으면 오른
    손을 들어.
    그래서 그 파카를 찾으면 살려는 둔다… 근데 말이지… 나한테
    아무 도움도 주지 못한다면 말이야… 나 지금 이 아이언으로 네
    아가리… 찢어… 그리고 (골프채로 입 누르며) 이게 아가리를 지나

네 식도를 지나갈 거야. 그 담은 어딜까? 이 골프채가 그 정도 길이는 되잖아?

운전자 (오른손을 벌벌 떨며 든다)

류시오 (차분해지면서 그 골프채 치운다)

운전자, 컥컥대며 벌벌 떠는데. 류시오, 손을 내밀고 일으켜 세운다. 진정 사이코패스스러운데.
류시오, 자신의 자리로 가서 앉는다.

류시오 (여유 있게 옷매무새 정리하며) 얘길해 봐.

운전자 창고에서 출발하고 한… 40분 후에 길에서… 그러니까… 그게 어딘지는 기억이… 아무튼… 거기서 어떤 여자가 차를 고쳐 달래서 차를 한 번 세운 일은 있었습니다. 그것 말고는… 저 물건 절대 손대지 않았습니다. 맹세할 수 있습니다. 저… 정말입니다.
(절규하는)

류시오 (내선 전화 누른다)

운전자, 오줌을 지렸다. 곧 카일이 들어온다.

류시오 (러시아어) 저 친구 탑차 블랙박스 영상 가져와.

카일 (운전자를 끌고 나가는데)

류시오 (여유 있게) 가는 길에 화장실 잠깐 들러. 용무가 급한 거 같으니까.

그렇게 두 사람 나가고. 류시오, 미간 뭉갠다.

그렇게 자신을 진정시키는 류시오. 그리고는 폰을 든다. 남순에게 전화 해 본다.
전화 받지 않는 남순. 결국 음성 남기는 류시오. 남순에게는 다정한데.

류시오   나예요. 시오… 왜 연락도 없이 회사를 안 나와요… (스윗하게) 걱정되게… 무슨 일… 있는 건 아니죠? 아니면… (미소) 이건 내가 좀 찔려서 하는 얘긴데… 내가 사귀자고 한 게 부담돼서… 그런 거예요? 무슨 일이 있든지… 괜찮으니까… 연락 줘요… 나… 너무 걱정되니까!

S#25 어느 서민 아파트 앞 도로 /D

남순, 시오의 음성을 휴대폰으로 듣고 있다. 이때 아파트 입구에서 나오는 봉고, 아니라는 듯 고개를 절레. 남순도 전화를 내려놓는다. 두 사람 걸으며 대화.

봉고   역시나 아니야. 주민등록상의 주소일 뿐. 장항석은 저기 안 살아. 노숙자가 틀림없어. 노숙자들 떼거지로 주소를 저기로 옮겨 놨어. 우편물이 수백 통이 쌓여 있더라고.
남순   기다려 보자. 내 친구 촬영 끝나면 바로 연락 준댔어.
봉고   근데 너 아까 경찰일 돕는다고 했잖아… 그게 무슨 말이야.
남순   응. 거기 대표가… 마약 공급책이야.

봉고	뭐?
남순	수사하던 마약 수사대 팀장도 죽었어. 빨리 그 대표란 사람 잡아야 돼.
봉고	아니… 너 그럼 그 사람 잡겠다고 일부러 거기 들어갔단 거야?
남순	…
봉고	네 엄마가 그러라고 했어?
남순	아빠….
봉고	아니… 난 정말 네 엄마 이해가 안 가. (화나는) 도대체 자식을 왜… 그런 사지에 몰아넣어? 제 정신이야?
남순	내가 스스로 하겠다고 했어. 내가 해야 할 일이야. 내가 결정한 거야!
봉고	(그런 남순을 놀랍고도 대견한 눈빛으로 보는데)

이때 남순의 폰이 울린다. 남순, 확인하는 "엄마네."

남순	여보세요. 응 엄마. (듣는) 남인이 깨났어? 다행이다. (듣는) 교대? 알았어. 그리로 갈게…. (하는데)
봉고	(전화 확 낚아채서는 속사포처럼 쏘아 붙인다) 꼼짝 말고 거기서 남인이 지켜! (그동안 맺힌 걸 다 풀어내는) 돈 더 벌어 뭐 할 건데… 한국에서 돈 제일 많아서 뭐… 기네스북에라도 나고 싶냐? 당신한텐 자식이 뭐야? 난 뭐고? 지금부터 내가 하라는 대로 해! 알았어? 남인이만 봐! 아무것도 하지 말고! 남인이 아무것도 먹으면 안 된대. (울화) 당신도 밥 먹지 마! 나도 안 먹을 거니까! (전화 끊는, 씩 씩댄다)

남순	(부부 싸움에 난감한, 눈치 보는)
봉고	아무튼지 간에… 씨이… 그 전직 노숙자 빨리 전화해 봐. 촬영 끝났을지도 모르잖아.
남순	어어… 알았어. (지현수에게 전화 연결하는)

[인서트] 동 촬영장 /D
지현수, 옷을 갈아입은 채 남순의 전화를 받는다.

지현수	남순 씨… 안 그래도 막 전화 하려던 참인데… 찾았어요! 장항석! 광화문이 나와바리예요. 터줏대감이라… 거기서만 활동한대요. 곧 (시간 확인하는) 점심시간이에요. 광화문 애들 어디서 밥 먹는지 알아요. 주소 줄 테니까… 거기서 봐요!
남순	찾았대! 장항석 정말 노숙자야!
봉고	가자! (일어나는 데서)

S#26   금주채널 스튜디오 /D

아나운서 착장을 갖춰 입은 정 비서. 뉴스 데스크로 꾸며진 룸에 걸어가 앉는다.
카메라 옆으로 보이면 그 옆에 앉아 있는 김 기자.
두 사람 진지하게 뉴스 진행 모드다.
그와 동시에 스탠바이 음과 함께 뉴스 시작 알림음이 뜬다.

정 비서   안녕하십니까⋯ TV 뉴스가 다루지 않는 뉴스를 다루는 채널⋯
          금주TV 개국 D-23일⋯ 시험 뉴스 진행 시작하겠습니다.
          방송은 시험 방송이지만 뉴스 내용은 100프로 팩트입니다.
          성분이 검출되지 않는 마약이 강남을, 그리고 서울을 곧 대한민
          국, 결국 이 세상을 파괴하고 있습니다.

S#27 장례식장 /D

장례식장 지키고 있는 영탁, 참마, 쓰봉.
TV를 돌려보다 금주채널에서 나오는 뉴스를 발견한다.

정 비서   하지만 이 위험한 마약을 조사조차 제대로 할 수 없는 이유는⋯
          마약의 최종 공급책을 압수수색 할 수 없는 법의 프로세스상의
          심각한 모순 때문입니다. 우선 이 마약의 심각성을 심층 취재한
          금주일보 김기대 기자로부터 피해 현황을 들어보도록 하겠습
          니다.

김 기자   이제껏 성분을 알 수 없는 치명적 합성 마약으로 사망한 사람
          의 숫자는 공식적 통계로 732명⋯ 비공식인 통계로는 3,000명
          이 넘는 것으로 추정하고 있습니다. 이 마약 성분이 들어간 유사
          마약 물질로 인해 사망한 사람의 숫자까지 합치면 만 명이 훌쩍
          넘을 것으로 보고 있는데요.

          [인서트] 자료 화면 - 이제껏 마약으로 죽은 사람들의 사진들(그

리고 보여 주지 않았던 사진들)이 떠오르면서.

김 기자(소리) 물과 반응하면 마약으로 변하는 인류 최악의 과학적 재앙인 이
        신종 마약은 치사율이 기존 마약의 1,000배가 넘습니다.
        타는 갈증과 환각으로 결국은 죽음을 맞이합니다.

        참마, 쓰봉, 영탁, 그 뉴스를 '벙!' 해서 보고 있다.

S#28 동 뉴스 스튜디오 /D

정 비서 이 신종 합성 마약의 이름은 (힘주어) 'CTA4885!!!!'입니다.
        그 마약 이름이 왜 CTA4885일까요?

S#29 남인의 병실 /D

        클로징 뉴스 음악 (E)
        뉴스 보고 있는 금주. 담담하게 전화기 들어 전화한다.

금주 편집장님? 다음 썸네일은 제일 큰 사이즈로 띄워요.
        자료 화면도 고화질로 '빡!' 방통협이든 어디든 전화 받지 마시
        고 생까요. 아직은 유령 방송사니까! (전화 끊는)

S#30 헤리티지 클럽 밖 /D

장례복 차림 그대로 헤리티지 클럽 안으로 들어가는 희식.

S#31 헤리티지 클럽 안 /D

김 마담, 금주채널을 휴대폰으로 보면서 눈이 커져 있는데, 뛰쳐
들어오는 희식.
희식, 룸에서 나오는 갈치를 '탁' 보고는 그대로 걸어가 앞에 선다.

희식	신강수 씨. (수갑 채우며) 당신을 특정범죄 가중처벌 등에 관한 법률 위반, 마약류 관리에 관한 법률 위반으로 체포합니다. 당신은 묵비권을 행사할 수 있으며, 당신이 한 발언은 법정에서 불리하게 사용될 수 있습니다. 또한 변호인을 선임할 수 있으며, 변호인을 선임하지 못할 경우 국선변호인이 선임될 것입니다.
갈치	이거 놔!! 너 영장 있어?!
희식	선체포 24시간 내 영장 발급. 도주의 우려가 있어서요.
김 마담	(와서) 이게 무슨 짓… (하고 보면, 아는 얼굴) 당신~
희식	제이미 최~ 이렇게 보네요. 당신도 곧 기다려. 내가 장례식장에서 오느라 수갑을 못 챙겨 왔지 뭐야.
김 마담	(헉)
희식	2인 1조인데… 지금 장례 중이라 혼자 와서 말야… 기동대 불러서 여기 인간들 싹 다 끌고 갈 거니까 괜히 도망가지 마. 가중처

벌 돼. (그대로 갈치 끌고 간다)

갈치   이거 놔 씨발…. (버둥대지만)

희식   (팔을 딱 꺾어) 까불지 마. 나 경찰이니까… 경찰 중에도 동료가 죽
        은 경찰이 젤 빡 돌아 있는 경찰이거든? 그러니까… 여기서 총
        맞아 죽기 싫으면 그냥 가!

갈치   …

희식   너한테 마약을 직접 산 경찰이… 죽었다고 이 개자식아!

갈치   !!!

S#32   광화문 무료 급식소 일각 /D

지현수와 남순, 봉고, 일각에 앉아 이야기 중. 지현수의 폰 사진
에 뜬 장항석의 사진.
몽롱하게 얼굴을 들이밀고 있는 장항석 사진을 보고 있는 세
사람.

지현수   노숙자 네트워크가 생각보다 굉장히 탄탄해요. 비상연락망도
        잘 돼 있고요. 아~주 잘 뭉쳐요. 우리… 아니 이 사람들!
        서울역을 중심으로 구로구, 종로구, 관악구, 여기 광화문으로 부
        동산 흐름이 옮겨 오는 중이라서요.

봉고   부동산요? (눈만 깜빡, 이해가 안 되는) 노숙자들이 무슨 부동산….

지현수   노숙인 마인드는 비노숙인과 아주 다릅니다. 등기만 안 쳤다 뿐
        이지 정부 관할 땅과 임야 그린벨트는 다 자기 땅이란 마인드가

있어요.

우리 아니 자기네들끼리 메타버스 세상 만들어서 그 땅을 사고 팔기도 해요. 이 세계도 빈부 격차가 심합니다.

봉고   (멍청하게 본다)

지현수   (그런 봉고 시선 안 피하고 계속 보는데)

봉고와 남순의 배에서 '꼬르르' 소리가 난다.

이때 지현수의 폰에서 얼굴 들이밀고 있던 실사판 장항석이 들어온다.

세 사람 일제히 그런 장항석에게 시선 고정된다. 동시에 일어나는데.

가장 먼저 그에게 달려가 말을 건네는 봉고.

봉고   장항석 씨죠?

장항석   (멍청하게 보는) 누구야?

CUT TO

일각에 앉아 조곤조곤 설명하는 봉고. 옆에 앉아 있는 남순과 지현수.

봉고   당신 이름으로 대한은행, 동화은행, 새마음 금고, 퍼스트 뱅크…
         이 은행들에 계좌가 있어요. 이거 어떻게 된 겁니까?

장항석   경찰이에요?

세 사람   (절레절레) 아니에요.

장항석	나 교도소 싫어요. (극혐) 답답해.
남순	아니에요 아저씨… 대신 있는 그대로 얘기해 주셔야 돼요. 도와주세요.
장항석	(끄응) 그니까… 그게… 한 1년 전쯤에 어떤 여자가 찾아왔었어요.

[인서트] 어딘가 /D
장항석이 누워 자고 있는데, 그 앞에 서는 태리. 5만 원 뭉치 10개 든 봉투를 내민다.

장항석	내 이름으로 통장 4계좌를 만들어 주면 돈을 준다고 해서… 그래서 뭐 만들어 줬어요.
봉고	아니… 돈 500만 원에 묻지도 따지지도 않고 통장을 만들어 줬다고요? 인감도 떼 줬어요? 그러다 맘대로 대출 받으면 어쩌려고….
장항석	날 뭘 믿고 은행이 대출을… 은행이 얼마나 빡빡한데… 통장 하나 만드는 것도 얼마나 힘든데요.
봉고	근데요.
장항석	내 계좌에 돈을 넣어 주더라고. 그리고 나서… 계좌를 만들었지.
봉고	(답답한, 더 들을 시간 없다) 그 여자 연락처 가지고 있어요?
장항석	(휴대폰 꺼내는, 갸우뚱) 있나? 글쎄….
지현수	(눈치 주자)
봉고	(지갑에 있는 현금 다 꺼내 건넨다)
장항석	(그 돈 멀뚱히 받고는 모자라다는)
지현수	이봐요… 나 서울역 지현수야. 좀 도와주지?

장항석	지현수? (그 소리에 눈이 커진) 서울역 신데렐라?
일동	(어이없어 보는)
장항석	진작 얘기하지~
남순	그 여자… 어떻게 생겼어요?

S#33 거리 일각 - 택시 안 /D

장항석(소리) 빨간 구두를 신고 있었어. 영화에 나오는 사람처럼.
보통 빨간 구두 신은 여자는 죽던데 영화 보면….

같은 시각, 빨간 구두 신은 그 여자 태리가 선글라스와 모자를
쓰고 '탁탁탁' 걸어가면. 뒤에 울리는 클랙슨 소리. 어느 택시 안
이다.

CUT TO
태리가 차 조수석에 앉으면 초췌하고 안절부절못하는 40대 여
인, 택시 운전사(이하 수민 모)다.

수민 모	(무너져 내려서) 해독제 구해 주세요.
태리	10ml 5천만 원 적어도 20ml는 먹어야… 목숨은 건질 겁니다.
수민 모	(부르르) 당신들… 어떻게 고등학생한테 마약을… 팔아.
태리	이봐 말조심해! 우리가 무슨 마약을 팔았다 그래? 우리가 판 건 다이어트약이야… 그 약을 당신 딸이 남용한 거야. 하… 말이 안

통하는 인간들…. (하며, 내리려 하자)

수민 모   (옷을 부여잡고) 미안해요… 죄송해요… 내가 말이 심했죠. 알았어
          요. 해독제… 주세요… 제발 우리 딸… 살려 주세요. (절규하는데)

태리   돈부터 이체해.

수민 모   현금 1억을 무슨 수로 당장 구합니까… 무슨 수를 써서라도 돈
          드릴테니까… 제발… 제발… 약부터… 치료제부터 주세요. (빌고
          있다) 우리 딸 살려 주세요.

태리   돈 받기 전엔 안 돼. (하고, 내리는)

택시 문 닫히고, 수민 모 미치는데.

S#34 광화문 무료 급식소 일각 /D

장항석에게 받은 번호를 들고 있는 봉고. 다부지게 맘을 먹고 태
리에게 전화를 거는.
눈빛이 단단하면서도 불안한. 그런 봉고를 보고 있는 남순.
아빠의 팔을 잡으며 힘내라는 눈빛에 자신의 팔을 잡고 있는 남
순의 손을 잡으며 긴장하고 다부진 눈빛의 봉고.

[인서트] 거리 /D
태리, 걷고 있다. 팔에 들고 있는 백 안 - 두 대의 폰이 들어 있다.
그중 대포폰인 한 대의 휴대폰이 울린다. 낯선 번호라 받지 않고
폰을 가방에 다시 넣고 '또각또각' 걷고 있는 태리.

봉고, 전화 받지 않자 불안이 몰려오고 다급해진다. '전화를 받을 수 없어…'로 이어지자 마른침을 삼키며 다시 걸어 본다. 여전히 받지 않는 전화.

봉고   (맘은 급한데) 왜 전화 안 받아… 아 진짜….
남순   (경찰적 추리) 아빠… 아빠 번호 말고 남인이폰으로 해야 돼… 남인이 폰 번호여야 받을 거야.
봉고   아… (빠른 이해) 근데… 남인이 폰 병실에 있잖아.
남순   (전화기 든다) 내가 엄마한테 얘기할게.

S#35 남인의 병실 /D

남인을 채혈한 의사가 혈액 검사 결과를 얘기하는.
듣고 있는 금주.

담당의   요소질소 농도가 더 높아져서… 이렇게 두다간… 큰일 납니다 회장님.
금주   근데 피검사에서 마약 성분이 검출되지 않는다고요?
담당의   피 검사 소견으론 그렇습니다.
금주   어떻게 그럴 수가… 일단 알겠습니다. 나가 보세요.

하는데, 울리는 금주의 휴대폰. 보면 남순이다. 다급히 전화 받는 금주.

금주	여보세요? 남순아… 어떻게 됐어? 해독제는… (눈빛 떨리고) 알아 봤어?
남순[F]	엄마, 알아냈는데… 아무래도 남인이 폰으로 연락해야 할 거 같아.
금주	(담담하게) 알았어. 그 사람 번호 줘. 내가 할게.

뒤이어 금주의 폰이 울린다. 문자 메시지 확인하는 금주.
'부르르' 떠는 금주. 자식 때문에 이런 어둠의 세력과 결탁해야
하다니… 분노가 눈 한가득 서리지만 결국 남인의 폰을 들어 거
기 전화를 한다.

S#36   동 거리 /D

태리, 걷고 있으면 가방 안에 둔 대포폰이 울린다. 확인하면, <강
남 사주 카페 어린 사장>
휴대폰 집어 들려는데 뒤이어 울리는 자신의 진짜 폰. 두 대의
폰이 동시에 진동이 '광광' 거리자 갈등하다 결국 자신의 폰을
먼저 들어 받는다.

- 교차 - 두고 류시오의 대표 이사실 복도 / 동 거리

태리	여보세요?
김 마담	(류시오에게 향하며 다급하게 전화하는) 갈치가 잡혀 갔어. 잠수 타. 아무것도 하지 말라고. 누구도 만나선 안 돼.

태리   (놀라는) 허… 알았어요.

태리, 전화 끊고는 가방 안에서 여전히 울리는 남인의 전화를 외면한다.

S#37 동 병실 /D

금주, 전화를 받지 않자 초조해 미칠 거 같은데.

S#38 두고 류시오의 대표 이사실 /D

류시오, 두고 실무진 그리고 윤 비서와 두고 관련 브리핑을 받고 있다. (*추후 별첨)
이때 문이 열리고 김 마담이 들어온다. 류시오, 그런 김 마담 보는 시선.
김 마담 보고는 실무진들에게 "이따 마저 보고 받겠습니다." 하고 내보낸다.
사람들 나가고 문이 닫히고 시간 텀을 두고 김 마담 작은 소리로 류시오에게.

김 마담   갈치가 잡혀 갔어.
류시오   (눈빛, 표정) !

김 마담   그뿐이 아니야. 황금주 그 여자가….

하고는 휴대폰 화면, 금주채널 뉴스 영상의 마지막 클로징 부분을 시오에게 보여 준다.

정 비서(소리) 이 신종 합성 마약의 이름은 'CTA4885!!!!'입니다. 그 마약 이름이 왜 CTA4885일까요?

동영상 보고 있는 류시오의 눈빛이 미친 듯 일렁이는.

류시오   하… (거의 혼잣말로) 그럼 그 물건을 빼 돌린 게….
김 마담   갈치 연행한 인간이 누군지 알아? 그때 황금주가 데리고 왔던 '제이미 최!'란 사람이었어. 그 사람 형사였어.
류시오   (떠올리는)

[인서트] (플래시백 9화 S#30)

희식   제이미 최입니다

류시오, 떠오르자 기가 막힌 듯, 전화기 들어 카일에게 전화한다.

류시오   블랙박스 영상 건졌어?
카일   (러시아어) 화면 고화질로 복원 중입니다. 거의 끝났습니다.
류시오   끝나는 대로 바로 가지고 와! (전화 끊으면)

김 마담	황금주가 풀 냄새 다 맡았어. 이제 어떡해?
류시오	황금주 그때 제대로 죽였어야 하는데….
김 마담	병원 입원해 있다며… 다친 건 확실해?
류시오	(그 소리에)!!
김 마담	갈치가 다 불면 우리 끝나!
류시오	(담담히 그리고 여유만만하게) 김 마담… 내가 그렇게 허술해 보여?
김 마담	('뭐?' 하듯 보는)
류시오	(피식 비죽이는)
김 마담	범 회장 너무 믿지 마!
류시오	안 믿지… 아니… 믿어선 안 돼지. 꼬리 자르기도 있지만 머리 자르기란 것도 있어… 나는 그래.
김 마담	!!
류시오	그리고 필요하면… 몸통도 자를 수 있어야지.
	(피식, 태연히) 갈치… 죽어야겠다.
김 마담	(눈빛, 표정) 뭐…?
류시오	날 키운 게 이 세상에서 가장 극악무도한 마피아 파벨이란 걸 명심해~ (표정, 눈빛) 파벨이 그래… 사지 절단을 하다가도 배고프면 빵을 찾아. 그러다가 (끄덕 끄덕) 그 빵에 자기 엄마가 만들어 준 복숭아 쨈을 발라 먹으면서… 눈가가 젖어. 세상 어떤 잔인한 마피아도… 엄마란 존재는 그런 건가 봐.
김 마담	…
류시오	난 엄마란 게 없어서 모르지만!
김 마담	(무슨 말을 하려고 하는지 싶어 보는데)
류시오	걔를 왜 갈치라고 부르는지 알지? 자기 엄마가 자길 갈치 장사

하면서 키웠다고 그렇게 부르랬지. 갈치가 참… 지 엄마를 좋아
했어. (표정 잔인해져) 순배를… 갈치 엄마한테 보내.

김 마담　　!!

하는데, 카일이 노크 후 들어온다. 고화질 영상이 담긴 태블릿을
가져오는데.
류시오, 그 영상 보면 여장한 희식이다.

류시오　　(단박에 알아보고) 하… 겁대가리 없는 새끼… 감히!

S#39　조사실 /N

(심문 중인 상황) 팀장한테 뭔가 건네는 갈치 사진 두고.

갈치　　뭘 주는지 보이지도 않는데 (비릿한 웃음) 저게 마약이란 증거 있어?
희식　　(뻔한 수법에 웃음이) 네가 구치소에 있는 빡빡이한테… 마스크 준
　　　　증거 사진도 있는데… 그래서 빡빡이 죽었는데….
갈치　　(젠장)
희식　　증거가 말야… 너무 많아서 말이지… 뭘 까야 할지 모르겠어 지
　　　　금. 막… 막 정신이 없어… 전략이란 걸 세워야 하나? (하고, 팀장
　　　　의 사건일지 종이 흔들어 보이며)
갈치　　(눈알 부라리며 보자)
희식　　여기 뭐가 적혔을까?

갈치	내가 그걸 어떻게 알아?
희식	왜 모를까? 네가 한 짓이 그대로 다 적혀져 있는데…
	증거 원칙주의! 한 경찰이 (분노, 눈빛 이글) 자신의 죽음으로 니들
	을 법의 심판대에 세웠어. 이제 시작이야. 네가 진술하는 모든
	개소리가 여기 적힌 진술 아니 (미친 분노) 이 유언장과 한 글자씩
	삑사리 날 때마다 너 형이 불어나. 네가 판 마약 성분처럼… 이
	개 자식아!
갈치	…
희식	얘기 안 해? (끄덕) 묵비권 행사? 맘대로 해 봐 어디.
갈치	(희식을 터질듯한 눈동자로 노려보는 데서)

S#40 남인의 병실 /N

금주, 머리를 싸매고 입술이 타들어 간다.
긴장되면서도 불안해 시선을 한곳에 두지 못하는 금주.

S#41 동 일각 /N

배가 꼬르륵거리는데 여전히 주린 배를 움켜쥐고 부성애 단식
을 하고 있는 봉고와 덩달아 단식을 하고 있는 남순. 패스트푸드
점 앞에 서 있다. 봉고의 배는 계속 '꼬르륵' 거린다.

봉고	들어가자. 너 뭐 좀 먹어.
남순	어떻게 혼자 먹어. 아빠도 같이 먹어. 우리가 굶는다고 남인이가 나아지는 게 아니잖아.
봉고	아니… 난 안 먹어. 적어도 난 네 엄마랑 달라.
남순	…??
봉고	들어가자… 얼른… 너 제대로 먹어야 돼.

S#42 햄버거 가게 안 /N

남순, 햄버거를 앞에 두고도 넘어가지 않고.
그 앞에 앉아 여전히 전화 연결하는 봉고.

봉고	빨간 구두… 전화 안 받아…. 문자도 안 보고…. (심란한데)
남순	나 어제 꿈에 남인이랑 잘름하르 췄는데… 몽골춤… 그리고 옆에 빠빠도 있었고….
봉고	…
남순	아빠 나… 꿈이 되게 잘 맞아… 사실 엄마 아빠 만나는 날도… 나 꿈꿨다? 그때도 빠빠가 꿈에 나왔어.
봉고	빠빠?
남순	응… 날 몽골 엄마 아빠에게 데려다준 내 말… 빠빠… 내 친구…. 빠빠가 꿈에 나타나면 늘 좋은 일이 생겨 아빠!
봉고	… (갑자기 희망이 생기는)
남순	남인이… 괜찮을 거야. 분명해.

봉고   (그 소리에 뭔가 희망에 벅차오르다 갑자기 '팍' 식는 표정으로) 네 엄마는 절
          대… 해독제 안 살 걸! 범인 잡겠다고 악수를 두겠지!
          자식보다 대의명분! 늘 그랬어. 돈은 이제 벌만큼 벌었으니까!
          정의의 사도 놀이 하겠단 거야. 황금박쥐가 되고 싶단 거지 지
          금… 그게 황금주라고!! (불만 폭발)

S#43 동 남인의 병실 /N

          금주, 눈시울 붉어진 채 태리의 번호로 전화를 건다.
          받지 않는다. 금주, 문자 메시지를 남긴다.

금주(소리)   해독제 구해 줘요. 돈은 원하는 만큼 줄게요.

          [인서트] 어딘가 /N
          태리, 울리는 휴대폰 무시하다 결국 폰을 들어 확인한다. 그 위
          로 금주 소리.

금주(소리)   현찰로 10억!

          태리, '헉!' 10억이란 글자에 그대로 선글라스를 벗는다.

금주(소리)   당신도 계좌이체하면 그 돈 나눠야잖아? 그러니까 현금으로 주
          면 다 당신 건데… 이 제안 나쁘진 않을 거 같은데.

태리, 결심한 듯 답신을 보낸다.
금주, 드디어 문자의 답신이 온다. 확인하는.

태리(소리)   어디서 볼까요?

금주, 답신한다.

금주(소리)   현찰 10억과 해독제 바로 교환해. 당신이 물건 건넨 바로 그 카
             페에서!

S#44 황국종의 병실 /N

국종은 보이진 않고 금동이 국종의 소변을 비우며 효자 노릇을
하는데 휘청한다.
다크써클이 턱밑까지 내려와 있고 고행을 상기시키는 슬픈 음
악이 흐른다.
이때 금동의 폰이 울려 확인하면 '누나'

금동   (다 죽어가는 목소리) 여보세요?
금주(F)   너 남인이 병실로 좀 와. 나 나가 봐야 해서. 남인이 좀 봐. 아빠
         한테는 간호사 보낼게.
금동   (휘청거린다. 아마 곧 쓰러질 예정)

S#45 뼈다귀 해장국집 /N

브래드 송이 뼈다귀 해장국에 깍두기를 넣어 먹으며 '캬아~' 하고 있다. 누군가 다가온다. 덩치가 크고 포스가 장난 아닌 60대 여인(사채 대모 염수산).

염수산	돈은 다 받았지?
브래드	네.
염수산	너 사이즈 너무 키운다. 그러다 걸리면 어쩌려고.
브래드	다 검은 돈들이라… 그 사람들 날려도 아무도 신고 안 합니다.
염수산	너… 정체가 뭐야?
브래드	누님… 뭐 하나 물어 볼게요. (하고, 휴대폰에서 사진 꺼내 보여 주면 다름 아닌 금주다) 이 여자 압니까?
염수산	(보고는) 알지 당연히… 아주 잘 알지… 황금주잖아.
브래드	!
염수산	캐쉬 먹이사슬 최고 상위 포식자!
브래드	(눈빛, 표정)
염수산	근데 황금주는 왜?
브래드	(그런 염수산 보며) 나 부탁 하나 할 게 있는데!

S#46 남인의 사주 카페 /N

불 꺼진 남인의 사주 카페. 귀신이라도 나올 듯한 분위기 사이로 구두소리가 '또각또각' 울려 퍼진다. 문 앞까지 다다르자 끊기는 구두 소리. 태리, 바로 문을 열지 않고 살짝 밀어 보는데 문이 열린다. 그러자 문을 천천히 열고 들어서는데.
태리, 주변을 돌아보며 카페 안쪽으로 더 걸어가려던 그때.

금주(소리)   해독제 거기 놔요.

태리, 주변 '휙휙' 돌아보면 어둠 속에서 금주가 걸어 나온다.

금주   (돈이 든 서류 가방 건네자)
태리   (테이블에 가방 올려놓고 휴대폰 플래시 비춘다)

금주, 당장이라도 태리의 모가지를 꺾어 버리고 싶은 심정. 어떻게든 꾹꾹 담아 누른 채 태리를 바라보고 있는데. 그러거나 말거나 태리는 현금 다발 살펴보느라 정신없다.

태리   (서류 가방 닫고, 해독제 박스 건네며) 물에 타서 복용하면 됩니다.
금주   (해독제 받고는) 물… 마시면 안 되는 걸로 아는데.
태리   이건 반드시 물에 타야 해요.

태리, 옅은 미소와 함께 가방을 들고 카페를 나서면 금주, 눈빛이 부르르 떨리며 태리가 나가는 모습을 그저 바라만 본다. 나가는 태리를 잡을 수 없는 상황에 분노가 일그러지는 듯한 눈빛에서 드러나고.

S#47 남인의 병실 /N

병실에 도착한 금주. 그러자 벽에 기대 힘없이 쉬고 있던 금동이 고개 돌린다.
금주, 태리에게 건네받은 박스에서 해독제를 꺼낸다. 진한 보라색 액체가 앰플에 담겨 있다. 태리가 말한 대로 생수병에 앰플을 꽂고 버튼 누르자 영롱하게 퍼지며 은은한 보랏빛으로 물들기 시작하는데. 금동, 홀린 듯이 그 액체 바라본다.

금동   (놀라는) 이게 뭐야….

S#48 두고 류시오의 대표 이사실 /N

류시오, 앞에 서 있는 윤 비서.

윤 비서   마약 수사대 강희식 경위라고 합니다. 강한 지구대에 언더커버 수사팀이라는데 거기 팀장이 마약 수사 하다 죽으면서 그 팀 자체가 수면 위로 올라왔습니다.
류시오   윤 비서. (다시 정 비서 뉴스 동영상 돌려 보다) 뉴스… 그만하게 해야 겠지?
윤 비서   안 그래도 팔로우 하고 있습니다.

S#49 금주병원 - 7층 / N

간호사들 사이로 지나가는 한 여성 간호사 뒷모습. 보면, 간호사 변장을 한 김 마담.

류시오(소리) 황금주인지 확인해 봐. 맞던 틀리던 죽여!

S#50 남인의 병실 / N

봉고와 남순, 허겁지겁 도착하면 금동이 남인의 이불을 반쯤 걷어 내고 있다.
남인, 식은땀 흘리며 누워 있는. 사경을 헤매는지 입술이 마르고 갈라져 있는데.
금주가 베드에 걸터앉아 남인의 상체를 세운다.
그렇게 남인에게 해독제를 먹이는 금주.
그런 모습을 보고 있던 남순.

[인서트] 류시오의 방 (플래시백10화 S#29) / D
남순, 들어가면 군소 피로 만든 보라 물을 마시고 있는 시오. 남순, 뭔가 싶어 보는.

남순, 남인이 마시는 보라색 해독제 보는 눈빛! 류시오도 마약을 하고 해독한다는 사실을 순간 깨닫는데… 남인의 눈꺼풀이 파르르 떨려오기 시작한다! 모두가 믿기지 않는 듯한 눈빛! 겨우 눈 뜬 남인.
입술 혈색도, 식은땀도 말끔하게 멎으며 순식간에 괜찮은 모습으로 변하는데!

남인   (눈물 고이며) 엄마… 아빠… 누나….

금주, 남인이를 와락 끌어안는다. 봉고도 남인이를 끌어안는다. 남순도 남인이를 안으며, 가족 모두가 하나가 되어 훌쩍인다.

금주   남인아!! (다시 얼굴 떼 남인이 보고는) 괜찮아?
남인   (힘없이 끄덕)
금주   엄마가 미안했어. 이제… 너 먹고 싶은 거 그냥 먹어.
봉고   (그런 금주 보는)
남인   (닭똥 같은 눈물) 미안해 엄마.
금주   아니야 엄마가 미안해. 울지 마 내 새끼… 밥 먹자. 뭐 먹고 싶어.
남인   치킨!
금주   (그 소리에 웃는다) 그래 앞으로 1g도 놓치지 마!

그렇게 웃는 가족들. 봉고가 금주를 보면서 헛기침. "고생했어."

금주   (봉고에게 진심으로) 미안해 강봉고 씨. 그리고 고마워.

분위기 다정다감한데 들리는 '쿵' 소리. 보면, 금동이가 쓰러졌다.

금주, 남순, 봉고, 놀라서 본다.

금주	금동아.
남순	삼촌!
봉고	처남!
금동	(누워서 눈 뜨고) 나 너무 힘들어… 아빠가 오줌을… 너무… 많이 싸…. (눈 감는)

어이없게 그런 금동을 보는 세 사람 모습에서.
[디졸브]

S#51 경찰청장 방 복도 - 경찰청장 방 /D

희식, 서류 봉투를 들고 경찰청장실 복도에 들어선다.
비서들까지 지나쳐 걸어가자 당황한 비서들. 일어나서 말리려
는데 아랑곳하지 않고 문을 벌컥 열고 들어가면.

CUT TO
안 청장, 외출 준비 하려는지 겉옷 입다 말고 등장하는 희식에
당황한다.

희식	(서류 봉투 건네며) 신강수 씨 영장 발부 내용입니다. 하동석 팀장님 사망 사건 유력 용의자.

안 청장	('근데.'라는 눈빛)
희식	용의자 신강수 뒤에… (눈빛, 표정) 두고 대표 류시오가 있습니다…!
안 청장	(기가 찬) 뭐?
희식	두고 압수수색 영장도 같이 청구할 겁니다. 청장님은 알고 계셔야 할 것 같아서요. 이 사건 수사에 협조하지 않는 사람은 누구든 가만두지 않을 거예요. 청장님도 예외는 아닙니다!
안 청장	!!

S#52 두고 류시오의 대표 이사실 /D

류시오, 여장한 희식, 금주 영상 등을 책상 앞에 둔 채 표정 싸해져 서랍 하단에 둔 마약을 본다. 손가락에 찍어 느끼듯 핥아 먹는다. 곧 동공이 커지고 팔목에 힘줄이 커지면서 미친 듯이 강해진다.
그때 문이 열린다. 그리고 남순이 들어온다. 류시오, 등을 보이고 서 있다.

남순	시오… 나 왔어.
류시오	(자신의 변한 모습 숨기는)
남순	(반응 없자) 연락을 못한 건 미안해….
류시오	…

남순, 류시오에게 한 발 한 발 다가간다.

S#53 금주채널 스튜디오 /D

뉴스 준비로 바삐 움직이는 스태프들. 데스크에 앉은 정 비서가
대본을 확인하고 있고, 카메라는 정 비서의 앵글을 잡고 있다.
그리고 다시 포스 넘치는 오라로 그 전경 보고 있는 금주. 맹수
의 눈빛처럼 날카롭고 단단하다. 잠시 후, 울리는 휴대폰 진동.
금주, 확인해 보면 젠틀맨 호출 벨이다.

CUT TO
스튜디오 건물 밖으로 나온 금주. 보면, 젠틀맨이 서 있다. 비장
한 금주의 눈빛.

금주	알았어요. 그들이 류시오가 궁극적으로 원하는 게 뭔지.
젠틀맨	(보면)
금주	놈들의 진짜 목표는… (눈빛, 표정) 해독제예요.
젠틀맨	!!

젠틀맨, 금주 따라 눈빛이 심각해지려는 순간 젠틀맨의 휴대폰
이 울리고.

젠틀맨	(전화 받는) 여보세요. (듣다가) … 계속 추적해.

금주	(전화 끊는 젠틀맨 보면)
젠틀맨	(금주 바라보며) 파벨 노쉬가… 한국에 있다고 합니다!
금주	!!

S#54 엔딩 /D

- 류시오 등을 돌려 남순을 보는데 류시오의 눈빛이 너무나 매
  섭다. 그런 류시오 보는 남순, 남순을 보는 류시오.
- 희식, 경찰청 복도를 걸어 나오는데 전화 받는
  "여보세요." (F) 신강수 씨가… 사망했습니다. 그 소리에 희식,
  얼어붙는.
- 금주, "한국에?"

네 사람의 모습이 현란하게 교차되면서.

<11화 엔딩>

제12화

용호상박
(A Titanic Struggle)

S#1 두고 류시오의 대표 이사실 (11화 S#52 확장) /D

남순   시오… 나 왔어.
류시오   (자신의 변한 모습 숨기는)
남순   (반응 없자) 연락을 못한 건 미안해….
류시오   …

류시오 등을 돌려 남순을 보는데 시오의 눈빛이 너무나 매섭다.
그런 류시오 보는 남순, 남순을 보는 류시오. 이전보다 다른 류
시오 눈빛에 남순, 흠칫 놀란다. 류시오는 천천히 남순에게 다가
가고, 소매 사이로 '팟!!' 힘줄이 튀어 오르는데. 이때 서랍 안에
서 울리는 류시오의 시크릿폰.

남순   !!

천천히 서랍 열고 폰을 꺼내는 류시오의 손에 힘줄이 터질 듯한.

남순, 천천히 류시오에게 다가간다. 두 사람의 긴장이 극에 달하고.

남순, 류시오가 제 앞까지 다다르자 저도 모르게 긴장하는 눈빛.

류시오   오지 마 더 이상.

남순   !! (멈춘다. 그런 시오의 뒷모습을 의미심장하게 보는데)

류시오   (결국 남순을 지나쳐 밖으로 나간다)

S#2 동 건물 지하실 /D

긴장되고 무서운 음악이 흐르는 위로. 류시오가 비밀 지하실로 들어서면 기습적으로 류시오의 멱살을 잡고 벽에 '쾅!' 밀어 붙이는 누군가. 보면, 거구의 러시아 마피아다. 러시아어로 대화 나누는 두 사람.

류시오   범이 보냈어?

마피아   해독제 샘플을 받아 오라는군.

류시오   (여유 있게 웃으며 벗어난다. 옷을 단정히 하며) 싫어.

마피아   뭐?

류시오   가서 전해. 해독제는 내 거라고. 그 사업권은 전적으로 나한테 있어. 파벨이 관여해선 안 돼.

마피아   뭐?

마피아, 품에 있던 총을 꺼내려고 하는데 그 자리에서 총을 박살 내는 류시오.

마피아 안톤!!!

류시오 해독제는 내 거야… 아무도 못 줘. 너한테도… 파벨한테도!

류시오, 마피아의 팔을 잡아 힘을 줘 비틀자 '뚜두둑!' 소리와 함께 팔이 기괴하게 뒤틀린다! 마피아!, 소리 지르면. 류시오, 그대로 마피아를 밀어붙이며 앞으로 걸어간다! 마피아, 바닥에 쓰러져 괴로워하면 그대로 옆에 놓인 쇠파이프를 들어 마피아 머리를 내리치는데! 괴력에 류시오 얼굴에 피가 '확' 튀며 쇠파이프도 부러진다!

류시오, 개운한 듯 광기 어리게 웃는 모습에서!

S#3 금주채널 스튜디오 (11화 S#53 확장) /D

금주 노쉬!! 얼굴은 아는 거죠?

젠틀맨 아뇨.

금주 그런데 한국에 있는 건 어떻게 알았나요?

젠틀맨 오랫동안 파벨을 팠습니다. 파벨은 배신을 하면 바로 사살입니다. 내부 정보가 새어 나오질 않는 마피아 집단입니다.

다만… 그들은 배열이 가장 까다로운 에니그마 암호기를 사용합니다. 그걸 우리 요원이 최근에 해독했어요.

노쉬가 한국에 있다는 암호를요.

금주   …

젠틀맨   그들은 지금 당신을… 주시하고 있을 겁니다.

금주   어디 한번 해 보라고 하세요. (눈빛 비장해지는)

젠틀맨   늘 몸조심하셔야 합니다. 총이 필요하시면 언제든… 말씀하세요.

금주   (끄덕)

젠틀맨   (그렇게 프레임 아웃되고)

금주   (다시 스튜디오 안으로 들어가는 데서)

S#4   본청 복도 (11화 S#54 확장) /D

희식, 경찰청 복도를 걸어 나오는데 휴대폰이 울린다.

희식   여보세요.

경찰[F]   유치관리팀입니다. 강희식 경위님 되십니까.

희식   네. 말씀하세요.

경찰[F]   신강수 씨가… 사망했습니다.

희식, 표정 그대로 얼어붙고는 복도를 빠르게 뛰쳐나간다.

S#5   (남대문) 경찰서 유치장 /D

감식반이 조사 중인 유치장 현장. 갈치가 죽은 자리에 마스킹이 되어 있고 희식이 유치장으로 달려온다. 감식반에게 신분증 보여 준 뒤 들어서면 갈치 흔적 주변으로 피켓들이 놓여 있는데. 앰플 뚜껑, 빈 앰플 병 등이 희식의 눈에 빠르게 스케치 되면 S#4에 전화했던 경찰이 희식에게 다가온다.

희식   (경찰에게) 어떻게 된 겁니까?

경찰   목격자 말로는 저 병을 마시고 갑자기 발작을 일으켰다는데…
            변호인 접견 끝나고 가망이 없다고 생각한 것 같습니다.

희식   변호인 접견이요? (뭔가 이상한) 부검부터 진행하세요. (경찰 보며)
            접견 변호사 자료 전부 넘기시고요. 신강수… 자살 아닙니다.

S#6 두고 류시오의 대표 이사실 - 희식의 차 안 (교차) /D

남순, 대표 이사실을 한 바퀴 둘러본다. 류시오의 데스크 일각에 놓인 보라색 물병을 발견한다. 그러자 눈빛이 날카로워지며 희식에게 전화하는데.

남순   이거야… 해독제! 남인이가 마시던 거랑 같은 거야.

희식   갈치가 죽었어. 증인이 사라졌어.

남순   뭐? 이 스마트워치를 증거로 써. 내가 파카를 훔친 과정이 다 있잖아.

희식   아니. 그렇게 안 해. 네가 위험해져.

S#7 두고 류시오의 대표 이사실 복도 /D

류시오, 아까보다는 개운한 듯한 표정으로 엘리베이터에서 내린다. 하지만 솟아난 핏줄은 여전한데. 이때 휴대폰 벨소리가 울려 전화 받으면.

류시오   여보세요.
순배(F)   갈치… 처리했습니다.

류시오, 씨익 웃으며 전화 끊은 뒤 마저 대표 이사실로 걸어가면.

S#8 두고 류시오의 대표 이사실 /D

남순, 소파에 앉아 희식과 통화하며 스마트워치로 그 해독제 사진을 찍는 순간.
대표실 문이 열리자 남순, 깜짝 놀라 통화를 끊는다. 식은땀이 난 채 걸어오는 류시오. 아까보다는 상태가 괜찮아 보인다. 이내 보라색 물병이 있는 곳으로 걸어가면 남순의 시선도 류시오를 따라가는데… 류시오, 보라색 물병을 마시자 솟아났던 힘줄이 들어간다.

류시오   오늘 점심 나랑 먹어요. 맛있는데 예약해 놨으니까.

남순	(한결 편해진 시오 표정에) 무슨 좋은 일 있어?
류시오	골치 아픈 일이 해결돼서. 이제 황금주 그 여자만 죽으면… 모든 게 완벽해요.
남순	!!

S#9 금주병원 일각 /D

금주, 병원 복도를 걸어가면 휴대폰 울리는. 금주의 병실 앞에 부착된 센서가 감지됐다는 알림과 함께 CCTV 화면 뜨는데. 금주, 피식 웃으며 젠틀맨에게 전화한다.

| 금주 | 왔습니다 예상대로. (듣는) 바지 환자… 괜찮을까요? |

S#10 금주의 병실 /D

금주의 병실. 김 마담, 소리조차 나지 않게끔 조용히 문을 연다. 얼굴에 붕대를 한 채 산소 호흡기를 달고 있는 오플렌티아 요원을 보는 김 마담. 예사롭지 않게 보다가 손에 쥐고 있던 작은 메스를 들고 그대로 요원을 찌르려던 순간!!
요원, 그대로 김 마담의 공격을 피해 몸을 돌리고 일어난다.
김 마담이 든 메스에 엉성하게 감은 붕대가 그어지며 바닥에 툭 떨어지는데.

그러자 온전한 얼굴이 드러나는 요원의 모습 위로.

젠틀맨(소리) 전 국정원 출신 요원입니다. 태권도 합기도 검도 무술합 12단!

김 마담과 요원의 현란한 싸움. 김 마담 역시 싸움 기술이 장난 아니다. 둘의 몸싸움이 점점 더 과격해지는 가운데 김 마담의 메스를 피하려다 바닥에 넘어지는 요원! 김 마담… 게임 끝났다는 듯 그대로 메스를 치켜드는 순간! '쾅!' 병실 문 열리면 금주다! 금주, 김 마담과 눈 마주침과 동시에 달려가 김 마담 집어 던진다. 김 마담, 금주의 괴력에 그대로 날아가 벽에 부딪친다. 괴로운 듯 쿨럭이는데.
이런 힘은 처음인지 믿을 수 없는 눈동자로 고개 들어 금주를 바라본다.
금주, 그대로 김 마담 멱살 잡아 위로 올리고… 발이 허공에 뜨자 캑캑거리는 김 마담.

금주 (으르렁거리는 눈빛) 가서 전해. 황금주…!! 살아 있다고…!!

S#11 호텔 식당 /D

도심 전경이 훤히 내려다보이는 고층 호텔 식당. 남순과 류시오, 식당에 앉아 서로 마주 본 채 밥을 먹고 있는데. 남순, 고기만 살벌하게 뜯고 있다. (엄마 죽이려는 자와 밥을 먹고 있다 보니)

류시오	(불쑥) 체첵… 나랑 친구할래요?
남순	(입 안 가득 고기 먹다 놀라는, 마음의 소리) 친구 같은 소리 하고 있네.
	(그러나) 친구? 좋지… 아주 좋아.
류시오	근데 친구가 뭐라고 생각해요?
남순	음… 내 모든 비밀을 알아도 지켜 주고 내 편이 돼 줄 수 있는
	사람?
류시오	(그런 남순 보는) 그런 친구… 있었어요… 근데 열 살 때… 잃어버
	렸어요.
남순	러시아 친구야?
류시오	러시아에서 만난 친구였지만… 러시아 사람은 아니에요.
	나랑 처지가 같았지만… 나랑 다른 선택을 해서… 지금 어디에
	서 뭐 하는지 몰라요.
남순	(그런 류시오 보자)
류시오	(남순을 보는 눈빛) 난 친구도 사랑도… 서툰 사람이에요.
	그냥… 그런 거 하면 안 되는 사람으로 살아서… 근데… 체첵을
	보면… 친구… 사랑… 이런 게, 궁금해요. (수줍게 고백하는데)
남순	(당황해서 본다)

류시오와 남순의 눈빛 교환이 길어지는데. 이때 류시오의 휴대
폰이 울린다.
류시오, 싱겁게 웃으며 전화 받는다.

류시오	여보세요.
김 마담(F)	황금주! 우릴 갖고 놀았어!! 병실에 있었던 환자… 가짜야!!

류시오	(예상대로다) 그래서… 어떻게 됐어? 처리… (인상 찌푸리는) 못했어?

류시오, 저도 모르게 테이블을 '쾅!!' 내려치자 깜짝 놀라는 남순.
그 모습에 류시오, 한숨과 함께 간신히 이성 잡고는 전화 끊어
버린다.

남순	왜 그래?
류시오	(핏물이 흐르는 스테이크에 포크를 탁 꽂으며) 살려 두는 게 아니었는데 황금주! (짜증) 귀찮아…. (신경증 가득한)

S#12 두고 류시오의 대표 이사실 /D

류시오가 대표 이사실에 들어오면 남순이 따라 들어온다.

류시오	(러시아어 내선 전화) 들어와.

카일이 문을 열고 들어온다.

류시오	(러시아어) 애들 모아서 순배랑 합류해. 윤 비서한테 황금주 자료 토스 받는 대로 바로 마킹한다. 금주채널, 금주병원, 골드블루… 식구들까지 모조리 따라 밟아.
카일	(러시아어) 알겠습니다. (나간다)
류시오	황금주 그 여자… 딸을 찾아야겠어요.

남순	!! 어떻게 찾을 건데?
류시오	자기 엄마가 그렇게 됐다는데… 딸이 면회 오는 건 정상 아닌가? 근데!! 한 번을 안 왔어. 결국에 그 딸도 알고 있었던 거지. 황금주가 가짜 환자를 썼다는 걸!
남순	(꽈광!!)
류시오	그 딸… 황금주와 함께 움직이고 있을 가능성이 높아요.
남순	(!) … 그래서. 그 두 사람… 죽이기라도 하게?
류시오	몽골에서 양고기 많이 먹었죠? 체첵이 먹은 그 양고기나… 황금주나… 나한테는 다를 게 없어요. 이제 죽어 줘야겠어요. 모조리 다….

S#13 금주의 병실 /D

금주의 병실 안. 김 마담은 도망치고 없고, 요원과 금주, 둘만 남아 있다. 환자복에서 일상복으로 환복한 뒤 옷매무새를 정리하는 요원.

요원	(금주에게) 함께할 수 있어 영광이었습니다. 골드 회원님.
금주	고생하셨습니다.

요원, 인사한 뒤 병실 문을 닫고 나가면 '후…' 한숨과 함께 차분해지는 금주.
이어 휴대폰을 들고 어디론가 전화한다.

S#14 마수대/D

희식, 신강수 접견한 변호인 관련 서류들을 받아 보고 있다. 변호인협회 목록과 등록증을 바라보는 모습 위로.

경찰(E) 확인해 보니 모두 위조된 등록증으로 나옵니다. 변호인협회 목록도 동명이인을 사칭했고요.

이때 금주에게서 전화가 오면.

희식 여보세요.

금주(F) 김 마담이 병원에 왔어요. 날 죽이려다 가짜 환자까지 알게 됐어요.

희식 !!

이때! 희식의 휴대폰에서 진동이 울려 희식이 잠시 귀에서 휴대폰 떼어 보면 금주가 보낸 듯한. GPS처럼 어느 위치가 잡혀 있는 화면이다! 희식, 컴퓨터에 연결하자 희식의 컴퓨터 화면으로 뜨는 새 창. GPS 위치 추적 프로그램인데!

금주(F) 나한테 해독제를 판 여자의 위치예요. 섣불리 잡았다간 일이 꼬일 수 있어요.

희식 살인 미수로 체포해 봤자. 신강수처럼 자살 당하면 끝이겠죠.

금주(F) 그들이 아무도 신경 쓰지 않는 사람부터… 손에 넣어야 해요!

희식   (컴퓨터 화면 보며, 비장한 눈빛) 네… 위치 떴습니다.

[인서트] 어느 원룸 /D
원룸 일각. 짐 챙기느라 정신없는 태리. 옆으로 금주에게서 받은
서류 가방이 보이는데. 서류 가방 끝 쪽에 붉은색 희미한 불빛이
반짝이고 있다.

S#15 장례식장 복도 - 장례식장 안 /D

영탁, 희식에게 문자로 사건 보고를 받고 있다.

영탁   (팀원들에게) 갈치 접견한 사람 변호사 아니래요.
자살하게 만든 거 같아요. (침통한데)

팀원들 일제히 어딘가로 시선 향하면 다름 아닌 이정식 서울지
방경찰총경이다. 팀장의 영정 사진 앞에서 절하는 이정식 총경.
뒤로 영탁, 참마, 쓰봉이 서 있다.

CUT TO - 짧은 시간 경과 -

이정식   (돌아보며) 이만 복귀들 해. 고인 발인은 내가 지킬 테니까….
일동   (그런 총경 의심스럽게 보는)
이정식   자네들이 무슨 생각하는지 알아. 난… 고인의 뜻을 받들 거야.

일동	…
이정식	앞으로 어려운 일이 많을 거야. 바위를 치는 계란 꼴이 나더라도… 경찰이야 우린! 잊어선 안 돼!

S#16 희식의 차 - 태리의 차 /D

- 휴대폰으로 보이는 GPS 보며 액셀 밟는 희식.
- 도로를 달리는 태리의 차.
- 액셀 더 밟는 희식. 태리와 희식의 차가 점점 가까워지는데.
- 태리. 뒤에 따라 붙는 차량이 수상한지 갑자기 '확' 핸들 틀어 유턴한다.
- 희식, 그대로 태리의 차를 추격해 따라 붙는다.
- 태리, 자신이 추적당하는 느낌이 들자 뭔가 이상한 표정이 되는.
- 희식, 결국 태리의 차를 추월해 태리의 차를 막아선다.
  스키드마크를 일으키는 희식의 차.
- 태리, 운전석에서 좌절해 인상을 뭉갠다.

S#17 태리의 차 밖 - 거리 /D

희식, 차에서 내려 태리에게 다가오자 태리도 씩씩거리며 문을 여는데.

희식	(경찰증 보여 주며) 한민정 씨. 당신을 마약류 관리 위반으로 체포합니다.
태리	뭐? (놀라는) 경찰이야?
희식	그럼 헤리티지 클럽에서 미행한 건 줄 알았어? 혼자 돈 먹고 튀어서?
태리	(인상 쓰는데)
희식	(태리에게 내리라는 제스처)
태리	(내리면)
희식	(수갑을 채운다)

이때 희식의 폰이 울린다. 전화 받는 희식. 태리는 수갑 찬 채
도망갈 궁리를 하는 듯 눈동자 굴리지만 희식과 눈이 마주친다.
희식, 그런 태리의 의도 알아차리고 태리에게 시선 꽂으면.
태리, 결국 상황 받아들이는데.

희식	(폰 울려 받는) 여보세요?
영탁(F)	어디야? 합류할게.
희식	(전화) 갈치 부검 중이니까 그쪽으로 와요.
태리	(놀란다) 갈치가… 죽었어요?
희식	(전화 끊으며) 네.
태리	경찰에 잡혀 갔는데 어떻게 죽어요…?
희식	도망가면 더 빨리 죽겠지. 그 새끼들한테 잡혀서… 어떡할래요? 경찰 옆에 딱 붙어 있는 게 목숨 부지하는 방법일 텐데…. 변호사 선임할 생각도 하지 말고… 갈치를 죽인 게 변호사니까.

태리	(헉)
희식	(전화 거는) 마수대 강희식입니다. (하고, 태리 차를 뒤진다)
	(뒷좌석에서 금주가 건넨 가방을 꺼낸다. 그리고 GPS 떼는)
태리	(그 모습 보면서 인상 뭉개지는)
희식	용의자 차량 인도 요청할게요.

S#18 희식의 차 안 /D

희식, 운전 중. 옆에는 수갑 찬 태리가 타고 있다.

태리	난 아무것도 몰라요. 마담 언니가 시키는 대로 했다고요.
희식	뭘 시켰어요? 궁금하네….
태리	…
희식	갈치… 자살 당했습니다. 빡빡이가 그랬던 거처럼.
태리	…
희식	당신 죽고 싶진 않잖아?
태리	(두려운)
희식	(도착해 차를 세운다)
태리	나… 데리고 가요. 혼자 두지 말고.
희식	(그런 태리 보는 데서)

S#19 국과수 부검실 /D

눈 감고 있는 갈치 시신. 가슴팍으로 부검한 흔적이 보이는 가운데, 그 위로 부검의가 희식에게 부검 결과서를 건넨다. 옆에 있던 영탁이 갈치 시신 보고 있고.

법과학자 　인데놀 과다 복용으로 인한 급성 심부전. 심장마비야.

희식 　　　인데놀이요?

법과학자 　무대 공포증 애들이 먹는 약인데… 보통은 알약으로 먹는데 앰플에 담긴 병을 마신 건 자살 행위지.

영탁 　　　(알겠다) 류시오가 사람을 보냈네.

희식 　　　변호인 접견실엔 CCTV랑 음성 송출 장치가 없어요.
　　　　　　그걸 이용해서 갈치를 자살하게 만든 거죠.

영탁 　　　도대체 뭐라고 했길래 자살까지 할 수 있는 거지…?

희식 　　　(눈빛, 표정) 파벨은 다른 마피아랑 달라요. 지능적인 집단이에요.

S#20 　경찰청장실 /D

경찰청장실. 안 청장, 팀장이 남긴 일지와 갈치 사망 조사서를 바라보고 있다.
팀장이 남긴 일지에는 마약을 넣는 과정부터, 마약 흡입 시 보이는 증세들이 날짜별로 디테일하게 적혀 있다.

팀장(소리) 　류시오! 그를 잡아야 마약의 뿌리를 뽑습니다.

마지막 페이지. 자필로 된 팀장의 일지에 안 청장, 혼란스러운
한숨을 뱉는다.
머리가 아찔한 듯 마른세수와 함께 희식이 들고 온 서류들을 보
는데. 두고 압수수색 영장 신청서 관련 참고인에 신강수 이름이
적혀 있다.
그 뒤로는 류시오 관련된 자료들이 얇은 파일 철에 들어 있는데.
'파벨'이라는 글자가 크게 박혀 있다.

안 청장   (기가 막힌다) 류 대표가 마피아? 참내 원… (안 되겠다는 듯 문 검사한
          테 전화한다) 나 안 청장입니다 문 검사님, (서류철 보며) 이거… 보
          통 일이 아닌 것 같습니다.

S#21   두고 류시오의 대표 이사실 /D

데스크 의자에 기대 잠시 눈 붙이고 있는 류시오. 소파에 앉은
남순이 그런 류시오를 바라보고 있다. 이때 어디선가 울리는 벨
소리. 남순. 제 폰인가 싶으면 아니다.
류시오 폰도 아니다. 뭉툭하게 울리는… 류시오의 데스크 수납
장 쪽에서 나는 듯한데. 그 소리에 류시오, 잠에서 깬다.

남순   피곤해 보여서 일부러 안 깨웠어.
류시오   (전화 벨소리에) 이만 퇴근해요.
남순   전화가 울려. (눈빛)

류시오   (일어나 자리로 가 서랍을 연다)
남순   (눈치껏 뭉개고, 류시오 전화 염탐하려는)

류시오, 울리는 휴대폰을 가만히 보다, 결국 전화 받는 류시오.
(두 사람 한국어)

범(F)   파카 찾았어?
류시오   아직요.
범(F)   너 죽고 싶어?
류시오   경찰이 알았어요.

남순, 인터넷 검색을 하는 척 스마트워치로 류시오를 비추게끔
위치 조절하는데.

범(F)   일을 어떻게 하는 거야? 만일 잘못되면 넌!
류시오   죽이겠다고?!
범(F)   안톤!!!
류시오   나 안톤 아니야! 류시오야! 앞으로 나한테… 이래라 저래라…
          명령하지 마! (전화 끊는)

류시오, 폭주 시작되고 뭔가 해낸 듯 사이코스런 웃음이 나는데.
갑자기 미친놈처럼 웃기 시작하자, 그런 모습에 어이없어 눈이
커지는 남순. 미쳤나 싶은지 앉아 있는 류시오에게 다가가 몸을
낮춰 그의 눈을 들여다보곤.

남순	괜찮아?
류시오	(그런 남순의 시선과 마주치는)
남순	누군데 그래? 화냈다 웃었다? (농치듯) 미친 사람처럼….
류시오	(피식) 체첵… 부모님한테 대들어 봤어요?
남순	방금 통화한 게 부모님이야? 부모님 없댔잖아.
류시오	(슬픈 눈동자) 없죠… 그런 거….
남순	그럼 누군데? 안톤은 또 뭐고….
류시오	내 러시아 이름이에요. 안톤. (남순을 당겨 와 자세히 보는)
남순	(헉)
류시오	무슨 일이 있어도 내 곁에 있어야 돼요!

S#22 희식의 차 안 /D

희식이 운전하고 영탁은 그 상황 폰으로 보면서 '헉!' 당황.

영탁	야… 류시오 강 요원 좋아해. 아무리 봐도.
희식	(짜증나 미치는)
영탁	(그런 희식 표정 살피며) 너 강 요원 좋아하지?
희식	(강한 부정) 아뇨!
영탁	사랑하네.
희식	네?
영탁	이참에 결혼해라 그냥. 내가 너라면 80년 전에 결혼했다. 야 너 강 요원이랑 결혼하면 인생 끝났어. 네 앞으로 건물이 몇 개가

꽂힐 텐데… 장모가 대한민국 최고 부자라고. 멍청한 새끼… 안
긁은 복권 30장을 주머니에 넣고 뭐 하냐….

희식   돈에 환장했어요?

영탁   미친 새끼… 아 부러… 그리고 솔직히 강 요원 귀엽잖아.

희식   (툭) 귀여우면 뭐해요?

영탁   뭐 하긴. 그리고 너 강 요원 좋아하잖아.

희식   (부인 못하고 헛기침)

영탁   참내… 지금은 또 아니란 소린 안 하네….

희식   힘이 너무 세요.

영탁   하하하하… (빵 터지는) 야… 근데 그 집 내력인가 봐 그 할머니도
그렇대. 강남서를 쑤셔 놨더라고.

S#23 좋은 한의원 /D

그때 그 좋아 보이는 한의원에 앉아 있는 중간.

중간   위내시경을 했는데 내과 의사가 그렇게 깨끗한 위는 첨 본대. (장
기 어필) 갓난쟁이 위라고 해도 믿겠다고… 우리 아들이 그래.
몸속 장기가 그렇게 깨끗하다네요. 콩팥도 쓸개도 다 애기. (하하)

한의사   다행이에요 장기라도 좋아서… 그럼 그때랑 똑같이 처방해 드
려요?

중간   그럼 그럼 그래야지. 좋은 거 더 때려 박아 넣어 줘 봐요.

한의사   (미소, 컴퓨터로 처방하는)

중간	걔 누나가 돈이 많아요. 좀 과하게 많아. (이제 건물 어필) 그래서 걔 앞으로 서초동에 8층짜리 건물도 있거든.
	거기 1층 커피숍 내보내고 한의원 하면 딱 좋겠더라고.
한의사	요새 그렇게 임차인 막 못 내보내요. (시선 컴퓨터 보면서)
중간	에이… 말귀 못 알아듣기는.
한의사	(그제야 보는)
중간	(싱겁게 웃으며 가까이 다가와) 의사 양반이랑 나랑 호적으로 다 얽히면 좋겠다 이거지.
한의사	(그제야 알아듣고) 어머… 무슨 말씀 하신다고….
중간	하하하하하… 신접 살림은 압구정 60평 아파트에 차리면 될 거고.
한의사	(수줍게 웃으면)
중간	(혼자 김칫국 마시다 문득) 혹시 만나는 남자 있고 그런 건 아니죠?
한의사	없어요.
중간	(다행) 그럼 그럼… (혼자 구시렁) 볼수록 딱이네…. (환한 미소)

S#24 희식의 차 안/N

희식, 기다리고 있으면 남순이 주변 눈치 보면서 탄다. 희식, 표정 굳어 있다.

남순	류시오가 우리 가족을 건드리려고 해.
희식	(O.L) 우리 집으로 가자. (툭) 나랑 살아.

남순	뭐? 집에 남아서 가족들 지켜야지!
희식	(답답) 네가 거기 있으면 가족을 지키는 게 아니라 위험에 빠뜨리는 거라고. 어차피 류시오 (사적 감정 눌러 담아) 그 개자식… 우리 집을 네가 사는 곳으로 알고 있잖아.
남순	하씨… 내가 너 데꼬 살랬는데.
희식	뭐가 어쩌고 어째?
남순	(방긋, 능치듯) 류시오 나한테 맘을 많이 열었어.
희식	그래서… 좋냐?
남순	왜 그래? 일 열심히 하는 사람한테.
희식	그 새끼가 안으면 안기겠더라?
남순	간이식 그건…
희식	(O.L) 힘 뒀다 뭐해? 밀어냈어야지.
남순	너… 질투하는 거야?
희식	질투가 아니라 가르쳐 주는 거야. 아무리 스파이 짓을 해도 수위란 게 있다고.
남순	난 내가 사랑하는 남자랑 첫날밤을 보낼 거야.
희식	(그 소리에 갑자기 뻘쭘) 첫날밤…?
남순	우리 집안 전통이야… 좋아하는 남자랑 첫날밤을 보내야 건강한 딸을 낳는대.
희식	(갑자기 덥다) 너 왜… 그렇게 또 멀리 나가?
남순	뭐래… 그냥 간이식 네가 묻는 말에 대답한 건데.
희식	(끄응)
남순	(배시시) 쫄았구나?
희식	머? 내가? 왜?

| 남순 | (희식 안전벨트 매주며) 가자… 너네 집으로! 출바알~~! |

S#25 금주의 집 - 서재 /N

금주, 심각하게 앉아 있는데. 노크 후 들어오는 정 비서.

금주	정 비서 당분간 금주호텔에 묵어. 이 집에 있어선 안 돼.
정 비서	네.
금주	이런 어려운 상황에 놓이게 해서 미안해. 경호팀 붙여.
정 비서	그럴 필요 없어요. 저도 제 몸 하나 지킬 호신술은 익혀 왔어요.
금주	그래 알았어.
정 비서	(나가려다) 뉴스 해서 행복했어요. 제 원래 꿈이 아나운서였거든요.
금주	나도 놀랐어. 재능있더라?
정 비서	(미소, 목례 후 나간다)
금주	(남겨진 채 싸늘한 미소)

S#26 봉고 사진관 밖 /N

봉고, 사진관 앞을 쓸고 있어 남인이 앉아서 아이스크림 먹고 있
는데 앞으로 경호 차량이 다급히 멈춰 선다. 봉고, 당황하면 경
호원들, "황금주 대표님께서 보내셨습니다." 하며 앞에 서는데.
이때 배달맨이 오토바이 세운다. 경호원들, 날카롭게 배달맨 바

라보면 배달맨, 자기도 모르게 쫄며 남인에게 다가온다. "황금
주 씨가… 보냈다는데요."

남인, 씨익 웃으면 봉고의 휴대폰 울리는데.

봉고	여보세요.
금주(F)	어디야 지금?
봉고	어디긴 사진관이지.
금주(F)	안이야 밖이야?
봉고	밖이야.
금주(F)	밖에서 뭐해?
봉고	청소. 근데 이 사람들 다 뭐야? 왜 갑자기 경호팀들을 이렇게….
금주(F)	밤에 밖에서 청소 따위 하지 마!
봉고	(엄마한테 혼난 애처럼 빗자루 들고 서서 뻘쭘)
금주(F)	당분간 사진관 문 열지 마. 남인이 바꿔.
봉고	(바꿔 주는)
남인	여보세요?
금주(F)	먹고 싶은 거 맘대로 먹어. 넌 뚱뚱해도 예뻐.
남인	(미소)
금주(F)	대신 낯선 사람이 주는 건 절대 먹지 마. 백설 공주도 그러다 골 로 갔으니까…. (끊는)
남인	(구시렁) 배달맨도 낯선 사람인데.
봉고	(금주 말투 따라하듯) 밤에 밖에서 청소 따위 하지 마! 내가 지 부하야 뭐야… 연병장에서 훈련 받아 내가?
남인	(치킨 보면서 흐뭇한) 아빠 들어가서 치킨 먹자.

봉고	그르자. (들어간다)

그런 남인과 봉고를 보는 듯한 누군가의 수상한 시선.

S#27 희식의 집 앞 /N

희식, 차를 세운다. 남순, 안전벨트 푼다.

희식	비번 알지?
남순	알지… 121208.
희식	들어가서 쉬고 있어.
남순	경찰서 들어가려는 거지? 해독제 범인 진술 받아야 해서.
희식	와우… 너 거의 마수대 형사네… 수사 프로세스 꿰고 있네.
남순	그냐? (나가려다) 나 담주 화요일 운전면허 실기시험 쳐.
희식	그 말은 필기시험은 붙었단 소리?
남순	그지 그지.
희식	(머리를 쓰담쓰담) 장하다 장해. 힐러리 칸!
남순	(말방울 소리가 '땡그랑') (배시시)
희식	(남순이 귀여운지 보는데)
남순	빨리 들어와. 안 자고 기다릴 테니까.
희식	(말방울 소리가 '땡그랑')

희식의 차 떠나고 남겨진 남순, 자신의 머리를 쓰담해 본다.

남순   (혼잣말) 머리 만졌을 뿐인데… 전기가… 허… 뭐야….

S#28 두고 류시오의 대표 이사실 /N

류시오, 어두운 사무실 안에서 범과 통화 중이다. (한국어로 통화
하는)

범(F)   제정신이야? 두고 연구소에서 하는 해독제 사업을 파벨하고 공
         유하지 않고, 파벨의 허락 없이 독자적으로 사업 등록을 해?
류시오   파벨이 한 게 뭐 있다고 그걸 파벨한테 허락을 받습니까?
         내가 연구한 건데.
범(F)   … 너 그러다가 차르폼바 지령을 받을 수도 있어.
류시오   (눈빛이 무서워지며, 비웃듯) 내가 없어지면 파벨은 돈을 벌 수가 없
         어요. 파벨은 날… 죽일 수 없어.

S#29 금동의 병실 /N

한약을 '쪽쪽' 빨고 있는 금동. 옆에 앉아 있는 중간.

중간   그니까~ 남인이 병실엔 왜 가?
금동   누나가 다른 사람은 아무도 못 믿겠다는데 어떡해.
         근데… 이번 한약 왜 이렇게 써? 혀가 꼬부라져.

중간	너 그 한의사랑 결혼해.
금동	(눈 동그래져 보는) 뭘 해? 아니 무슨 결혼을 그렇게 어이없게 하래. 싫어.
중간	넌 의사랑 결혼해야 제명까지 살아~ 아니 허구한 날 휘청거리는데 집안에 의사가 상주해야 할 거 아니야… 옆에 딱 붙어서.
금동	그렇다고 의사랑 결혼을 하라고?
중간	아니 네 주제에 의사면 감지덕지지 뭔 소리야?
금동	나… (툭) 좋아하는 사람 있어.
중간	(어이없이 보는) 누군데? 요샛말로 망봉 아니고?
금동	아니야. 그리고… 지금 중요한 건 내가 아니야… (한 호흡 쉬고 진지하게) 나 엄마 아들로서 진지하고도 단호하게 얘기하는데 엄마 그 아저씨랑 정리해!
중간	(그 소리에 갑자기 눈빛이 싸늘, 꼴쳐본다)
금동	(중간 눈빛에 놀라서 움찔)
중간	어른들 일에 나서지 마.
금동	(황당) 엄마 나 마흔 넘었어. 어른들 일이라니… 나 중년이야!
중간	나 그 사람이랑 못 헤어져.
금동	아 그럼 아빠는 어떡해!! 아빠 버려? 버리기만 해? 나도 남인이처럼 집 나갈 거야. 밥도 안 먹을 거야.
중간	먹지 마. 굶어 뒤지던가 말던가… 쓰러져 뒤지던가 말던가…. (한약 통 들고 나가는)
금동	허… 뭐야… 남자 때문에… 자식도 눈에 안 들어오나 봐… 하… 진~짜 어찌 이런 일이~~

S#30 조사실 /N

조사실에 마주 보고 앉아 있는 태리와 희식.

태리   돈 많은 부자들이 타깃이에요. 그들이 결국 해독제를 사니까….

희식   그 해독제는 어디서 가져와요?

태리   그건 몰라요. 정말이에요. 저는 그냥 마담 언니가 시키는 대로만 했습니다. 확실한 건 해독제 사업을 컨트롤 하는 곳이… 두고란 거예요.

희식   다이어트약 판매한 회원 명단 이 안에 있어요? (대포폰 들어 보이는)

태리   네.

희식   대체 몇 명이나 됩니까?

태리   제가 관리하는 회원은 백 명이지만 다른 사람들까지 합치면….

희식   …

태리   전국에… 김 마담 밑에서 일하는 중간 유통자가 엄청나게 많아요.

희식   (기가 막힌) 그럼… 그 다이어트약이 그 정도로… 퍼져 있단 소리 예요?

태리   네.

희식   (보통 일이 아니다 싶은데)

태리   한 가지 아는 건… 그 해독제… 군소로 만들어요!

희식   !! 군소요?

태리   네… 군소의 피!!!!!

S#31 희식의 집 /N

'딩동' 문을 열어 주면 택배맨이 서 있다. 놀라는 남순. 보면, 택배맨 옷 입은 영탁이다.

영탁   강 요원! 이거 희식이가 보낸 강 요원 옷이야. (문 바로 닫는)

남순, 황당해서 그 택배 열어 보면 잠옷, 양말, 뭐 이런 건데… 여성용 속옷도 있다.

남순   뭐야… 왜 과대 평가야… (그러다 배시시 미소) 귀여워~ 간이식!

S#32 조사실 전경 /N

희식, 태리의 진술을 듣고 있는 진지한 모습에서.
[디졸브]

S#33 검찰청 외경 /D

S#34 문 검사의 집무실 /D

고민하는 문 검사. 보면, 데스크에 안 청장이 보낸 소포가 있는데. 팀장 일지와 영장 청구 신청 카피본이다. 문 검사, 한숨과 함께 카피본을 바라보는 모습 위로.

안 청장(E) 마수대 애가 브로커를 잡았다니 곧 압수수색 영장 신청갈 겁니다. 류 대표가 러시아 마피아랍니다.
문 검사, 표정 점점 심각해지다 비장하게 폰을 드는데.

S#35 두고 류시오의 대표 이사실 /D

류시오, 겉옷 입고 나가려는데 전화가 온다. 문 검사다.

류시오 네 검사님. (얘기 듣더니 표정 굳는) … 만나 뵙고 말씀드리죠.

이때 카일이 들어온다. 두 사람, 러시아어로 대화 나눈다.

류시오 가족들 위치 파악됐어?
카일 네. 전 남편, 아들, 엄마, 동생 모두. 하지만 딸은 아직.
류시오 일단 오늘은 나 따라다녀!
카일 어디 가세요?
류시오 검찰청! (앞서간다)

S#36 류시오의 차 안 /D

류시오, 남순에게 전화한다.

류시오   체책? 나 좀 늦을 거 같아요. 그러니까 저녁에 봐요.

[인서트] 희식의 방 /D
남순, 출근 준비하려고 양치질하다 류시오 전화를 끊고는.

남순   얘가 늦게 온다는데 내가 혼자 가서 뭘 하지? (머리 굴리는) 그럼
        나도… 늦게 가도 되는 거잖아. 그러지 그러지… (하고, 밖으로 나
        간다)

S#37 문 검사의 집무실 /D

등 보이고 창문 밖을 바라보는 문 검사. 이때 노크 소리와 함께
누군가 들어온다.
류시오, 예의 바르게 인사하는데. 문 검사, 몸을 돌려 류시오를 노
려본다.

류시오   하실 말씀이 있으신 것 같은데… 앉아서 들을까요 서서 들을
        까요?

문 검사가 먼저 자리에 앉으면 류시오가 맞은편에 자리잡고 앉는다.

문 검사	너… 마약 팔아?
류시오	(주저함 없이) 네.
문 검사	(황당하게 보다) 허… 이 새끼 봐라… 너 정말… 마피아야?
류시오	(끄덕이는) 네.
문 검사	(기가 막힌, 넥타이 느슨하게 푸는 제스처와 함께)

젊은 놈이 돈 좀 있대서 포커 몇 번 쳐 줬더니만 돌았나… 야 이 새끼야. 너 대한민국 검사가 우스워? 너 내가 마약 전문 검산 거 몰라? |
류시오	…
문 검사	(일어나 책상 위에 올려진 팀장이 남긴 유언 일지 복사본을 가져와 류시오 면전에 갈기듯 던진다) 너 이제 좆됐어. 이 개자식아.
류시오	이름 문성우… 2003년 서울지검 동부지청 검사를 시작으로. 2007년 춘천지검 강릉지청 검사. 2009년 수원지검 근무… 2013년엔 대검 검찰연구관. 2015년 서울지검 검사 끝에 지금, 서울중앙지검 차장 검사. 딸은 미국 유학 중이고… 부인이랑 둘이 서래마을 살지? 강아지 이름이 토리랬나?
문 검사	너 지금 뭐 하잔 거야?
류시오	나 마약하는 거 알았잖아. 같이 해 놓고 왜 이래?
문 검사	('벙!') 이 새끼가 미쳤나… 뭐야? 마약을 같이 해?

류시오, 일어나 문 검사가 던진 서류들을 집어서 하나하나 모

은다.

문 검사, 그런 류시오 행동을 보면서 미간이 잔뜩 뭉개지는데.

류시오   분노 조절할 줄 알아야죠… 대한민국 검사가… (하고는, 서류를 문 검사 앞에 정갈하게 놓아 둔다) 형사가 죽어 가면서 작성한 유언 일지를 이렇게 함부로 던지면 어떡합니까?

문 검사, 그대로 일어나 류시오의 면전 코앞까지 와서.

문 검사   너 수작 부리면 죽여 버릴 줄 알아? 내가 너같은 놈 하나….

하는데, 류시오 그대로 문 검사 뺨을 후려친다. 그 바람에 문 검사, 휘청 뒤로 나자빠지면서 떨어져 나가고 안경도 벗겨지는데.

류시오   우리 검사님 유학간 딸 공부시킨다고 힘들어 해서 내가 돕는다고 도왔는데 부족했나?

문 검사   … (황망, 분노) 너… 미쳤어?

류시오   내가 약팔이면 넌 당연히 약쟁이가 돼. 내가 판 마약은 몸에서 성분 검출도 안 되는데… 생각해 봐. 네가 나랑 헤리티지에서 만난 게 몇 번인지… 죽은 자의 증언보다 무서운 게 산 자의 증언이야. 내가 증인이야. 네가 마약을 (혀를 날름) 빨았다는!

문 검사   (사색이 되는) 나 마약한 적 없어!!

류시오   멍청한 새끼… 그걸 누가 믿어? 내가 했다는데….

문 검사   류 대표….

류시오	그래 나 마피아야! 미국에 있는 네 딸, 네 와이프… 그리고 네 내연녀까지… 사지 절단 내 죽여 줘?
문 검사	(부들부들 떠는데)
류시오	쓸개골 수술한 네 강아지는 살려 둘게. 우리가 동물은 안 죽여. 왠지 알아? 개는 혀를 안 놀리거든. 짖기만 하지!
문 검사	…
류시오	너두 그냥 짖기만 해! 그래야 살아!
문 검사	(이제 다 끝났다 싶은데)
류시오	(표정 단정해지며) (포스 쩌는 러시아 마피아처럼 러시아어로) 아무것도 빌릴 수 없는 친구는… 잘 들지 않는 칼과 같다. (자막)
문 검사	(보면)
류시오	아무것도 빌릴 수 없는 친구는 잘 안 드는 칼이나 마찬가지다. 러시아 속담이야. 너 나한테 잘 드는 칼이 돼야 해. 사태 파악 좀 해라…. (으구)
문 검사	(포기, 절망)
류시오	독수독과…! 곧 걔네가 파카 하나를 들이밀 거야. 증거라고… 근데 그 증거 수집을… 적법한 절차로 수집한 게 아니라서… 증거로 효력이 없어요. 지금 아~무 증거가 없어. 증인 될 인간도 죽었어. (여유 있게) 여긴 손님이 왔는데 쓴 커피 한 잔을 안 주네… 나 갈게… 커피 마시러.

류시오, 널브러진 문 검사에게 다가와 풀어진 구두끈 묶어 준다.

류시오	구두끈 풀어졌어. 약쟁이들 중에 이런 애 많거든.

구두끈, 지퍼, 양복 단추… 신경 써. 친구! (찡긋) 오해받아!
(일어나 반듯하게 인사하며) 그럼… 이만 가겠습니다. 문 검사님.

S#38   동 검사실 밖 /D

류시오, 단정하게 나와 걷는데, 그 뒤로 카일이 가드치며 따라
걷는다.

류시오   카일… 네가 제일 좋아하는 한국 음식이 뭐야? (러시아어)
카일   (한국어) 불코기~!
류시오   (한국어) 그래 오늘 불고기 먹자!
카일   (아이처럼 환하게 웃는다)

그런 류시오 모습 위로 지원되는.

젠틀맨(소리) 파벨은 화이트칼라 교육을 시키는 전세계 유일한 마피아예요.
           법, 정치, 금융 공부를 체계적으로 받아요. 일반 마피아랑 사업
           방식이나 목표 지향점이 다릅니다.

S#39   금주채널 스튜디오 (동 회차 S#3 확장) /D

젠틀맨   그들은 지금 당신을… 주시하고 있을 겁니다.

금주	어디 한번 해 보라고 하세요. (눈빛 비장해지는)
젠틀맨	늘 몸조심하셔야 합니다. 총이 필요하시면 언제든… 말씀하세요.
금주	(끄덕하다가) 젠틀맨!
젠틀맨	(뒤돌아 보면)
금주	당신은… 뭐 하던 사람이었나요?
젠틀맨	글쎄요… 차차….

S#40 금주의 드레스 룸 /D

금주, 회상에서 빠지면- 화려한 착장을 하는 중. 그런 금주의 모습에서.

S#41 조사실 안 /D

희식, 태리와의 조사를 마무리한다. 수갑을 풀어 준다. 태리, 놀라서 보면.

희식	김 마담한테 해독제 판 돈을 고백해요. 그래서 도망치려 했다고… 다음부터 절대 안 그러겠다고 받은 돈 다 줘요, 그럼 김 마담… 믿을 겁니다.
태리	(여전히 불안해서 보는)

희식	그 사람들 벌집 쑤셔 논 거처럼 정신 없을 거예요.
	당신을 의심할 여유… 없는 상태란 소리예요.
태리	내가 해야 할 일은요?
희식	당신이 관리하는 회원 말고… 전국에 있는 모든 마약 판매책 라
	인을 싹 다 가져와요. 그게… 당신을 풀어 주는 조건입니다.
태리	만일… 못 가져오면요?
희식	(1초의 망설임 없이) 구속이죠.
태리	(그런 희식 보는, 걱정 가득한 표정에서)

S#42 헤리티지 클럽 여러 곳 /D

분주하게 움직이는 직원들, 사무실을 오고 가며 나온 종이들을
모두 파쇄기에 넣는다.
이때 직원과 김 마담이 룸 곳곳을 수색한다.
김 마담과 직원, VIP 룸과 1번 룸에서 각각 카메라와 도청 장치
발견하는데.
김 마담, 분노에 차 하이힐로 밟자 기계 잔해들로 부서진다.

김 마담	(직원들에게) 다시 뒤져. 화장실이고 그림이고 화분이고 싹 다!

하는데, 울리는 전화. 받는 김 마담.

김 마담	여보세요? (듣는) 태리야? 너 어딨었어?

S#43 희식의 집 /D

남순, 희식을 위해 이것저것 잔뜩 어질러 엉성한 요리를 하고
있다.
인터넷 유튜브 검색을 해 가며 김치찌개를 하는데 맛이 안 나서
찌개에다 다시 소금 넣고 설탕 넣고 참기름 넣고 잡탕을 만든다.
먹어 보더니 환하게 웃으며 몽골어로.

남순　　약 엔 암트!
　　　　<자막: 바로 이맛이야!>

하는데, 울리는 휴대폰. 보면 류시오다. 전화받자마자 "어디예
요." 들려오는 목소리에 얼른 앞치마 벗는 남순. "갈게 시오, 바
로~"

S#44 마수대 /D

이정식 총경, 경찰 제복 입고 마수대로 들어온다. 희식을 포함한
다른 일원들 일어나 인사한다. 총경의 직접 방문에 다들 당황하
는데.

CUT TO

이정식	자네들을 본청으로 부르는 거보단 내가 움직이는 게 나을 거 같아서…. 현 청장이 예의주시하는 건 내가 아니라 자네들이니까….
일동	(알아듣고)
이정식	1주일 뒤 새로운 청장 임명식이 있어. 알겠지만 내가 내정이 되어 있다. 일주일만 잘 버텨.
희식	영장 청구… 거절될까요?
이정식	아마도… 증거불충분으로. 안 청장, 차장 검사 그 외에 부장 판사까지 전부 류시오와 엮여 있어. 다른 패가 있어야 돼.
희식	물증이 있습니다. 마약이 들어 있는 증거물!
이정식	두고에서 그 물증이 나왔다는 증거… 그게 없으면 걔들이 각본 짜면 그만이야. (끄덕) 일주일만 버텨! 내가 자네들 뒤를 지킬 테니까!

CUT TO
이정식 가고 없는 가운데 남아 있는 팀원들.
희식, 태리 조사로 날밤을 새서 눈이 저절로 감긴다.

| 영탁 | 희식아… 너 좀 들어가 쉬어. 밤 샜잖아. 취조한다고. |
| 쓰봉 | 그래… 들어가… 우리가 할게. |

하는데, 울리는 희식의 폰. 폰 문자 확인하면 남순이다.

| 남순(소리) | 간이식! 나 일하러 가. 너 올 때까지 기다렸는데. |

희식, 거기까지 읽는데 미소가 번지다가 서서히 미소 걷히는.

남순(소리) 안 오길래… 너네 집 냉장고 뒤져서 맛있는 아침밥 해 놨어. 잘
했지?

희식 (혼자 구시렁) 아… 왜 이렇게 불안하지?

영탁 왜 뭔데….

희식 강남순이 아침을 해 놨다네요.

영탁 …

희식 지금 걔 우리집에서 살거든요.

쓰봉 뭐야… 니들 동거해?

영탁 (장난치는) 둘이 뜨거운 사이예요.

희식 (기운 없어 반박도 안되고) 아니 그게 아니라….

쓰봉 요새 애들은 우리 세대랑 달라서 일단 살아 보고 결혼하고 그러
더라고.

참마 브라보… 형 그 힘에 결국 제압당한 거예요?

희식 아니…. (포기하는)

영탁 난 강 요원 정말 맘에 들어. 나 이 결혼 찬성.

쓰봉 아휴… 과분하지! 재벌 딸!

참마 형수님으로 모시겠습니다!

희식 (지치는)

영탁 강 요원 동생 없냐?

희식 (그 와중 대답은 하는. 축 늘어져) 있죠.

영탁 와우! (또 박수 치는데)

희식	남자예요.
영탁	(김샌다만 구시렁) 남자라도 상관없는데 나….
쓰봉	저 새낀… 왜 저렇게 없는 티를 내? 전세 대출땜에 후달려?
영탁	우리 모두 신혼집에 아침밥 먹으러 갑시다~~ (박수 치며 선동)
희식	(일어나는데 눈이 감긴다)

팀원들, 그런 희식을 짐짝 들 듯 들어 밖으로 나가는 데서.

S#45 희식의 집 /D

식탁에 남순이 차려 둔 아침 밥상 보는데 모여 있는 희식, 영탁, 참마, 쓰봉의 표정.
노른자 기괴하게 터진 계란프라이 1개, 김치찌개 한솥, 정체불명의 이상한 잡탕 반찬.
일동 동시에 숟가락으로 김치찌개 먹어 보는.
영탁, 참마, 쓰봉 동시에 황당 에너지 1톤급 충격 파장의 표정으로 굳어지는데.
아무 생각없이 먹고 있는 희식.

영탁	이거 무슨 맛이지? 왜 찌개에서 케첩 맛이 나지?
희식	넣었나 봐요. 케첩통 비었더라고요. (먹으며)
참마	와아~ 증말~ 내가 살면서 먹어 본 음식 중에 젤 맛 없어요.
쓰봉	김치랑 물만 넣고 끓이지… 왜 이런 창의력 발휘를. 존나 짜.

인상 쓰고 숟갈 동시에 내려놓는 일동. 혼자 먹고 있는 희식.

희식	괜찮은데요 난. 똠양꿍 같기도 하고.
쓰봉	똠양꿍? 태국 대사관에서 소송 들어와 너~
영탁	너 정말 강 요원 사랑하네.
희식	맛있는데. ('왜들 그래?')

S#46 두고 류시오의 대표 이사실 /D

남순, 대표 이사실로 들어오면 류시오는 없다. 이때 류시오 책상에 연구소에서 나온 듯한 결과지가 보인다. 남순, 서류를 보며 "연구소…?" 하면 서류에 두고 마크가 찍혀 있다. 느낌이 싸해 스마트워치로 결과지를 찍으려 하자 류시오가 들어온다. 아무렇지 않은 척 하는 남순. 류시오, 문 검사실에서 보던 것과 너무나 다른 다정한 표정으로.

류시오	점심 먹었어요?
남순	응 먹었어. 시오는?
류시오	먹었어요. 근데 체첵… 지금 같이 산다는 친구… 남자는 아니죠?
남순	그럼… 여자지. 귀엽고 예쁜 여자.
류시오	내가 한국 국적 취득하게 도와줄게요.
남순	(헉) 아니야 그럴 거 없어. 내가 알아서 할게.

류시오	당신을… 도와주고 싶어서 그래요. 행복하게 해 주고 싶어서….
남순	아니야… 난 있지… 뭐든 혼자 힘으로 해야 돼… 몽골 부모님한테 그렇게 배웠어.
류시오	그럼 집이라도 구해 주고 싶어요. 그건 하게 해 줘요.
남순	아니야… 지금 집 편해….
류시오	얼마나 더 친해져야… 내가 당신한테 뭘 해 줄 수 있게 되나?
남순	나한테… 모든 걸… 다 보여 줘… 다… 얘기해 주고….
류시오	이미… 그러고 있는데… 내 모든 걸 이렇게 다 얘기했던 사람은 없었어요.
남순	그래? 근데 난 여전히 시오에 대해 아는 게 없는거 같지?
류시오	… (묘하게 보다가 표정 누그러지며) 알았어요. 궁금한 거 물어요. 내가 다 얘기해 줄 테니까….
남순	… 연구소!!
류시오	!!!
남순	(책상 위 서류 가리키며) 두고는 유통회산데… 왜 연구소를 가지고 있어? 연구소에서 뭐 하는데?
류시오	(미간이 찡그려지다가) 그게 왜 궁금하지?
남순	(잠시 당황하다 프로페셔널하게) 나 일 열심히 하고 싶어. 두고 유통 품목에 의약품은 없잖아.
류시오	(그런 남순 의미심장하게 보다가) 알았어요. 데려가 줄게요.

S#47 금주의 차 /D

뒷좌석에 앉아 있는 금주. 태블릿으로 무언가 보고 있다. 김 기자가 보낸 캡처본들인데. CTA4885 시험 방송 관련 영상에 댓글들이 달려 있는. '좋아요' 수도 제법 늘고, '이런 게 진짜 있다고?' 하는 댓글들도 꾸준히 달리는 모습들이다.

기사	저, 대표님.
금주	(보면)
기사	차량 하나가 아까부터 계속 따라오는데 어떡할까요.
금주	(표정) 차… 코너에 세워요.

S#48 거리 /D

갓길에 멈춘 금주의 차. 금주, 차에서 내린 뒤 걸으면 금주의 차 멀어지고… 저 멀리 '끼이익~' 미행하던 차 멈추는 소리 들린다.

CUT TO
거리 걷고 있는 금주. 도로 반사경을 지나쳐 가던 금주가 반사경을 보자 쫓아오던 수상한 그림자가 가로등 뒤에 숨는다. 금주, 신경 안 쓰는 척 계속 걷자 사내도 그런 금주의 라인을 그대로 밟고. 이때 누군가, 골목으로 접어드는데 금주의 모습이 없다. 휙 돌아보려던 순간 바로 뒤에 서 있는 금주.
그대로 그 추격자 울대를 콱 잡고. 매달려 캑캑거리는 그 누군가.
금주, 추격자의 모자가 떨어져 보면… 남비서다!

금주	(남비서 모습에 당황) 헐~ 네가 왜…?
남비서	(쓰러져 캑캑)
금주	뭐야 너~!

S#49 브래드 송의 사무실 /D

심각하게 앉아 가습기 쬐고 있는 브래드 송. 만성비염에 코를 비
틀고 있다.
근엄하게 "비염~~" 한다. 이때 휴대폰 울린다. 남비서다.

브래드	여보세요.
남비서(F)	대표님 들켰어요.
브래드	(삘~ 하게 듣고 있는)
금주(F)	이봐 빵 씨! 골드블루로 좀 오지?
브래드	(끄덕) 그렇게요. (전화 끊는) 띨띨한 놈 같으니~

S#50 골드블루 내 금주의 사무실 /D

금주	(내선 전화) 남길아 좀 들어와.

금주에게 부상 당해 서글프게 처박혀 소파에 앉아 있는 남비서.
이때 문이 열리고 남길이 들어온다.

금주	쟤 좀 어떻게 처리해 봐.

남길, 그 소리에 남비서에게 다가간다. 그렇게 눈이 마주치는 두 사람. 첫눈에 강렬하게 동병상련 느끼며 데스티니!!!
남길, "어디 아파요"를 눈으로 말하면 손가락으로 울대를 가리키는 남비서.

남길	(남비서 옆에 앉아 울대를 만져 보면서) 도레미파솔라시도 해 보세요.
남비서	(해 보자) 닭소리 나고
금주	시끄러. 듣기 싫으니까 나가서 해.
남길	나가요 우리. 울대를 다친 거 같아요. (어쩌냐 걱정, 연민)
남비서	(목청 가다듬는데 닭소리 난다) 닭소리 나요.
남길	(남비서 소중히 데리고 나간다)

S#51 골드블루 밖 /D

남길, 남비서를 싸안고 나간다. 남비서, 목소리 내 보고. 남길, 걱정스레 남비서 보는데.

남길	날계란 사 올까요?
남비서	근데 정말 친절하시네요. (목소리 여전히 갈라지고)

이때 브래드 송이 주머니에 손 넣고 저벅저벅 걸어온다.

남비서	(보면서 놀라) 대표님 오셨어요?
브래드	너 목소리가 왜 그래? 헬륨가스 마셨어?
남비서	그게 아니라… 황금주 여사님한테… 당수를 습격 당해서….
브래드	(한심하게 보는) 여자한테 맞았어? 차라리 접시물에 코 박고 죽어라. (남길 보면서) 황금주 씨 어딨습니까? 안내해요!
남길	(브래드 송을 데리고 가는)

S#52 골드블루 내 금주의 사무실 /D

브래드 송 들어오면 금주가 뻔히 본다. 앉으라는 제스처.
브래드 송, 호기롭게 자리에 떡하니 앉으면 금주가 맞은편에 앉아 다리 꼰다.

금주	왜 날… 미행했어?
브래드	그 전에… 왜 가짜 환자 코스프레를 했습니까?
금주	당신… 류시오랑 어떤 관계야?
브래드	황금주 씨.
금주	당신이 류시오한테 내가 가짜 환자란 거 찔렀지? 그래서 김 마담이 온 거고?
브래드	(맹한 눈으로 보면서) 김 마담? 어느 룸살롱 마담이에요 그 여잔?
금주	(기가 찬데) 장난하냐?
브래드	황금주 씨! 우리… 이렇게 시간 끌지 맙시다.
금주	(눈빛, 표정) 그래… 나도 원하던 바야.

브래드	언제부터예요?
금주	(뭔 소리) 뭔 소리예요?
브래드	못 알아 듣는 척 하긴.
금주	…
브래드	(진지하게) 황금주 씨.
금주	(보면)
브래드	나랑… 사귑시다.
금주	(쾅당) 뭐?

그러자 브래드 송의 타오르는 눈빛과 함께 느끼한 BGM 흘러나
온다.

브래드	나한테 관심 끌려고… 바지 환자 세우고… 내 뒷조사는 도대체… 언제부터 한 거고… 아무도 모르는 내 과거 사진까지 구해서… (절레… 이놈의 인기)
금주	(헐)
브래드	그럽시다… 사귑시다. 금주 씨가 내 이상형은 아닙니다 사실… 나는 강아지상을 좋아해요. 근데 뭐 다른 장점을 볼게요 내가….
금주	(너무나 황당해 한숨을 연거푸 쉬다) 이봐 빵 씨… 당신 도대체 정체가 뭐야? 왜 이래 나한테?
브래드	(자기가 더 황당) 이걸 원하는 거 아니었어?
금주	당신… 러시아에서 류시오랑 함께 찍힌 사진… 그 사진… 뭐야 도대체.
브래드	아까부터 류시오 류시오 하는데 류시오가 누굽니까?

금주	(황당하게 보는) 그 사진 도대체 뭐야? 설명해 봐.
브래드	(한참을 보다가) 나랑 사귀면… 가르쳐 주우~지.
금주	(계속 황당하게 보다) 미친 거지?

S#53 희식의 집 /D

영탁, 쓰봉, 참마의 앞에는 다 먹은 컵라면 그릇이 놓여 있다. 희식, 증거물 파카를 들고 고민 중이다. 다들 파카를 어찌 써먹을지 고민하는데.

쓰봉	언론에 터트리자! 옆구리를 치자고! 두고 해외 수출품인 파카가 마약이다! (하자)
영탁	정대철 본부장 헤리티지클럽 회원이잖아.
	언론 쪽도 류시오가 다 약을 쳐 놨다니까.
희식	(파카 빤히 보더니 뭔가 생각난 듯) 눈에는 눈 이에는 이!
	나 잠깐 나갔다 올게요. (하고, 그 파카 입는다) (파카 입고는 비장하게)
	한번 해 보자고요. 누가 이기나!
일동	(그런 희식 보는데)
쓰봉	파카가 무지하게 크네. 러시아 사람용이라 그런가?
참마	입으려고 만든 파카가 아니니까 그런 거죠!
	마약을 많이 담아야 하니까.
쓰봉	(그런 참마 똘똘하다는 듯 보는)

S#54 동 전당포 내 금주의 사무실 /D

문이 열리고 바야바같이 거대한 파카에 몸이 쑥 들어간 뭔가가
들어온다.
놀라는 금주. 파카 밖으로 머리를 쑥 내밀면 다름 아닌 희식이
다. 희식, 금주 보면서 싱겁게 '씨익~' 웃는. 금주, 어이없게 보는
데서.

CUT TO
금주, 정 비서와 통화 중이다. 희식이 입고 있던 파카를 손에 들
고 있는 금주.

금주   김 기자한테도 연락했으니 지금 스튜디오로 와. 스태프들한테
          도 라이브 공지 때리고.
정 비서(F)   네. 알겠습니다.

S#55 금주 호텔 앞 - 택시 안 /N

정 비서, 호텔을 나와 스튜디오로 가기 위해 택시를 기다리는데.
택시 한 대가 정 비서 앞에 선다.
정 비서, 택시 안에 타고 문을 닫는다.

- 택시 안 -

운전사	어디 가십니까?
정비서	도신대로 34길 8번지요.
운전사	네 알겠습니다. (차 출발시키고)

정 비서, 앉아 있는데 금주에게 전화온다.

정 비서	여보세요?
금주(F)	차 보냈어.
정 비서	저 택시 탔는데요.
금주	택시를 왜 타.
정 비서	괜찮아요. 대표님. 곧 가요. 걱정 마시고요. (전화 끊는다)

전화 끊자마자 정면 보면 - 섬찟한 표정의 운전기사(마스크를 쓴 윤 비서), 손으로 뭔가를 정 비서에게 기체 상태로 확 날려 버린다. 정 비서, 기체 상태의 마약에 그대로 실신하는.

S#56 류시오의 차 안 /N

류시오의 차에 탑승해 있는 남순과 류시오. 이때 류시오의 휴대폰에서 알림음 울린다.
보면, 윤 비서다. <처리했습니다.> 문자. 류시오, 여유 있는 표정으로 남순 보는.

남순	오늘은 이만큼만 놀면 되는 거야?
류시오	아쉽지만 그래야겠어요. 내일 더 놀아요 우리….
남순	그래.

S#57 동차밖 - 거리 /N

차가 서고 남순이 내리자 류시오가 차에서 내린다.

류시오	어느 아파트예요?
남순	(손가락으로 희식 집 쪽 가리키는 손가락이 오른쪽으로 다시 움직이면서) 쪼오기~ 5층이야.
류시오	들어가요.
남순	응. (끄덕)
류시오	(남순을 사랑스럽게 보면서 남순의 코트를 여며 준다. 다정하다)

남순, 류시오에게 손 흔들고.
류시오, 남순을 보내고 차에 탄다.

S#58 류시오의 차 안 /N

차에 올라타자 표정이 다시 쓰윽 차갑게 변하는 류시오의 모습
에서.

S#59 금주 채널 스튜디오 /N

라이브 준비로 분주한 스튜디오. 카메라들이 바삐 움직이는 사이로 대본 검토 중인 김 기자가 보이는데… 옆으로는 파카와 플라스크, 물이 놓여 있다. 하지만 정 비서 자리는 텅 비어 있다!! 그 모습을 바라보던 금주. 정 비서에게 전화하지만 '전원이 꺼져 있어…' 연결음이 나오고 뭔가 불안한 예감이 들어 표정 굳는 금주.

S#60 희식의 집 여러 곳 /N

남순, 문 열고 들어오면 소파에 누워 잠든 희식이 보인다.
남순, 그런 희식을 보다가 깨우지 않고 공주님 안 듯 안고는 침대로 가는데.

CUT TO
방으로 들어와 침대에 희식을 눕히는 남순.
이때 나가려는 남순의 팔을 잡아 확 끌어당기는 희식. 남순, 놀란다.

희식	(남순 보는)
남순	…
희식	가지 마….

남순	…
희식	지금부터… 힘… 쓰지 마.
남순	…

희식, 남순을 당겨와 그대로 앉히고 자신은 일어나 남순을 바라본다. 희식, 남순에게 그대로 키스한다. 둘의 키스가 깊어지면서.

<12화 엔딩>

250 × 251

군소의 피를 사수하라
(Defend Sea hare desperately)

S#프롤로그 연구소 /D

연구소 안. 내부를 빽빽이 채우고 있는 군소들. 흡사 투구게에서 푸른 피를 채취하는 것처럼 일렬로 놓인 채 각각의 튜브들이 연결되어 있다. 군소에서 뽑힌 보라색 피가 튜브를 타고 어디론가 이동하면, 수십 개의 튜브들이 한 곳에 모여 아래층과 연결되는.

CUT TO
앰플과 군소의 피 주입 기계들이 빠르게 움직이고 있는 아래층. 그중 하나의 기계를 따라가 보면 - 투명한 액체가 놓인 앰플 병을 옮기는 레일이 보인다. 앰플이 주입 기계 앞에 멈추자 튜브와 연결된 기계가 앰플 입구로 내려오는데.
이어 군소의 피를 주입하자 투명한 액체 사이로 보라색이 퍼지기 시작한다. 영롱한 분위기로 쫙 퍼지는 군소의 피 위로.

Title In "군소의 피를 사수하라 (Defend Sea hare desperately)"

S#1   희식의 방 - 집 (12화 S#60 확장) /N

희식과 남순, 침대에 서로를 바라보며 누워 있는 모습이 부감으로 보인다. 남순을 사랑스럽게 보는 희식. 그런 희식을 보는 남순. 두 사람 그렇게 바라보는데.

희식   형이 죽고 나서… 결심했어. 내가 사랑하는 사람이 죽는 일은 다시 없게 하겠다고… (눈시울 붉어지는) 근데… 우리 팀장님… 그렇게 보내고… 심장이 너무 아팠어. 왜 또 이런 일이 생기나… 내가 잘못한 거 같고… 그 죽음을 막지 못한 내가 너무 밉고….

남순   (위로하는) 네 잘못 아니야. 넌 정말 내가 본 가장 따뜻하고 일 잘하고 멋진 경찰이야… 그리고 (수줍게) 가장 멋있는 남자고….

희식   네가 있어서… 다행이야… 네가 나한텐… 아주 아주….

남순   …

희식   아주 아주… 소중해.

남순   너도… 나한테… 아주 아주 소중해.

그렇게 서로를 따뜻하게 바라보던 두사람.

희식   비참드 헤르타이….

남순   (몽골어) 동감이야….

그렇게 남순을 품에 안는 희식. 그런 두 사람의 모습이 아름답게 멀어지면서.

S#2 금주채널 스튜디오 /N

올스톱 된 스튜디오. 스태프들, 이러지도 저러지도 못하는 눈빛
으로 김 기자만 바라보면 이때 금주 휴대폰에서 진동이 울린다.
보면, 정 비서가 보낸 문자인데.

정 비서(소리) 제가 몸이 갑자기 안 좋아서요. 오늘 뉴스는 못할 거 같습니다.
금주   (뭐야) 갑자기? (김 기자 향해) 시작해. 김 기자 단독으로 가자.

뉴스 오프닝 준비하는 김 기자를 바라보는 금주, 걱정되는지 다
시 문자 보낸다.

금주   무슨 일 있는 거 아니지?

바로 답장이 오는데.

정 비서(소리) 아무 일도 없어요. 그냥 급체한 거 같아요.

[인서트] 택시 안 /N
윤 비서, 정 비서의 폰을 들고 황금주에게 문자 보낸 내역을 보
며 피식 웃는다.
정 비서는 기절해 있고.

S#3 희식의 집 여러 곳 /N

남순의 품에서 잠든 희식. 남순, 희식이 깨지 않게 조용히 일어
나 밖으로 나간다.

CUT TO
불 꺼진 거실. 창문을 바라보며 남순, 금주에게 전화한다.

금주(F)	응 딸.
남순	녹화 끝났어 엄마?
금주(F)	방금 끝났어. 지금 편집 중이니까 최종본 나오는대로 보낼게.
	강 경위한테도 같이.
남순	엄마… 새벽에 보내지 마. 너무 피곤해 간이식…
	좀 자게 해 주고 싶어.
금주(F)	역시 내 딸… (호탕하게 웃으며) 피곤… 너… 하하하… 그러니까…
	하하하… 해냈구나….

- 이하 교차 -

남순	엄마~~ 무슨 소리야. (난감하고 부끄러운) 그런 거 아니야.
금주	(정색해서) 그럼 모하고 있냐 니들은.
남순	(O.L) 아 몰라… 왜 그래. 창피하게.
금주	(엄마 미소) 아무튼… 너 그 집에 있을 동안 성과가 있길 바라.
	엄마는 기대하는 바가 크니까 실망시키지 마 딸!

| 남순 | 아 진짜…. (하는데) |
| 금주 | 밤은 길어… 알아들었으리라 믿으마. (끊는) |

남순, 전화 끊고는 자고 있는 희식을 본다. 빙그레 웃는다. "눈 감아도 잘생겼다~"

S#4   어느 외지고 음습한 굴다리 안 /N

어둑어둑 분위기 음습한 굴다리 안에 서 있는 택시 한 대.
화면 가득 떠오르는 정 비서의 얼굴. 정 비서, 골이 깨지는 듯 인상 뭉개며 눈을 뜬다. 계속해서 울리는 휴대폰 알람에 억지로 정신을 차리는데.
깨어나 보면 택시 안이다. 운전사는 없고… 이게 무슨 일인가 싶다. 정 비서, 몸을 일으켜 세워 밖을 보면 이게 꿈인가 생시인가 싶은데.
일어나 주변을 둘러보면 옆자리에 꽃다발이 놓여 있다.
너무나 모든게 이상하고 섬찟한. 그래서 꽃다발조차 기괴한.
정 비서, 꽃다발을 확인하면 꽃잎들 사이로 뭔가 보인다. 꺼내보면. 다름 아닌 마약 검사 키트다. 정 비서 키트 쥐고는 '이게 뭐지?' 하는 표정인데.
꽃잎들 사이로 편지 카드가 있다.
카드 펼쳐 보면 보이는 큰 글씨 <마약 검사 키트예요.>
그대로 꽃다발 떨어뜨리는 정 비서. 이때 울리는 전화 벨.

정 비서, 두려움에 떨며 전화 받는.

정 비서   여… 여보세요?

           - 이하 교차 -

류시오   빨리 검사하는 게 좋을 거예요. 당신 마약 흡입했어요.
           물론 CTA4885는 아닙니다.

           정 비서, 너무 놀라고 무서워서 몸을 떨며 눈물 흘린다.

류시오   앞으로 내가 시키는대로 하는 게 좋을 겁니다.
정 비서   (무너지는 데서)

           [디졸브]

S#5   서울 외경 /D

날이 밝은 서울 외경의 모습 위로.

김 기자(소리) 신종 마약 CTA4885가 유통회사 두고에서 발견된 정황이 포착
           되었습니다. 류시오 두고 대표는 관련 유통 라인을 확보하기 위
           해….

S#6 김 기자의 방송 멘트 몽타주 /D

  - 방송국에 내려 출근하는 정대철 본부장 모습 위로.

김 기자(소리) TBO 방송 보도국 정대철 본부장과

  - 판사 복장 입고 법정에 들어서려는 황 판사. 이때 비서가 달려
    와 패드를 보여 주면.

김 기자(소리) 황태준 서울 서부지법 부장 판사.

S#7 문 검사의 집무실 /D

  문 검사와 안 청장, 서로 갈등 중인 눈빛으로 앉아만 있다.

김 기자(소리) 마지막으로 안병호 청장과 서울중앙지검 문성우 차장 검사 외
    다수의 정제계 인사들을 측근으로 두며 인맥을 넓혀 마약 사업
    을 확장해 왔습니다.

    [인서트] 동 스튜디오 /D

김 기자   두고 대표 류시오가 이러한 과정 끝에 둔갑시킨 마약 CTA4885
    는 바로 이겁니다!

- 화면 -
김 기자, 옆에 있던 파카를 꺼내 보인다.

S#8 두고 일각 /D

'끼이이익' 급하게 멈추는 류시오의 차.
류시오, 차에서 내려 급히 걸어가면 손에 패드가 쥐어져 있다.

김 기자(소리) 보기엔 솜처럼 보입니다만… 제가 지금…
이 솜에 물을 한번 부어보겠습니다.

- 화면 -
김 기자, 솜에 물을 붓자 솜사탕 녹듯 사르르 녹아버리는 솜…
그러자 플라스크에 남은 건 하얀 CTA4885 마약 가루다!!

[인터컷] 김 기자 "마약입니다."

화면 보던 류시오, 걸음을 멈춰 선다. 인상 무너지지만 애써 평
상심 유지하는.
이때 다급하게 허겁지겁 달려오는 윤 비서.

류시오   홍보팀 법무팀 다 불러. 고소 진행하고 대응해야지. (여유 있게)
컨셉추얼한 가짜 뉴스로 만들어. 아예 말도 안 되는 미친 뉴스.

윤 비서   (당황해서 보면)

류시오   두고 관련돼서 올라온 이슈들⋯ 싹 다 찾아 놓고⋯ (걸어가다)
          아참⋯ 그때 물류 창고 계약직 사망한 사건 있었지?

윤 비서   아 홍정호 군 말씀하십니까?

류시오   그 가족들 한번 만나지? 이때다 싶어 트집 잡지 않게⋯ 위로금
          좀 챙겨 주는 거⋯ 나쁘지 않을 거 같아.

윤 비서   알겠습니다.

S#9   희식의 집 여러 곳 /D

거실에서 잠이 든 남순. 보면, 이불이 덮여 있다. 기지개 펴고 일
어나는 남순.
이때 '삐릭삐릭' 울리는 문자 알림음.

백 대리(소리) 이봐 힐러리⋯ 지금 우리 회사 난리 났어. 수출품 파카가 마약이
          라고 어떤 방송사가 때렸어!! 인터넷도 난리야!!

남순, 백 대리 문자를 바라보면서 끄덕 "옳지 옳지⋯ 잘 돼가고
있네⋯."

S#10   몽타주 /D

- 유튜브 카드뉴스 영상. 금주채널 화면 위로 '무시무시한 괴력과 타는 듯한 갈증. 신종마약 CTA4885' 헤드라인이 박힌 썸네일 옆으로 조회수와 '좋아요' 빠르게 올라간다.
- 해당 영상 베스트 댓글. '헤리티지 전 직원임. 여기 정재계부터 난다 긴다 하는 재벌들한텐 핫플된 지 꽤 됐고 약 빨러 오는 애도 있다고 들었음. 돈 있지 빽 있지 여기서 마약해도 아무도 모를 걸? 솔직히 저 인간들도 마약했을지 어케 앎?' 댓글이 베스트 댓글이 되며 추천수 역시 빠르게 올라간다.
- "우리 누나랑 똑같아요. 실은 우리 누나도… 물만 먹다 죽었습니다!" 그런 영상들에도 '좋아요'와 조회수가 빠르게 올라가기 시작한다.
- 밴 안에 있던 지현수, 유튜브 보는 씬으로 연결되면서 "대박 ~~."

S#11 지현수의 집 인근 공원 /D

공원 일각으로 그 밴이 도착하면 지현수, 밴에서 내린다.
슈트핏 차림과 훤한 신수로 공원을 가로질러 집으로 가려는 듯한데.
이때 벤치에 신문지 덮고 자고 있는 노숙자를 발견하고는 지나치려다 멈칫하곤 돌려본다. 마치 옛 생각이 나는 건지 노스텔지아가 뿜뿜하는 건지 짠한 눈빛으로 노숙자에게 다가가 깨운다.

노숙자	(인상 쓰며 일어나 보면)
지현수	(지갑에서 5만 원짜리 두 장 쥐어 준다) 힘들죠. 힘내요.
노숙자	(그 인상… 갑자기 환하게 펴지며 얼떨떨하게 받으면)
지현수	여기 곧 순찰이니까 어디 들어가서 자요. 입 돌아가요.

노숙자, 신문지를 거두고 지현수에게 꾸벅꾸벅 "감사합니다!!"
인사하면.

| 지현수 | 희망을 버리지 말아요. 사람 일~~~ 몰라요~~ (하고, 걸어가는) |

CUT TO
멀리 딸꾹거리며 술에 취한 채 비틀거리는 노 선생. 이때 노숙자
에게서 멀어지는 지현수를 보고는 '꿈인가? 생신가?' 인상 팍 찡
그리다가 멀리 나무(내지는 어느 숨을 곳) 뒤에 숨는다. 눈빛만 보면
암살자인데. 알딸딸한 와중에도 복수를 다짐하는 노 선생의 독
기 가득한 모습에서.

S#12 경찰청장실 /D

희식, 경찰청장실 방문을 열고 들어가자마자 재떨이가 날아온다.
희식, 피하고. 벽에 맞고 튕겨지는 재떨이.

| 안 청장 | 야 이 새꺄. 너 뭐 하자는 거야. 영장도 없이 취득한 파카를 그런 |

정식 채널도 아닌 유령 방송 채널에다가!! 경찰이란 새끼가…
지금 너 제정신이야?

희식　　청장님도 다 알잖아요. 그 뉴스가 다 사실인 거!

안 청장　금주채널인지 뭔지 정정 보도 요청해!!

희식　　청장님이 저한테 분노하는 이유가 제가 경찰로써 하지 말아야
　　　　될 일을 해섭니까 아님!!! 너무 경찰 일을 제대로 해서 이러는 겁
　　　　니까? 도대체 뭐 때문에! (버럭) 마약쟁이하고 손을 잡고, 가면 안
　　　　되는 길을 가시는 겁니까!!!?

안 청장　너… 이런 하극상을 하고 무사할 거 같아?

희식　　선배님!!

안 청장　(움찔)

희식　　경찰대 후배로써… 얼마나 많은 후배들이 청장님을 존경하고
　　　　청장님을 보면서 꿈을 키웠는데… 저도 그중 한명이었어요.

안 청장　(그 말에 뜨끔하듯 희식을 바라본다)

희식　　징계 처리하실 거면 하세요. 그치만 저는 꼭 이 사건 해결합니
　　　　다. 무슨 수를 써서라도. 그리고 나가더라도 제 발로 나갑니다!

　　　　희식, 문 열고 나가면 안 청장, 탄식 섞인 한숨과 함께 마른세수
　　　　한다.

S#13 　두고 류시오의 대표 이사실 /D

　　　　남순, 대표 이사실 문 활짝 열고 들어오는.

카일과 류시오, 모두 눈빛이 심각하다. 류시오, 외출을 위해 자 켓을 걸치고 있는데.

류시오   체첵도 같이 가요.

남순   어딜?

류시오   사람들을 만나야 해서… 적과 동지의 중간쯤 있는 사람들.

남순   나는 여기 남아 있을게… 오늘 대외협력팀 일이 진짜 많아. 대응 기사 준비도 해야 한대.

류시오   그래요. 그럼.

류시오와 카일, 나간다. 그런 두 사람 보면서 "나쁜 새끼들" 눈빛 날 선 남순.

S#14 헤리티지 클럽 VIP 룸 /D

클럽에 모인 VIP들. 정대철 본부장, 황 판사, 양 의원, 문 검사, 안 청장 등 테이블에 둘러 앉아 있다. 이미 문 검사한테 이야기를 다 들은 그들 사색이 된 채 심각한 표정.

문 검사   우리 완전히, 류시오가 놓은 덫에 갇혔습니다.

정 본부장   금주채널 보니까… 두고가 마약을 직접 제조하고 유통까지 했 다는데… 사실이에요?

문 검사   … 그런 거 같아요. 러시아 마피아랑 관련된 거 같습니다.

양 의원	(사색이 돼서) 이거 어떡합니까….

이때 문을 열고 류시오가 들어온다.
일동 류시오를 보자 시선 둘 곳 없이 그저 정적만.

류시오	(그들 한 명 한 명 대충 보고는 피식) 방송 수습해야죠? (정 본부장에게) 본부장님? 반대 자료 준비해 주세요. 어려운 시국에 혹세무민하는 개인 방송 채널의 망상 뉴스를 토픽으로 먼저 보도 자료 내세요. 뒤는 내가 알아서 처리할테니까.
일동	(그런 류시오를 홀린 듯 보는)
양 의원	류 대표… 그 뉴스 사실이야? 정말 마약이야?
류시오	그건 이미 중요한게 아니지. 당신들이 죽느냐 사느냐가 중요한 거지. (비웃듯이) 방송 보셨겠지만 우리 얘기가 다 도청 됐습니다. 그래서 여기 계신 분들 신상도 다 까졌고요. 여러분들이 댓가성 뇌물 받는 장면도 그들이 가지고 있어요.
일동	(참혹한데)
류시오	(문 검사에게) 황금주를 털어요. 분명 먼지가 날 겁니다.
문 검사	(표정, 눈빛)
류시오	(정 본부장 향해) 황금주 그 여자한테 딸이 하나 있습니다. 이름은 강남순! 몽골에서 잃어버렸다 찾은 딸인데 그 딸에 관한 뉴스가 나갔었답니다. 근데… 링크 자체가 소멸돼서 아무것도 찾을 수가 없어요. 방송사엔 그 관련 파일이나 자료가 아카이브에 분명히 남아 있을 겁니다. 그 딸에 관한 정보를 찾아보세요. 힘쎈 여자 강남순!!!

S#15 두고 류시오의 대표 이사실 /D

텅 빈 대표 이사실. 남순, 작전 수행을 위해 대표 이사실을 둘러
보다 수납장 쪽으로 고개 돌린다. 남순, 주머니에 손 넣고 자기
휴대폰 꺼내면서 고개 올리면 CCTV가 보인다. CCTV에 잡히
지 않게 전화 받는 척 혼자서 통화하는 연기를 큰 소리로 이어
가는데.

남순   (몽골어) 엄마!! 안녕… 잘 있었어? 뭐 해??

몽골어로 전화하는 척 하며 오른손으로 자연스럽게 류시오의
의자에 앉는 남순. 계속 전화하는 척하다 의자 등을 돌려 수납장
쪽을 가리키는데. 발로 슬그머니 수납장을 열자 시크릿폰이 보인
다. 남순, 시크릿폰을 그대로 양말 사이에 넣고는 자연스럽게 전
화 통화 연기하며 대표 이사실 나간다.

S#16 두고 대외협력팀 /D

남순이 대외협력팀으로 들어오자 양 부장, 백 대리 모두 심각하
게 앉아서 홍보 문건 만들고 있다. 카메라 들고 있는 홍보팀 직
원 보이고 "파카는 다 사전 검수하고 보낸다." 양 부장, "마약이
라니 우스울 뿐이다. 이렇게 기사 내고 백 대리 일하는 모습 잡
고…." 백 대리, "내 얼굴도 나가요?" 등등.

남순, 그들 바쁜 와중 얼른 컴퓨터와 시크릿폰 연결한다.
서랍 열어 USB 찾지만 보이지 않는 순간.

백 대리(V.O)	힐러리?
남순	(놀라서 파일 철로 폰 가리고는) 어?
백 대리	뭐 해?
남순	동안 언니 혹시 USB 남는 거 있어?

백 대리, 제 자리에 있는 서랍에서 USB를 꺼내 남순에게 건넨다.
남순, "땡큐." 하자 백 대리 자리에 앉아 거울 보고 사진 찍을 준
비한다.
남순, USB를 컴퓨터에 연결해 시크릿폰에 있는 자료를 옮기기
시작한다.

S#17 두고 밖 - 두고 내 /D

두고 앞에 멈추는 류시오의 차. 류시오, 차에서 내린 뒤 두고로
들어온다.

S#18 두고 대외협력팀 /D

전송이 진행되는 가운데 남순은 불안과 긴장, 주변 눈치를 슬슬

본다. 이때 양 부장, 백 대리와 홍보 기사에 집중하다 우연히 남순을 발견한다.

마뜩찮단 눈빛으로 남순에게 오고…!! 이때 아슬아슬하게 전송 완료됐다는 문구가 뜨자 얼른 USB를 뽑는 남순. 파일 철에 가려 놨던 시크릿폰을 챙겨 후다닥 나간다.

그런 남순을 의심 어린 눈으로 보는 양 부장.

S#19 두고 류시오의 대표 이사실 복도 /D

대표 이사실 복도에 들어선 남순. 이때 대표 이사실 데스크에 앉아 있는 다른 비서가 전화 받고, 내선 연결해 대외협력팀에 "대표님 도착하셨답니다." 하면, 남순, 대표실로 걷는 걸음이 점점 빨라지더니 이내 뛰기 시작한다.

CUT TO

저 멀리 엘리베이터 열리며 류시오 걸어온다.

남순과 류시오, 대표 이사실로 향해 걸어가는 모습이 긴장된 속도로 빠르게 교차되다.

S#20 두고 류시오의 대표 이사실 /D

류시오, 대표 이사실 문을 열고 들어오면 소파에 앉아 '하이~'

하는 남순.

남순   시오. 잘 갔다 왔어? 기다리고 있었는데….

류시오, 웃으며 자리에 앉는다. 수납장 문을 열면 시크릿폰이 보인다.
시크릿폰이 있던 자리 그대로 안정적으로 놓여 있다.
류시오, 서랍을 닫는다. 이때 휴대폰이 울리고. 서랍을 열어 전화 받는 류시오. <범>
그런 류시오를 보는 듯 안 보는 듯 보고 있는 남순.

류시오   범?
남순   …
류시오   (듣는) 그래요. 그리로 갈게요. (끊는)
남순   …
류시오   (남순을 의미심장하게 보면서) 체책… 당신을 완전히… 믿을 생각인데…. 나, 당신… 믿어도 되는 거죠?
남순   (믿음에 쐐기를 박는 눈빛으로) 나! 믿어, 시오.
류시오   (끄덕) 연구소에 대해 궁금하댔죠? 가요. 보여 줄 테니까….
남순   알았어. 먼저 내려가 있어.

S#21 두고 내 비상구 여러 곳 /D

남순, USB 담긴 소포 봉투 든 채 비상구 문을 열고 나와 희식에게 전화한다.

남순   (작은 소리로) 간이식. 나 지금 너한테 퀵 보내.

이때 담배 피고 내려오는지 담배곽을 주머니에 넣고 비상구 문을 열고 내려오는 양 부장. 남순, 발견하자 발소리 죽이는.

남순(V.O)   응. 시크릿폰에 있던 거 전부 카피했어. 근데 죄다 러시아어야. 파벨이랑 나눈 대화 같아.

양 부장, 걸음을 멈춘 채 고개 빼꼼 내밀어 아래를 본다.

남순   녹음된 파일도 있어. 일단 보낼 테니까 분석해 봐. 난 지금 두고 연구소로 가. 그래 끊어. (끊고는 1층까지 비상구 계단 후루룩 내려간다)

양 부장, 남순이 사라진 자리로 걸어가 그런 남순의 통화를 수상하게 느끼는 표정에서.

S#22 두고 밖 일각 /D

류시오의 차가 대기하고. 윤 비서가 류시오에게 보고하는. 윤 비서, 전화 끊고는.

윤 비서	다 모였다고 합니다. 아무래도 저는 가 봐야 할 거 같습니다.
	언어가 다 달라… 통역이 필요해서.
류시오	카일도 데려가. 난 체책이 함께 가니까.

하는데, 남순이 그들쪽으로 귀엽게 뛰어온다. 류시오, 그런 남순 보는데 미소가 번진다.

S#23 마수대 /D

퀵 배달 기사가 마수대를 나가면 앞에 서 있는 희식, 남순이 보낸 퀵 받는다. 뜯어서 보면 USB다.

(시간 경과)
컴퓨터에 USB 연결해 시크릿폰 내역을 보는 희식. 참마가 옆에서 러시아어 번역기를 돌리면 위로 수많은 번호들이 뜬다. 그런 두 사람 모습이 몽타주화 되다가.

S#24 허름한 사무실 /D

낡은 콘크리트 벽. 나갈 듯 말 듯 깜빡이며 다소 느와르적인 분위기를 자아내는 전등. 테이블을 둘러앉아 있는 네 남자. 보면…
윤 비서, 조선족, 한국 깡패, 필리핀 깡패, 카일. 도끼 들고 있는 조선족과 잭나이프 만지는 한국 깡패. 카일은 그냥 무서운 표정 하나로 일관. 조선족 뒤에 서 있는 묘한 표정의 앞가르마 한 통역 알바 사내.

윤 비서　　　(한국어로) 할머니, 아들, 전 남편… (하고는, 길중간, 남인이, 그리고 봉고의 사진을 테이블 위에 올린다) (필리핀 깡패를 위해 영어로)

가르마 사내　(연변어로) 할머니, 아들, 전 남편.

조선족　　　(연변어로) 이중 꼭 하나를 선택해야 하나?

가르마 사내　(한국어) 이중 꼭 하나를 선택해야 하나요? 라는데요.

윤 비서　　　일단 한 명씩 제껴.

필리핀 깡패　(영어로) 죽여도 됩니까? 아님 죽기 직전까지?

윤 비서　　　(한국어 번역해 주는) 죽여도 되냐 아님 죽기 직전까지만 하냐….

가르마 사내　(연변어로 조선족에게 같은 소리)

윤 비서　　　(짜증) 죽이면 어떡해… 납치만 하는 거지! (필리핀 깡패 향해 짜증) 당신 청부 안 해 봤어? (하다가, 필리핀 깡패 못 알아먹자 그걸 다시 영어로 해 주는)

가르마 사내　(조선족에게 번역해 주는데)

카일　　　　(러시아어로 짜증) 각자 한 명씩 납치를 하면 되지 이런 회의가 왜 필요해?

일동, 그 말 못 알아듣고 카일만 보고 있다.

윤 비서　　　(러시아어) 몰라 나 러시아어….

가르마 사내　나도요.

필리핀 깡패	(갑자기 필리핀 말로 막 떠들며 화낸다. 알아들을 수 없다. 자막 지원도 안 된다)
조선족	(뭔 말인지는 모르지만 기분이 나빠 도끼 들고 화낸다)
한국 깡패	뭐여… 유네스코도 아쎔 회담도 통역 지원 다 혀는디… 뭐 이런 소통 불능 상태를 만드는 거여… 말을 해 보드라고… (윤 비서 향해) 주최 측 농간 아니여?
윤 비서	(한숨, 황당- 싸우는 둘을 향해) 이봐요… 지금 뭐 하는 거예요? 왜 싸워요 여기서? (혼잣말) 다들 힘을 왜 여기서 빼고 앉았어~
한국 깡패	아니… 화나게 만든 건 주최측이지.

필리핀 깡패와 조선족이 이상하게 서로 빈정 상해 싸움이 커지고 서로 눈 부라리고 배치기 하는 가운데 한국 깡패는 윤 비서 못마땅해 일어나 나가려는데, 윤 비서가 한국깡패 옷 잡자 깡패 넘어지고 난리도 아닌 가운데 카일이 만국 공통어 영어로 "스톱!~~" 하자, 그들 스톱하는.

카일	(사진 하나씩 건네며 간단한 영어로) You this (필리핀 사내에게 남인이 사진) (조선족에게 봉고 사진) You this (한국 깡패에게 길중간 사진 건네면서) You this.
한국 깡패	You는 뭘 할 것이여?
카일	나? 난 깍두기~~ (한국어로)
일동	(그런 카일 보는데)
윤 비서	(정신 시끄럽고) 일단 (한국 깡패 들고 있는 길중간 사진 들고) 제일 쉬운 거부터 가요. 이 사람부터 합시다.

카메라, 중간이 차려입고 완전 해맑게 웃고 있는 사진에서.

S#25 마수대 /D

참마. 이전보다 피골이 더 상접한 모습으로 USB로 받은 번호들을 조회하고 있다.
이때 뭔가 이상한 듯 '어라?' 싶으면 희식, 뭔가 발견했나 싶은 눈친데.

참마   010 0737 2221. 한국 번호로 개통된 넘버 딱 하나 있어요.

희식   (화면 보면)

참마   나머지는 전부 러시아 번혼데 이것만 그래요.
          통화도 엄청 많이 했고…. (희식에게 번호 주는)

희식   (받고는 전화) 안녕하세요. 마수대 강희식입니다. 전화번호 드릴테니까 신원 파악이랑 출입국 기록 부탁드려요. 네. (끊는)

희식, 기다리고 있으면 자료가 도착한다. 희식, 반색하며 그 문자 보는.

희식   2021년 8월에 러시아에서 한국으로 왔어. 여자고….

범의 증명 사진이 컴퓨터에 뜬다. 희식, 그 모습 보다 금주에게 전화한다.

폰 화면 〈황금주 대표〉

희식   류시오 바로 윗라인을 잡았습니다. 남순이랑 그 자를 만나러 두
       고 연구소를 갔어요.

S#26 두고 연구소 - 연구소 밀실 /N

       남순과 류시오, 연구소 안을 걷고 있다. 남순, 자연스럽게 그 연
       구소를 스마트워치로 촬영하고 있다. 그리고 어딘가의 문을 연
       다. 문이 열리고, 뒷모습의 누군가 보이는데.
       남순, 흥미롭게 그가 누굴지 신경을 곤두 세우는 표정.
       문이 닫힌다. 범에게 인사하는 류시오. 남순, 범을 바라보면 눈
       한쪽이 머리카락으로 가려져 있다.

류시오   오랜만이네요.

범   (대답 대신 남순 시선 두며 누구냐는 식으로 보면)

남순   안녕… 힐러리라고 해~

범   (마냥 해맑은 남순에 미간 찡그리면)

류시오   배경이 좀 특별해서… 경어 쓰지 않는 거 이해 바라요.

남순   난 나가 있을테니까… 대화 나눠, 시오.

류시오   아뇨. 있어요. 괜찮으니까.

남순   아니야. 나 화장실도 좀 가고 싶고. (하고, 해맑게 나가는)

남순이 나가는 길을 바라보던 범.

범   누구야? 여기까지 데려오고.
류시오   내 사람이에요.
범   내 사람?… (비웃는)

류시오가 범을 차갑게 보고 있다
그러자 범도 싸늘한 미소와 함께 눈썹 한쪽이 치켜 올라간다.

S#27 골드블루 - 동 마수대 (교차) /D

금주가 희식과 통화 중이다.

금주   다음 녹화는 황금주 살인 청부, 갈치 사망 사건, 그리고 김 마담
       병원 습격 사건을 다룰 겁니다. 시청자 반응이 워낙 폭발적이
       라… 강 경위는 갈치 죽인 변호사 신분증 위조된 사건 기록만
       넘겨줘요.
희식   방송 금지 처분 받으셨는데 괜찮겠습니까?.
금주   이미 각종 징계와 법적 제재는 다 받고 있어요. 송출도 금지된
       상태예요. 무법은 무법으로 막아야 하고 불법은 불법으로 응징
       해야죠.

희식, 손에 두고 연구소 관련 자료를 넘기고 있다. (경찰 자료)

희식 두고 연구소 관련 자료를 받았는데 그때 해독제 판매책 말대로 군소가 맞네요. 그걸 부산항을 통해 수입해 옵니다.

필리핀에서 수입해 오는 거 같아요. 주거래 은행이 필리핀 뱅크 예요.

S#28 두고 연구소 여러 곳 /D

남순은 연구소 여기저기를 스파잉 하고 있다. 그리고 어딘가 보이는 통제구역의 실험실. 비밀번호를 입력해야 돌아가는 쇠문이 있다.

'우드득 우드득' 돌아가고 문 소리가 들리며 열리는 문. (남순이 괴력으로 따는 모습은 보이지 않고 소리로만 처리)

문을 열고 긴 복도를 지나자 진짜 연구실이 나타난다.

남순, 그 연구실로 숨죽여 들어가면 연구원(닥터 최)의 앉아 있는 뒷모습.

그리고 보이는 해독제 군소의 피 실체!! (동 회차 프롤로그에 나온 군소의 피 실험실이 보인다) 발소리 죽이며 들어가는 남순. 해독제의 정체를 제대로 보게 되는데.

남순!! 스마트워치를 들어 실험실 전경을 찍으려는데!

순간 연구원(이하 닥터 최)의 고개가 뒤로 확 꺾인다!

눈알을 굴리는 그의 시선으로 실험실이 보이지만 남순은 보이지 않는다.

닥터 최, 뭔가 이상하다는 듯 다시 고개를 원위치로 돌리면.

남순, 구석에서 '슥' 나와 스마트워치로 실험실 전경을 찍는다. 그리고 보이는 '군소 한 마리!'가 바닥에 푸덕거리고 있다. 줌 인 하는 위로.

희식(소리)   군소! 그게 해독제 재료입니다.

S#29   두고 연구소 밀실 /D

류시오   파벨은 마약 장사만 했지. 군소를 개발하고 연구한 건 나예요. 해독제 사업권은 나한테 있습니다.

범   그러다가 죽을 텐데.

류시오   (절레) (표정 싸게 변하며) 죽긴 싫은데… 어떡해야 하지? (사이코스런 미소로) 나도 당신처럼 하면 되나?

범   (섬뜩해진 채 보면)

류시오, 범 앞으로 걸어간다. 류시오, 범의 가려진 앞머리를 손으로 걷으면 드러나는.
한쪽 눈알이 없고 눈이 함몰되어 있다.

류시오   사고 치고 눈알이라도 바치면? 용서해 주지 않겠어?

범   (류시오 손 거칠게 쳐내면)

류시오   (피식 웃더니) 빙빙… 어딨는지 알지?

범   …

류시오	살아는 있어?
범	넌… 눈 하나론 안 될 거야.
류시오	그럴지도… 하지만 지금 내 눈은 두 개라서 말야. 시야각이 꽤 넓어. (표정 싸하게 변해서) 그 누구도 날 함부로 할 수 없어.
범	황금주 뒤에 오플렌티아가 있어.
	그 마약 아무리 먹어 봤자… 너 혼자 아무것도 못해.
류시오	(강렬한 자신감의 눈빛으로) 난… 뭐든… 내 맘대로 할 수 있어. 그게 뭐든!!

S#30 골드블루 - 마수대 (교차) /D

희식과 금주 대화 이어 나가는.

희식	그 마약 인간의 뇌를 콘트롤해요. 자신이 간절하게 바라는 쪽으로 호르몬이 작용해서 극단으로 치닫게 합니다. 결국은 파국이지만요.
금주	(답답하다)
희식	대표님 아니었으면 우린 할 수 있는게 없었을 거예요.
	법이 무기력합니다. 악한 사람들이 힘 합쳐 누를 땐.
금주	(미소) 뭘 이까짓 걸로… 우선 군소의 판로를 팔로잉 합시다.
	다음 부산항 선적 날짜 추적해 봐요.
희식	시크릿폰에는 관련 정보가 없어요. 류시오가 그 부분을 파벨과 공유하지 않고 있어요!!

금주　　　(그 소리에) !!! 공유하지 않는다….

S#31　남인의 사주 카페 일각 /D

앞치마를 하고 사주 카페 건물 밖으로 쓰레기 내다 버리는 중간.
그런 중간을 보고 있는 어떤 시선.

S#32　남인의 사주 카페 /D

카페로 다시 들어온 중간. 원두 내리고 있는 준희에게 와서 다정
하게 웃는다.
여기저기 손님이 앉아 있는 게 보이고.

준희　　　우리 남인 씨는 당분간 카페 못 나온대요. 외출 금지령 내려서!
중간　　　도대체 금주 얘는 지 아빠 닮아서… 뻘짓을 얼마나 하고 다니는
　　　　　지… 방송국 하나 사서는 희한한 뉴스나 틀고… 스파이 놀이를
　　　　　하는 건지… 지가 무슨 제임스 뻔드야 뭐야. 도대체 뭘 하는 건
　　　　　지를 모르겠다니까요.
준희　　　딸은 아빠 닮죠. 제 딸도 저 닮아서… 너무 순수하고 맑아요.
중간　　　어휴… (툭 때리며) 본인 입으로… 순수하고 맑대… 넉살도 좋아.
　　　　　사실이긴 하지만.
준희　　　(그런 중간 다정하게 꿀 떨어지게 보는)

중간	뭘 그렇게 뜨겁게 봐요… 얼굴 녹겠네….
준희	이름은 중간이지만 무엇하나 중간인 건 없는 우리 중간 씨.
중간	네… 준희 씨~
준희	오늘은 나 집에 못 데려다 줄 거 같아요.
중간	왜요?
준희	오늘 중요하게 해야 할 일이 있거든요.
중간	뭔데요?
준희	나중에 얘기해 줄게요.
중간	그럼 나 혼자 가라고? (애교, 귀염 뿌짝) 혼자 무서운뎅~
준희	(맞장구치는) 나도… 영 맘이 안 놓여요. 물가에 내논 아이 같고. 딴 데 새지 말고 바로 집에 가요. 알았죠?
중간	알았죠~ (귀엽게 끄덕끄덕)

S#33 희식의 집 앞 /N

류시오의 차가 서고. 남순이 내린다. 류시오도 같이 내리는.
이어 남순의 얼굴에 묻은 머리카락을 정돈해 준 뒤 다정하게 바
라보며.

류시오	나는 당신에게 모든 걸 보여 줬어요.
남순	근데… 그 여자는 누구야?
류시오	(한참 남순을 보다가) 날 감시하는 사람.
남순	왜 감시하는데?

류시오	(피식 웃다가) 날 믿지 못하니까. 오늘 당신이 본 연구소가 나의 꿈이고, 내 모든 걸 건 곳이에요. 내가 그들을 이길 수 있는 카드를 쥔….
남순	(떠보듯) 그들이 도대체 뭐 하는 사람들이야?
류시오	아주… 나쁜 사람들이요.
남순	(눙치듯) 나쁘다는 게 뭐야. 뭐 마피아라도 돼?
류시오	(O.L) 네.
남순	!!!
류시오	(남순 보며) 잘 자요.
남순	어어… 잘 가.

류시오, 남순에게 다정하게 웃으며 손 흔든다. 남순, 뭔가 찝찝한 듯 멀어지면서도 자꾸만 뒤돌아 류시오를 바라보면 류시오는 그 자리에 계속 선 채 남순에게 손 흔든다.
이어 남순이 완전히 들어가자 류시오도 차에 타고. 남순 역시 류시오 보내고 표정 싸해지는 남순. "개자식." 하는데 희식에게서 전화 오는.

- 이하 교차 - 마수대

남순	(전화 받는) 여보세요?
희식	집에 내렸지?
남순	응. 다 보고 있잖아.
희식	네가 찍은 영상에 보이는 그 군소… 다음번에 언제 들어오는지

	알아봐야 해. 부산으로 들어온대.
남순	그걸 어떻게 알아봐? (하는 순간 생각난다) 내가 알아볼게. 끊어.

남순, 뭔가 머리가 막 굴러가는 표정. 어딘가로 전화 건다.

백 대리[F]	여보세요?
남순	동안 언니? 지금 워디야?
백 대리[F]	어디긴 나 야근해. 미치겠어 지금. 회사가 난리도 이런 난리가 없다니까. 근데 동생은 어디서 뭐 하나?
남순	안 그래도 동생이 언니 도와주려고 갈라 그러지? 딱 기다려. 모 먹구 싶엉?

S#34 정 비서의 호텔 룸 – 류시오의 차 /N

정 비서, 힘없이 침대에 앉아 있다. 손에 든 키트. 마약 검사 양성 반응이다.
정 비서, 놀라서 눈가 떨리고 기가 막혀 하다 이내 울음을 터트린다.
이때 정 비서의 폰이 울린다. 정 비서, 전화 받는데.

정비서	여보세요?
류시오[F]	류시오입니다.
정 비서	(섬찟한데)

- 이하 교차 -

류시오   그 마약은 4885가 아니에요. 공기 중에 뿌려서 흡수되는 마약
                 이죠. 뭐 쉽게 구할 수 있는. 머리카락 검사하면 바로 검출이 돼
                 요. 당신, 택시 안에 머리카락을 많이 흘리고 갔더라고요.
                 여동생이 상하이에서 유학 중이던데… 중국에선 마약을 운반만
                 해도 사형인 건 알죠? 동생도 곧 마약을 택배로 받을 겁니다.

정 비서   (분노로 떨리는) !!

류시오   동생 살리고 싶죠?

정 비서   …

류시오   내일 출근하면 라이브 방송부터 켜요. 이제껏 보도된 뉴스… 전
                 부 가짜라고 말해요. 황금주가 시켰다. 국민들을 더는 속일 수
                 없어서 고백한다….

정 비서   (부들거리고)

류시오   안 그러면… 당신 동생 마약범으로 중국 공안에서 처형당해.

정 비서   (무너지는)

정 비서, 그대로 전화 끊고 동생에게 전화 걸어 보지만 받지 않는.
미칠 거 같은 정 비서 모습에서.

S#35   류시오의 차 안 /N

류시오, 전화 끊긴 뒤 휴대폰에 와 있는 엄청난 부재중 전화들을

확인 중이다.

그중에 보이는 <정대철 본부장> 보고는 전화 걸어 본다.

류시오 　　　전화 하셨네요 본부장님?

　　　　　　- 이하 교차 - 어느 방송사 보도국

정 본부장 　황금주 딸 말야… 한강 게르 폭력 사태 때 취재한 뉴스 자료가
　　　　　　있었는데 보도 금지 가처분 신청이 와서 보도가 안 됐어.

류시오 　　　관련 영상 분명 있을 겁니다.

정 본부장 　아카이브 관리 직원이 퇴사를 해서… 지금 연락 취해 놨어.

류시오 　　　반드시 찾아요. (표정, 눈빛) 그 여자 딸! 강남순 찾아내요!

　　　　　　(전화 끊는, 표정)

S#36 　헤리티지 클럽 룸 /N

룸에 앉아 있는 태리와 김 마담. 태리, 서류 가방을 테이블에 올
려놓고는 김 마담에게 내민다. 김 마담, 서류 가방을 풀자마자
보이는 현찰 10억에 동공이 커지는데.

태리 　　　　강남에 사주 카페하는 어린 사장이 있어. 그 사장 엄마가 준 거야.
　　　　　　현찰 10억을 바로 갖고 온 거 보면… 보통 부자는 아닌 거 같아.

김 마담 　　해독제를 10억이나 줬다고?

태리	그런 큰 돈을 현금으로 준다고 해서… 순간 내가 돌았나 봐.
김 마담	(보면)
태리	언니가 아무것도 아닌 나 거둬 줬는데… 내가 이럼 안 되는 거 잖아. 그래서 정신차리고 돌아왔어. 미안해. 다신 안 그럴게.
김 마담	(의심의 눈초리로 서류 가방 닫으면서 노려본다)
태리	언니… 근데 갈치 잡혀갔댔잖아. 우린… 괜찮은 거야?
김 마담	(심각한) 여기 문 닫아야 할 거 같아.
태리	왜?
김 마담	갈치… 죽었어….
태리	(놀라는 척)

S#37 두고 대외협력팀 안 /N

만두는 종류별로 다 사서 들이미는 남순. 황홀한 표정으로 보고
있는 백 대리.

백 대리	(고기만두를 입에다 넣고는) 미치겠다… 자긴 내 맘에 들어갔다 왔니?
남순	동안 언니… 우리 회사 이렇게 난리 나고 시끄러우면 수출이랑 수입도 끊기는 거 아냐?
백 대리	국내는 모르겠는데… 해외는 끄덕없지. 잘릴까 봐 걱정이야? 걱정 마. 대외협력팀은 안 잘려.
남순	나 잘리기 진짜 싫어. 근데 수출 말고 수입 일도 하지 우리가?
백 대리	그럼.

남수	수입은 어느 나라랑 거래해?
백 대리	필리핀이랑 대만.
남순	품목이 뭔데?
백 대리	(만두 먹으며) 군소.
남순	그건 어디다 쓴다고 수입해?
백 대리	(맹한 얼굴로) 글쎄… 내가 알게 뭐야. (만두만 먹는) 이 집은 군만두가 찐이네. (하고는, 군만두 남순 입에 우겨 넣어 준다)
남순	부산항에 온다든데 언제 드루와?
백 대리	매달 25일. 그날이 군소 수입 들어오는 날이야. 부산으로.
남순	!!

S#38 금동의 병실 /N

금동, 퇴원을 위해 옷을 주섬주섬 입는데 힘이 없어 휘청한다.
다 죽어가는 목소리로 중간과 통화하는.

금동	나 퇴원해. 한약 집에 있지? 기운 없어. 기사 좀 보내 줘 엄마. (듣는) 갑자기 강하게 키우겠다니? 내가 애야? 나 갱년기야. 여보세요 여보세요? (끊어진, 끊는)

손에는 전화기 든 채 다시 일어나 힘을 내 보는데 아직 상태가
안 좋아 휘청.
노크 소리 들린다. "여보세요?" 고개 절레… "아니지.", "누구세

요?" 하는.

병실 문이 열린다. 슬픈 음악 깔린다. 눈시울 붉어지는 금동.

다름 아닌 국종이다. 아픈 몸을 이끌고 간호사의 시중을 받으며 링겔병 들고는 금동을 방문한 국종.

금동	아빠⋯.
국종	불쌍한 내 새끼⋯ (금동 얼굴 쓸어 만지며) 내 똥오줌 받아 내다⋯ 병원 신세까지 지고⋯.
금동	아니야 아빠⋯ 아빠 똥오줌 땜에 그런 거⋯.
국종	금동아⋯ 아빠가 미안해⋯ (끌어안는)
금동	아니야⋯ 아빠⋯ 왜 그래⋯ 아빠는 괜찮아? 안 아파?
국종	(귀엽게) 아파~
금동	어떡해? 얼마나 아팠을까⋯ 고향 온 첫날부터⋯ 부인한테 처맞아서⋯ 불쌍한 우리 아빠⋯. (눈물이 주르르)
국종	아니야⋯ 나 네 엄마 이해해⋯.
금동	(울고)
국종	사랑이 부족해서 그래. 앞으로 못 다해 준 사랑 다 해 주면서 살 거야.
금동	(그 소리에 억장 무너져 오열한다) 어떡해⋯ 아아⋯ 아아⋯.

S#39 남인의 사주 카페 앞 중간의 차 /N

중간, 차에 올라 탄다.

- 중간의 차 안 -

중간, 차에 오른 뒤 시동을 걸려는데 뒷좌석에서 칼이 '슥' 나온다.

호들갑 떨며 깜짝 놀라는 중간.

곁눈질로 룸미러를 보면 뒷좌석에 근엄하게 앉아 있는 카일과

칼 내민 한국 깡패.

한국 깡패 시동 켜!

중간 아니 어떻게 탔어?!

한국 깡패 잔말 말고 가자는 대로 가.

중간 아니 차에 어떻게 탔냐고.

한국 깡패 그게 중요혀?

중간 어. 난 중요해. 아니 내가… 이 차 뺄 때 풀옵션을 했는데… 이렇
        게 허술하게 문이 따이면 우짜냐고.

카일 (러시아어로 버럭) 조용해!! 할망구!

중간 뭐라는 거야 저 양반?

한국 깡패 시끄럽고 다음 사거리에서 좌회전.

중간 근데… 니들 누구야? 궁금해서 그래… 누구…?

S#40   폐공장 /N

폐공장 앞에 선 중간의 차.

중간, 한국 깡패와 카일의 겁박 하에 조신하게 양손 머리에 올리
고 폐공장 안으로 들어간다. 중간, 겁에 질렸다기보다 불만 가득

하게 따라간다.

중간	니들 누가 보낸 거야? 얘기는 해 줘야 될 거 아냐.
한국 깡패	할망구 조용 좀 하고 들어가지.
카일	(싸늘하게 중간 뒷통수에 총구 겨누는)

중간, 눈 질끈 감고 순순히 폐공장 안으로 들어간다. 세 사람 들어가고 문이 닫힌다.
카메라 의미 심장하게 그런 폐공장 문에 서서히 줌 인 한다.
뭔가 자물쇠 클릭하는 소리. 화면 가득 보이는 녹슨 폐공장 문.
잠시 후. '탕!' 총알이 발사되는 소리가 들려오는데!! '악악!' 비명이 지속되고 문에 부딪히고 문이 흔들리고.
뭔가 날아가고 소란스러운 소리가 지속되는.
결국 폐공장 문이 그대로 휙 날아가며 카일이 저만치 하늘로 날아가 저 멀리 처박힌다. 중간이 손을 털면서 나온다.

- 폐공장 안 -
여기저기 다 날아가고, 드럼통이 뒤집어져 있고, 총은 두동강이 나 있다.
한국 깡패는 걸레짝이 되어 쓰러져 있다.

| 중간 | 나쁜 새끼들이 왜 이렇게 많아…. (짜증) |

S#41 중간의 차 안/N

중간, 차에 타서는 글로브 박스에서 도축용 칼세트를 꺼낸다.

중간   (계속 구시렁) 아니 한국에서 총을 들고 설치냐고. 나도 뭘 가지고
          다녀야겠네… 금주 애는 뭐하고 다니는 거야… 남인이랑 강 서
          방은 어쩌냐고. 위험해서.
          중간, 차 안의 오디오 틀면 서글픈 러시아 장송곡이 울려 퍼진다.

          [인서트] 어딘가 /N
          카일, 중간에게 맞아서 얼굴이 부풀어 올라 널브러져 있다.

카일   (러시아어) 여긴 어딘가… 나는 누군가….

          중간, 차를 출발시키며 "준희 씨~~~~"

S#42 마수대/N

희식, 컴퓨터를 열어 남순이 찍은 군소들과 해독제 만드는 영상
들을 옮긴다.

희식   선규야! 이거 위치 추적해 봐. 여기가 해독제 메이크 타워야!
참마   갓잇! 동선 GPS 딸게요. (와서 보는) 시간 좀 걸리겠는데요? 근데

	이거 형수님이 따온 거예요?
희식	응 (하다가) 형수? 짜식이….
참마	(피식 웃으며 자신의 자리로 가는데)
희식	근데 어디 갔어 두 사람?
참마	(시선은 컴퓨터 화면에 두면서) 청장님이 불러서 갔어요.
희식	!

S#43 거리 /N

남순, 두고에서 나와 희식의 집으로 향하고 있으면 남인에게 전화 온다.
영상 통화인데,. 전화 받으면 치킨 먹는 남인이 보인다.

남인	누나… 뭐해? 나 외출 금지령 내려서 계속 집에 갇혀 있어. 그래서 매일매일 치킨 먹어. 양념치킨, 간장치킨, 프라이드 치킨.
남순	너 지금 집에 혼자 있어? (걱정)
남인	응. 누나 일루 와. 같이 치킨 먹어.
남순	알았어. 누나가 글로 갈게. 문 좀 잠그고… 누나 가기 전까지.
남인	그래. 누나 빨랑 와.

S#44 금주병원 앞 /N

병원 인근 일각. 벤치에 앉아 있는 사내의 다리가 보인다. 누군가와 통화 중이다.

누군가   황국종 환자….

카메라 점점 올라가다 누군가의 입가에서 멈춘다.

누군가   실밥… 풀었습니까?

휴대폰 너머로 말소리가 들리자, 전화를 끊는, 다름 아닌 준희.
이어 옷깃을 여미는 준희. 비장하게 걸어간다. (느린 화면)

S#45 국종의 병실 (14화 S#41 확장 예정) /N

국종, 실밥 풀고 몸이 많이 나아져서 맨손 체조도 하고 해사하게 웃는다.
병실에서는 티베트 반야심경이 흐르고 있다.

[인서트] 거리 - 금주병원 로비 /N
비장한 헤비메탈이 흐르고 더 비장한 발걸음으로 금주병원에 들어가는 준희.

국종의 화창한 모습과 무거운 준희의 발걸음이 반야심경과 헤비메탈 사운드의 교란 속에 난리법석으로 교차되면서.
국종의 병실 문이 '탁' 열린다. 준희가 들어와 문을 닫는다.

국종   누구세요?

준희   …

국종   (다시 한 번) 누구세요?

준희   나… 길중간 씨… 남자 친구예요.

국종   (멍해서 보다가) 친구요?

준희   (정정해 주는) 친구가 아니라 남자 친구.

국종   (어이없게 웃다가) 남자 친구라니 무슨 말입니까?

준희   (다짐한 듯) 우리 같이 해장국 먹은 사이예요.

국종   … (뭔 소리)

준희   금주호텔에서. 그 말이… 무슨 뜻인지 알죠?
       해장국은 아침에 먹는 거잖아. 함께 밤을 보낸 사이라고!!!

국종   (사색이 되는) 둘이… 잤어…?

준희   당연하지!

국종   (패닉)

준희   나 길중간! 사랑합니다! 내 여자예요!!

국종의 패닉된 표정 위로, 티베트 스님들이 부르는 반야심경은
절정을 향해 치닫는데.

S#46 금주의 집 안 - 2층 /N

중간, 전화로 자신이 다칠 뻔한 얘기를 금주에게 퍼부으며 성질을 있는 대로 내고 있다.

중간   대체 넌 뭘하고 다니는 거야? 네 애미 오늘 무장 공습당했다. 사회 정의 구현 좋다 이거야. 그래도 미리미리 얘길 하라고. 네 애미 힘 세다고 믿고 나대지 말고. (하는데, 준희에게 전화가 오자) 일단 끊어. 시끄러, 끊으라고. (일방적으로 끊는다) (전화 받는) (코맹맹이 소리) 어머 준희 씨~~

준희(F)   중간 씨… 나 중간 씨 집 앞이에요.

중간   어머… 잠시만요. (도우미에게) 아줌마!!! 문 좀 열어 줘요!!!

CUT TO
중간, 2층에서 1층으로 내려가려고 하는데 준희가 1층에 꽃다발을 든 채 서 있다.
로미오와 줄리엣 배경 음악 나오면서 두 사람, 서로를 달달하게 바라본다.

준희   (소리 친다) 중간 씨! 이제 다 끝났어요! 우리 이제 마음껏 사랑해요!!

중간   (감동해서) 준희 씨~~~

준희   중간 씨….

중간   지금… 집에 딸년… 아니… 아무도 없어요.
여기서 같이… (코맹맹이로 소리치는) 넷플릭스 보고 갈래요?

준희   (배시시) 그래요 (하고, 웃으며 2층으로 올라가는)

S#47 황국종의 병실 /N

환자복 입은 국종, 주섬 주섬 갈아입고 퇴원 준비하는 금동이 그런 국종의 시중을 든다. 국종, 미친 듯이 흥분한다.

국종   내가 이 년놈들을 다 죽여 버릴 거야.

금동   아빠… 이성적으로 해. 아빠까지 이러면 나 힘들어.

국종   집으로 가자. 너 몰랐지? 나 한국 와서 아직 집에 못 가 봤다.

금동   일단 내가 먼저 좀 가 볼게… 의사한테 못 들었어?
아빠 절대 안정해야 된다잖어!

국종   가자 집으로 집에 가서 (하는데, 온몸이 아직 아파서 못 움직이자 서러운지) 하… 내 신세가 이게 뭐냐… 나 괜히 태어났어! (씩씩거리다 결국 울기 시작한다)

금동   뭐 그런 소릴 해. 그런 후회하기엔 이미 오래 살아 놓고. (그런 국종 달래면서 속이 타들어 가는데)

S#48 두고 류시오의 대표 이사실 /N

류시오, 대표 이사실로 들어와 앉는다. 이어 자리에 앉아 남순에게 다정한 톡을 보낸다.

류시오(소리) 뭐해요 체책?

S#49 봉고 사진관 /N

남인과 치킨 먹고 있는 남순. 류시오의 톡을 받고는 치킨과 맥주 사진을 찍는다.
남인, 열심히 먹어 가며 그런 남순 보는.

남순(소리)　치킨 먹옹~~~

남순, 치킨 먹는 인증샷을 찍어 날리고 있다. 그런 남순 보던 남인.
두 사람, 치맥을 즐기며 대화를 나누는.

남인　남자 친구야?
남순　그럴 리가~
남인　나 누나 남자 친구 맘에 들어.
남순　남자 친구?
남인　경찰 형… 그 형 나 퇴원하고 나서 계속 응원 문자 보내 주고…
　　　전화도 자주 했어. 몸 괜찮냐고. 이거 내 줘서 너무 고맙다고.
남순　(몰랐던 사실에 감동) 그랬어? 간이식이?
남인　응. 자전거 같이 타자고도 했어. 나 그 형 좋아.
남순　(뿌듯하게 미소 짓는데)
남인　(갑자기 인상 시니컬해져서) 근데 할머니 정말 어떡하냐. 할아버지랑
　　　바리스타님 사이에서.
남순　뭔 소리야….
남인　누나 모르는구나. 할머니 남친 생겼는데… 10년만에 할아버지

가 탁 나타났잖아.

남순   어머나! 그러니까 한국 드라마에 나오는 그 삼각관계?

남인   응~ (심각한 표정으로) 불타는 삼각형! 심각해 지금….

남순   (덩달아 심각한 표정으로 남인이 보고 '뻥~' 하다가 문득) 근데… 아빠 왜

       안 들어와.

남인   영사실에 있댔는데… 왜 이렇게 안 들어오지?

남순   (뭔가 심상찮아 얼른 일어나 나간다)

S#50 동 사진관 영사실 /N

남순, 문을 열어보면 봉고가 없다. 놀라서 그대로 뛰쳐나가는
남순.

S#51 두고 류시오의 대표 이사실 /N

류시오, 남순의 치맥 인증샷 보고 소년 같은 미소가 터진다.
그 행복한 감정 여운을 가지고 퇴근하려고 자켓을 입는데,
다급하게 윤 비서가 들어온다. 류시오, 무슨 일이냐는 듯 윤 비
서 보면.

윤 비서   대표님… 그때 사망한 물류3팀 하차맨 홍정호 씨요… 집에 다
        녀왔습니다. 근데 그 동생이… 이미 다른 사람에게 물질적 지원

을 받고 있대요.

류시오   (대수롭지 않게) 그래?

윤 비서   근데 그 사람 이름이… 강남순이랍니다!

류시오   (놀라는) !! 그 동생… 지금 나한테 데리고 와!

S#52 마수대 /N

희식과 참마, GPS 추적을 하느라 몰두 중인데.
문이 열리고 영탁과 쓰봉이 들어온다. 두 사람, 얼굴이 우울하다.
희식, 그들의 이야기를 기다리는데.

영탁   징계위원회 열렸어.

희식   그건 예상했던 거잖아요.

쓰봉   한강 지구대 마약 수사반은 해체!

영탁   징계 결정 나기 전까지 직위 해제. 수사 권한 박탈!

희식   그 역시 예상했던 거고요.

영탁   안 청장 퇴임 전에 우릴 정리하고 가겠단 거지.

찬물 끼얹은 듯한 마수대의 우울한 분위기.

S#53 TBO 방송사 /N

공중파 뉴스 준비를 시키는 정대철 본부장.
남자 앵커는 데스크에서 인 이어 꽂고 스탠바이 중이다.
그런 정대철 본부장에게 누군가 달려온다.

직원   본부장님… 요청하신 영상 파일 받아 왔습니다. (USB 건네는)

CUT TO
정대철 본부장, 일각에서 이어폰 꽂고 USB 파일에 연결해 영상
플레이하면.
남순이 화재 사건 진압하는 현장 영상과 게르 폭동 영상이다.
거기에 기자가 보도 자료 준비한 기사까지 뜬다.
<금주일보 사주 황금주의 친딸로 밝혀진 괴력의 여자 실체>
놀란 눈으로 보는 정대철 본부장의 표정.

S#54 금주채널 스튜디오 /N

일각에서 정 비서는 메이크업을 받고 있다. 그런 정 비서의 표정
은 어둡기만 하고.
정 비서, 메이크업 끝나고 데스크에 앉는다. 김 기자는 미리 대
기하고 있는데.

김 기자   금주 방송국 개국 못할 거 같아요.
정 비서   …

김 기자	방송 금지 제재 내렸다고 이렇게 서프라이즈 라이브 때리고…이
	러다 대표님 구속… (하는데, 정 비서 얼굴이 어둡다) 무슨 일 있어요?
정 비서	… (멍하기만 한데)

S#55 금주채널 모니터실 /N

모니터실에 앉은 금주. 스태프에게 무전으로 말한다. "시작해~"
그러자 금주 위로 뉴스 오프닝 배경 음악이 들리는데.

S#56 두고 류시오의 대표 이사실 /N

류시오, 손을 까딱까딱 하고 있다. 이때 문이 열리고 홍정민과
윤 비서가 들어온다.
그런 홍정민을 보는 류시오. (8화 S#23 첫 등장)

류시오	어서 와요.
홍정민	…
류시오	누가 학생을 도와주고 있다고?
홍정민	(그 포스 앞에 다소 움찔해 끄덕이는)
류시오	그 사람 이름이 강남순이라고?
홍정민	네.
류시오	연락처 알지? 그 강남순이란 사람?

홍정민	네….
류시오	얼굴도 알지?
홍정민	네….

홍정민, 시오에게 다가가고 긴장된 분위기 가운데.
류시오의 폰이 울린다. 보면, 정대철 본부장이다.

류시오	네.
정 본부장(F)	영상 받았어 류 대표.
류시오	!!
정 본부장(F)	파일이 커서 메일로 보낼게….
류시오	일단 얼굴만 캡처해서 보내세요. 당장!!

S#57 봉고 사진관 밖 /N

남순이 남인과 함께 봉고를 찾고 있다. 남인은 봉고에게 전화를
걸어 보지만. 봉고, 전화 받지 않고. 남순과 남인, "아빠… 아빠."
하면서 찾고 있다.

S#58 동 마수대 /N

침묵 속에 있던 마수대 팀원들.

희식	저… 그만둘 겁니다!
영탁	뭐야… 이제까지 고생해 놓고.
참마	일 시킨지 한 시간 만에 그만둔단 건 뭐예요 형~
쓰봉	이럴수록 끝까지 물고 늘어져야지. 여기서 마약 수사를 그만두는 건 아니지!
희식	수사가 아니라!! 경찰을 그만둔다고요!!! (하고, 경찰 뱃지 '탁' 집어던지는)
일동	('병!' 해서 희식 보는데)
영탁	총경님 말 못 들었어? 좀만 기다리랬잖아.
희식	아뇨, 안 기다려요. 차라리 시대를 풍미한 셜록이 되겠습니다.
영탁	셜록? 그럼 뭐, 루팡은 류시오냐?
참마	(사이로 희식 보며 손 들고 씨익) 왓슨 찜하겠습니다.
희식	(서랍 속에서 금주에게 받은 현금 봉투를 '탁' 꺼낸다.)
일동	(집중하는)
영탁	(돈 봉투 안 들여다 보고) 헉. 너 이거 뭐야.
희식	이걸 이렇게 쓰게 되네요. 무법은 무법으로. 불법은 불법으로. 여러분들 스카웃하겠습니다. 얼마면 돼~? (코미디톤으로)
쓰봉	(참마 '툭') 야야… 이 현금이… 뭘 뜻하는 줄 알아?
참마	('뭔데?' 하듯 보면)
쓰봉	세금이 없단 거야. 원천징수 안 떼도 돼.
영탁	(빠르게 치고 들어가며) 희식아. 사랑한다.
쓰봉	송별회 겸 입회식 찐하게 하자!! 삼겹살에 쏘주!! 아니, 매화수!! 아니!! 복분자!!

S#59 술집 /N

술 먹고 있는 마수대 일원들.

쓰봉   그나저나. 그럼 우리 사립 수사 오늘부터 시작이야?

희식   네. 일단 사무실로 쓸 공간부터 알아봐야 해요.

참마   우리! (비장한) 게르에서 합시다. 형수님한테 지어 달라고 하면 되
잖아요.

영탁   제수씨가 그때의 제수씬 줄 알어? 게르 따위 지을 위인이 아니
야 더 이상.

참마   그럼 우리가 짓죠. 남자 넷이면 금방 짓잖아요.

쓰봉   우리가 다 너 같은 MZ 세댄 줄 아냐? 한겨울에 게르라니 입 돌
아가게.

참마   모름지기 난세에 태어난 영웅들의 전사엔 헝그리 정신이 있
었죠.

희식   갑시다. 우리의 새로운 아지트로!! (일어나자)

일동   ('그게 어디?'라는 눈빛으로 희식 본다)

S#60 금주의 집 - 거실 /N

준희와 중간, 넷플릭스에서 야한 콘텐츠(365일)를 보고 있다. 야
릇한 분위기에 준희, 어쩔 줄 모르는 순간! 현관문 열리는 소리
와 함께 "엄마~~" 금동의 소리가 들린다.

중간, 깜짝 놀라 리모콘으로 끄려고 하는데 세월이 야속하다.
젊은이들의 순발력이 나오지 않아 금동이 그대로 준희와 중간,
그리고 365일 사운드를 듣고 보고 만다. 그제야 황급히 중간이
든 리모콘을 들어 TV를 끄는 준희.

금동   (생애 최초의 고함) 엄마… 지금 뭐 하는 거야!!
중간   (그 고함에 놀란다)

금동, 그대로 준희 앞으로 걸어가 준희의 팔을 잡고 일으켜 세
운다.

금동   아저씨. 여기가 어디라고 와요? 환자인 울 아빠 가슴에 대못 박
           어 놓고!!! 감히 여기서 저런 야한 걸 울 엄마랑 보고… (하는데)
중간   (금동 팔 휙 뿌리치며) 너 이거 안 놔!! 버르장머리 없이…
           이런 데 힘쓰고 소리 지르라고 그 비싼 한약 갖다 멕였냐?!
금동   아빠 생각은 눈꼽만큼도 없으면서 뭘!! 엄만 진짜 사람도 아
           냐… (준희 밀치며) 가세요. 가시라고요!!!
준희   금동 씨….
금동   도대체 두 사람…. (하고, 팻대 내는데)

금동, 갑자기 머리가 핑 도는지 휘청인다.
제 풀에 지쳐 쓰러지듯 소파에 기대더니 '스르르르르…' 미끄러
지는데!
그런 금동을 황당하게 보고 있는 준희와 중간의 표정에서.

S#61 동 스튜디오 /N

<Live> 불이 들어온 스튜디오 안. 뉴스가 시작된다.

정 비서   안녕하십니까….

더 이상 말을 못하고 떨리는 정 비서의 눈동자, 그리고 손… 그런 정 비서를 모니터 통해 보고 있는 금주, 심상치 않음을 느끼는데.

S#62 두고 류시오의 대표 이사실 /N

홍정민이 휴대폰 열어서 보여 주는 <강남순 누나 010-392-4876> 번호를 보고 있던 류시오의 눈빛이 일렁인다. 자신의 폰을 열어 확인하는 체첵의 번호와 맞아 떨어지는 순간. 정대철 본부장의 문자 메시지와 사진이 도착한다.
서서히 올라가는 캡처 사진!! 충격적인 효과음 위로 떠오른 남순의 사진!
류시오, 믿을수 없는 사실에 잠시 얼음처럼 굳다가… 그 휴대폰 사진을 홍정민에게 보여 준다. 류시오가 맞냐고 묻기도 전에.

홍정민   네 이 누나예요. 강남순!
류시오   !!!!

S#63 엔딩 1 /N

봉고를 찾고 있는 남순. / 정 비서 보고 있는 금주. /
결의에 찬 모습으로 다 같이 어디론가 향하는 마수대 팀원들.

S#64 엔딩 2 /N

남순의 정체를 알게 된 류시오의 충격적인 표정에서.

<13화 엔딩>

S#1 두고 류시오의 대표 이사실 /N

홍정민은 나가고 없는 류시오의 대표 이사실. 류시오, 휴대폰을 들고 있으면 정대철 본부장이 보낸 동영상이 재생되고 있다. 화재 진압 속으로 보이는, 남순의 모습인데!!

영상 보던 류시오, 서서히 분노 차오른다. 처음으로 모든 걸 바칠 수 있을 거 같던 여자. 그 여자가… 강남순이었다는 사실에 류시오, 숨소리 거칠어진다. 그러다 깨질 듯한 두통에 이마를 부여잡고는 두 눈 부릅뜬 채 버티는데! 혼란과 충격, 배신감에 차오른 류시오의 눈빛이 절정에 치닫는다.

류시오, "으아아아아악!" 포효하는 모습 위로.

Title in "예고된 피바람 (Upcoming Bloodbath)"

S#2 동 스튜디오 (13화 S#61 확장) /N

<Live> 불이 들어온 스튜디오 안. 뉴스가 시작된다.

정 비서   안녕하십니까….

떨리는 정 비서의 목소리. 정 비서, 목소리를 가다듬으려 하는 손마저 떨린다. 김 기자, 뭔가 이상함을 눈치챘는지 바라보면 정 비서, 괜찮다는 눈빛을 김 기자에게 보낸 뒤 심호흡한다.

정 비서   금주채널 뉴스 정나영입니다.
김 기자   (카메라 바라보며) 김기대입니다.
정 비서   두고 대표 류시오 씨는… (눈빛 달라지며 보도 이어가는) 신종 합성 마약 CTA4885를 파카로 둔갑시켜 유통한 범죄를 저질렀음에도 불구, 검찰과 경찰은 아직까지 그 어떤 입장 발표도 내지 않고 있습니다.

[인서트1] 안 청장의 집무실 /N
안 청장의 집무실에 서 있는 다른 새로운 형사들. 안 청장, 그 형사들과 악수하며 어깨 토닥인다. "마약왕 검거!! 아주 훌륭해!!" 좋아하는 안 청장 모습 위로.

정 비서(소리) 반면 수억 원대의 필로폰을 거래시킨 베트남 3대 마약 조직 '세라 킴'은 끈질긴 한국 경찰의 추적 끝에 체포됐습니다. 그런데 한국의 마약왕 류시오와 그 배후 세력들은 왜 아무런 조사를 받고 있지 않을까요?

김 기자　　뿐만이 아닙니다. 두고 대표 류시오는 CTA4885 관련 사실을 은폐하기 위해 금주채널의 대표인 황금주 씨를 살인 청부, 이후 병원에 실려 간 황 대표를 또 다시 살해하려 하였습니다.

[인서트2] 갈치의 장례식장 /N
초라하고 볼품없는, 조문객조차 없는 장례식장. 갈치 노모가 울고 있는 모습 위로.

김 기자(소리)　또한 국내 판매책이었던 신강수 씨가 체포되자 위장한 접견 변호사를 보내 살해함으로써 사건을 은폐하기까지 했습니다.

S#3　금주채널 모니터실 /N

금주, 모니터로 뉴스 상황 보고 있다. 그런 금주 표정 위로.

[인서트] (회상) 금주채널 모니터실 (동 회차 S#2 확장) /N
금주, "시작해~" 멘트와 함께 자리에 앉으려는데 정 비서 상태가 이상하자, 돌연 무전기로 "녹화 중단" 하고 "정 비서 잠시 모니터실로 좀 와." 한다.
정 비서, 침착을 유지하다 일어나 모니터실로 향한다.
잠시 후, 노크와 함께 모니터실로 들어오는 정 비서.

금주　　무슨 일이야 있는 그대로 얘기해.

정 비서	(울기 시작한다)
금주	(금주 놀라서 본다)

CUT TO - 시간 경과 -
화장 다 지워지고 자리에 앉은 채 티슈로 눈물 닦는데.
금주, 정 비서에게 경위를 다 들은 상황.

정 비서	류시오… 그 사람 중국에 있는 제 동생을 인질로 잡았다고요. 시키는 대로 하지 않으면 제 동생이 마약 운반책이 돼요.
금주	그게 겁나서 뉴스가 다 가짜라고 얘기할 참이었어?
정 비서	… 그럴 생각이었음 대표님한테 고백하지도 않았겠죠.
금주	미안해. 나 때문에 이런 상황 생기게 해서.
정 비서	(보면)
금주	너한테 아무 일 일어나지 않게 할게. 녹화는 한 시간만 미루자.

하고는, 금주가 날카로워진 눈빛으로 젠틀맨에게 전화한다. 젠
틀맨, 전화 받자.

금주	나예요 젠틀맨. 해결할 일이 있어요. 지금 당장.

- 다시 현재 -
금주, 클로징 뉴스와 함께 인사하는 두 사람을 모니터 통해 보는.

S#4 금주의집 /D

마수대 팀원들 들어온 아지트는 다름 아닌 금주의 집이다.
휘둥그레 집을 구경하는 마수대 팀원들. 이때 들리는.

준희(V.O)   어서 와요.

마수대 팀원들, 일제히 소리난 2층 보면 백작처럼 가운 입고 황
실 커피잔을 들고 2층에서 내려오고 있는 준희. 일동 부잣집 주
인 우러러 보듯 보고 있는데.

준희   어쩐 일로 오신겁니까….
희식   아 예… 그때 남순이 어머님 파티 때 인사했었죠?
준희   아아… (구면이다. 인사한다) 오랜만이에요 형사 양반.
희식   아 예.
준희   그럼 다들 형사님들이시군요.
일동   (멍청하게 보고 있는데)
준희   커피 한 잔씩 하시겠습니까?

S#5 금주의집 - 다이닝홀 /D

바리스타답게 커피를 대접하는 백작 같은 준희. 팀원들 몹시 뻘
쭘하게 두리번거린다. 쓰봉이 용기 내서 한마디 건넨다.

쓰봉	근데… 저기… 뉘신지….
준희	(여유 있게 웃으며) 저는 강남순 씨 모친!? 황금주 씨… 의 모친?! 인 길중간 씨의?! 남자 친구입니다.
일동	(희식 제외한, 황당하게 보는)
영탁	황금주 씨는 지금 어디 계신지….
준희	일 하고 있다고 들었습니다.
쓰봉	강남순 씨는 지금 어디 계신지….
준희	동생이랑 황금주 씨 전남편인 본인의 아버지를 찾고 있다고 들었습니다.
희식	할머님은 어디 계신지…?
준희	우리 중간 씨는… 아들인 황금동 씨가 쓰러져 업고 병원에 갔습니다. 퇴원하자마자 또 쓰러졌어요.
일동	(황당하게 듣고 있는데)
쓰봉	그럼 결론적으로 지금 이 집에 식구는 여기 아무도 없단….

하는데, 남길이 허겁지겁 들어온다.

남길[V.O]	저기… 마수대 경찰팀들 어디 계세요?
일동	(소리 난 쪽 돌아보면)

남길, 다이닝 홀로 들어온다.

남길	저기… 대표님이… 지하 금고 안내하라고 연락을 주셨어요.
일동	(누군지 싶어 본다)

남길	아 예… 저는 전당포 상무예요. 이쪽으로 오세요. (하다, 준희 본다)
	근데 누구세요?
쓰봉	(팀원들에게 작은 소리로) 집에 식구가 아무도 없고 손님만 있어.
	대박 웃겨.
준희	저는 이만… 출근해야 해서요…. (하고, 2층으로 가는)

S#6 동 집 지하 금고 안 /D

남길이 팀원들 안으로 들인다. 안으로 들어온 팀원들 엄청난 지하 금고 문을 보고 눈이 커지고.

남길	그럼 이만~ (하고, 뒤돌아서다) 혹시 제 도움이 필요하시면 언제든… 저 경찰이 꿈이었어요. (하고, 수줍게 물러난다)

이때 희식의 전화가 울린다.

희식	여보세요?

S#7 금주채널 앞 /N

금주	(희식과 통화 중) 거기서 출퇴근해요. 가장 보안이 철저한 장소니까.
	골드블루도 금주호텔도 류시오에게 뚫렸어요.

[인서트] 동 지하 금고 (이하 교차) /N

희식   (은밀하게) 부산에는 언제 가시는 겁니까?

금주   내일 갑니다. 군소가 부산항에 오는 날짜가 내일 모레라서.

희식   네. 미션 잘 수행하시길 기원하겠습니다.

금주   (더 은밀히) 거기에 있는 건 그 누구도 몰라야 합니다.
             심지어 남순이도.

희식   방금 전당포 상무님이 와서 저희를 안내하셨는데….

금주   남길이요? 걔는 염려 말아요. 내 비밀이 800개가 넘어요. 정신
             없어서 기억도 못 할 거니까. 아무튼 비밀리에 거기서 있는 둥
             없는 둥 조용히 있어요.

희식   예. (끊고는 주위 두리번, 형사들 보면서 혼잣말) 기생충이야 뭐야.

금주, 전화 끊으며 나오면 정 비서는 동생과 통화 중인 듯하다. 이
때 금주 휴대폰에서 알림음이 울려 보면, 젠틀맨이 보낸 문자다.

젠틀맨(소리) 정윤정 씨 숙소에 오플렌티아 중국지사 요원들 배치시켰습니다.
             택배와 각종 배달물품들도 검수 중에 있고요.

정 비서, 황급히 금주에게로 빠르게 걸어간다.

정 비서   대표님. 감사합니다… 저도 더 이상 뒤에 숨지 않겠어요!!

금주   아냐. 숨어야 돼.

정 비서   (보면)

금주	류시오… 제대로 빡 돌아서 너 찾으려고 난리 칠 거야.
	부산 별장에 내려가 있어. 너 쉬면서 치료도 하고.
	어차피 나도 내려가야 해.
정 비서	고마워요 대표님.

이때 금주의 폰이 울린다. 금주, 전화 받는.

금주	여보세요?
보디가드(F)	회장님 큰일났습니다. 강봉고… 아니… 전 부군께서…!!!

S#8   등산로 입구 /N

씩씩하게 걸어가는 남순과 달리 뒤처지다 결국 바위에 걸터앉는 남인. 남순, 천리안 발동으로 전방을 수색하다 중턱 즈음 무언가 발견한 듯 동공 커지면.

S#9   등산로 /N

남순의 시선에서 보이는 - 을씨년스러운 등산로 중턱. 초라한 운동기구 몇 개 놓인 산쓰장 일각에서 봉고의 비명이 들린다. '이랴라라라랏!' 기괴한 기합과 함께 땀을 뻘뻘 흘리고 있다. 보디가드들, 봉고와 함께 운동하다 하나 둘 나가 떨어진다.

S#10 동 장소 - 쌘스장(교차)/N

보디가드와 통화 중인 금주. 헬스 중인 봉고.

금주   가드 붙여 놨다고 지 목숨이 열두갠 줄 아나. 바꿔 봐. (기다리는)

봉고   (보디가드가 건넨 전화 받는) 어. 왜. (엄청 헐떡거린다)

금주   (그라데이션 분노) 너 내가 남인이 데리고 얌전히 있으랬지. 가마니 코스프레 하는 게 그렇게 어렵니? 나대다 골로 가 봐 놓고 또 나대? (화내는) 왜 달밤에 체조야?

봉고[F]   체조 아니야 헬스지! 나도 내 몸 하나는 나 스스로 지켜! 나 남자야!!

금주   놀고 있네… 하필 이럴 때… 후… 내일 부산 가야 되니까 적당히 하고 집에 빨리 들어가.

봉고   부산? 갑자기 웬 부산?

금주[F]   끊어.

봉고   (전화 끊기자) 하튼 내가 아직도 지 건가 완전 지 멋대로야… 그럼 지도 내 거 하든가!! (하다, 가드들과 눈마주치자 헛기침하면서) 퇴근하세요.

남순[소리]   아빠아!!!

봉고, 보면 남인이를 업고 '훅훅' 뛰어오는 남순이 보인다. "여깄었어?", "찾았잖아"
남인, 지쳐서 남순 등 뒤에서 기절이다.

S#11 두고 류시오의 대표 이사실 /N

윤 비서, 대표 이사실 노크 후 들어간다.

윤 비서   대표님, (인상 쓰는) 금주방송 정나영 씨가… (난감한)

류시오   (차갑게) 알아. (패배감) 죽였어야 했는데… 그냥… 죽였어야 했는
         데… 정나영도… 강남순도….

윤 비서   (무참해서 숙이고 있다)

류시오   이제 알겠어. 파벨이 왜 배신자를 단 한 번의 기회도 안 주고 그
         렇게 죽여 버리는지.

윤 비서   (보면)

류시오   나가!

윤 비서, 분위기 파악 후 짧게 인사하고 나간다.
류시오, 가만 있던 손이 부들부들 떨리기 시작한다. 생각에 잠기
는 류시오.

[플래시백1] 두고의 대표 이사실 (7화 S#21) /N
류시오, 싸한 표정으로 허 팀장이 건넨 동영상을 보고 있다.
류시오가 보는 동영상은 남순이가 밤에 물류 창고에서 물건을
훔치는 동영상이다.

[플래시백2] 대표 이사실 안 (7화 S#29) /D

남순   (소파에 턱 앉는다. 그리고는) 물건 훔친 건 미안해. 몽골에 있는 우리 부모님 드리려고 그랬어.

[플래시백3] 1번 룸 (9화 S#31) /D
류시오, 카드 키를 대고 들어가면 금주와 희식이 앉아 있다.
이내 침착하게 웃으며 금주가 자리에서 일어난다.

금주   안녕하세요. (남순 보며) 황금주예요.
남순   힐러리예요, 만나서 반가워요!

류시오, 남순에 대한 분노로 가득 차 있다.
감정을 억누르지 못하고 결국 눈물이 흐르는.
[디졸브]

S#12   류시오의 집 /D

류시오, 각 잡힌 드레스업을 한다. 자켓을 걸친다. 이제 그의 눈빛에는 어떠한 감정도 실려 있지 않다. 텅 빈 듯하면서도 다시 차갑고도 잔인한… 예전의 류시오, 그 눈빛인데. 이때 윤 비서에게 전화가 온다.

윤 비서(F)   대표님. 기자들이 회사에서 진을 치고 있습니다.
류시오   전부 물류 창고에 모아 놔.

윤 비서(F)	네?
류시오	기자들 직업 정신에 적극 협조해 주겠다. 사실원칙주의. 저널리즘 기본 원칙이 뭔지… 제대로 보여 주겠다고 전해. (전화 끊는)

S#13 금주의 집 /D

금주, 외출 준비 중이면 문이 열리고 봉고, 남순과 남인, 들어온다. 금주가 봉고 꼴쳐보면 봉고 별 반응 없이 다이닝 홀로 향한다. 남인, 따라가고.

- 다이닝 홀 -

남순	(은밀하게) 엄마 근데 우리 둘만 가도 되는데 왜 가족들 다 데려가?
금주	위험해… 내 사정 거리 안에다 가족들을 둬야 해. 너두 한번 봐라. 저 남자들 혼자 둬서 되겠나.

남순, 둘러보면 내일 죽어도 이상하지 않을 금동, 침울한 봉고, 청순한 남인이 앉아 있다. 걱정이 산더미가 되는 남순.

남순	그러네… 데려가자.
금주	그리고 여기 일은 강 경위랑 마수대한테 이제 맡겨. 잘 해낼 거야. 간 김에 가족들끼리 좋은 시간 보내자. 너 한국 오고 가족 여행 간 적 없잖아.

남순	좋아!
금주	그래서 내가 오늘 밤 아주 귀한 손님을 초대했어.
남순	귀한 손님? 누구?
금주	(흐뭇하게 웃으며) 가 보면 알아. 자~ 30분 후에 공항으로 출발할 거다.
남순	비행기 좋아! 사고 나면 내가 책임질게!!
남인	사고? 윽~ 그냥 차 타고 가면 안 돼?
금주	남인아 경영자에게 가장 중요한 건 시간이야. 타임 이즈 골드! 카페 경영하면 기회비용도 따질 줄 알아야지!
남인	다른 사람들은 날씬하니까 아무 생각 없지. 난? 난 비행기만 타면 추락하는 꿈을 꾼다고!! 내 무게 때문에 비행기가 못 버텨서!
금동	(맹한 표정으로) 비행기도 못 버티는 무게를 차는 버티고?
남인	차는 땅에 있잖아. 비행기는 하늘에 있고.
금동	(아아 터득) 간과한 부분이네 조카.
남인	삼촌만 비행기 타! 그럼 되겠네.
금동	내가 혼자 탈 수 있을 거라 생각해? 내 짐은? 난 누가 부축해?
남인	(아아 터득) 간과한 부분이네 삼촌.
금동	원숭이 엉덩이는 빨갛고 빨가면 사과고 사과는 맛있고 맛있는 건 바나나고 바나나는 길고 길면 기차고 기차는 빠르고 빠르면 비행긴 거 몰라? 빠른 건 비행기야.
남순	아 나 저거 알아. 몽골에서 할머니한테 배웠어.
금동	아무튼 난 실외에 머무는 시간을 최소화 해야 해. 빨리 가야 해.
남인	삼촌은 혼자 가면 빨리 가지만 같이 가면 멀리 간다는 말도 몰라?! 이게 가족이야?!

중간[V.O]	아우 시끄러!!

이때 방에서 중간이가 나온다. 캐리어는 없고 외출 착장에 숄더 백만 있는데.

중간	난 안 가. 니들끼리 다녀와.
금주/금동	왜?
중간	네 아빠랑 담판을 지어야 해.
금동	엄마는 기어코 아빨 버리고 그 아저씨랑 살겠단 거야?
중간	넌 어른들 일에 끼지 말랬지 새꺄?
금동	(절규) 왜 불쌍한 아빠 버리는데? 외간 남자 집에 들이는데. 왜.
금주	외간 남자? 그 사람들 경찰들이야. 잠깐 놀러온 거 뿐이야.
금동	(영문 모르고) 경찰? 그 아저씨 바리스타잖아.
일동	(뭔 소린지 모르는)
중간	(흥분) 네 아빠가 불쌍하다고? (금주 보며) 너 내가 네 아빠 줘 패고 도 내 힘 남아 있는 거 봤지? 내가 나쁜 짓 하면 힘이 사라져요. 그게 우리 집안 내력이야. 결국 뭔 소리겠냐… 네 아빠 나쁜 짓을 했단 뜻이라고. 그 인간 입만 열면 거짓말이 자동으로 나와. 남순이 찾으러 갔으면 전화기는 폼이냐? 티베트인가 뭔가 거긴 전화기 없대!!
봉고	전화기 잘 안 터져요 거기. 고산지대라….
중간	자넨 가만 있게. 입이 십팔 개 있어도 할 말이 있나?
봉고	(뻘쭘, 구시렁) 아니 뭐… 도움이 될까 해서. (하는데)
중간	나 변호사 선임해서 이혼 소송할 거다!

326 × 327

금주	엄마! (하는데)
금동	엄마 그 외간 남자랑 살면 나 엄마 안 볼 거야! (금주 향해) 누나도 지금 중립 기어 박을 상황 아니니까 입장 제대로 밝혀 줘. 아빠가 누나 딸 찾으러 가다 생긴 일이라고.
중간	그래~ 황금동 넌 네 아빠랑 살어!
금동	나 여행 안 가!! 병원에 갈 거야. 불쌍한 우리 아빠… 내가 (훌쩍) 보살필 거야. 오줌도 얼마나 많이 누는데… 순환 장애야 지금.
중간	(그런 금동 꼴쳐보자)
금동	난 아빠가 더 좋아!! 엄마가 그 아저씨 더 좋아하는 거처럼!!
금주	(아이고 두야)
남인	(구시렁) 나 저 맘 알아!

이때 금주의 휴대폰이 울리자 금주, 전화 받는.

금주	여보세요. 뭐? 검찰? 압수수색?
일동	(무시무시한 단어에 일동, 사색이 돼서 보고)
중간	(한숨과 짜증, '쟤 또 뭔 사고를…')
금주	오히려 좋네. 그럴수록 국민들 감정만 건드리는 거지. 정성껏 포장해.

S#14 골드블루 /D

압수수색 중인 검사와 수사관들. 통화 끝낸 남길이 검사와 수사관에게 걸어온다.

남길	다 가져가시랍니다. 금주채널, 금주호텔, 금주병원도 협조 잘할 겁니다.
수사관	(황당하다)
남길	대표님 지십니다. 정성껏 포장해 드리라고… (스태프들 보며) 따라 와요. 배고프면 밥도 차려 드리라고.
수사관	(황당)

남길, 책꽂이에서 자료들 꺼내 수사관이 담는 박스에 담는다. 스태프들도 압수수색을 도와주는 모습인데. 수사관과 검사, 벙 쩌서 그 모습 바라본다.

S#15 두고 물류 창고 /D

물류 창고에 모인 기자들. 잠시 후 류시오가 당당히 들어와 준비 된 의자에 앉아 다리를 꼰다. 기자들 앞다투어 사진 찍기 시작하 는데. 윤 비서와 허 팀장이 물류 창고에 있는 CTA4885 소포를 캐리어에 싣고 온다. 류시오, 소포를 찢어 랜덤으로 파카를 꺼 낸다.

류시오	등록도 안 된 개인 채널에서 방송된 파카가… 바로 이 파카입 니다.

류시오, 옆에 있던 커터칼로 파카를 '북북' 찢기 시작한다. 그리고 솜을 손에 움켜쥔다.

류시오   여기에 물을 부으면 마약이 된다고요?

류시오, 물을 붓자 가루가 아니라 솜이 물에 젖은 꼬락서니만 남는다.

기자1   두고에서 유통되는 모든 파카를 보여 주실 생각은 없으십니까?
류시오   검찰에 넘기기 위해 이미 모든 거래처에 들어간 파카 전부 회수 조치 했습니다. 전 마약을 유통하지 않습니다. 금주채널에서 방영된 저와 관련된 뉴스는 그 어떤 것도 사실이 아니며 청부 살인 및 신강수 씨 살해 혐의도… 모두 픽션입니다!!
기자1   그럼 왜 금주채널에서 류시오 대표를 저격하는 걸까요?
류시오   황금주란 사람이 원하는 걸 압니다. 그 사람! 두고의 실제 머니 메이커가 되게 해 달라고 제안했습니다. 물론 전 거절했고요. 그에 대한 보복입니다. 황금주 그 여자가 악의 축입니다!

S#16 금주의 집 안 /D

남순   엄마. 할머니 혼자 둬도 될까?
봉고   네 할머니는 데려가면 더 골 아파.
남인   그래도 납치까지 당했는데 보복의 우려가 있지 않아?

봉고	(남순에게) 네 할머니가 저런 납치극이 한두 번이 아니야. 마장동 전설의 혈전 때부터 쭈욱~~
금주	… 걱정이야.
남순	그지… 엄마도 걱정되지?
금주	응. 걱정돼. 우리 아빠가!
일동	…

S#17 어느 병원 /D

온몸을 붕대로 감고 입원해 있는 한국 깡패와 카일.
보고 있는 황당한 표정의 윤 비서.

한국 깡패	그 할매 작살이야….
카일	(한국어) 아퐈~~~ 마니 아퐈~~ (끙끙)

S#18 금주의 집 내 지하 금고 /D

마수대 팀원들 각자 열심히 작업 중. 쓰봉은 태리의 리스트를 전부 문서화 중.
영탁과 참마는 뭔가 영상 편집하는 듯, 심각한 표정.
희식은 태리의 조사 내용을 듣고 있는데. 이때 남순에게서 전화가 온다.

- 이하 교차 -

희식   여보세요.

남순   간이식! 나 부산 가. 부탁이 있어. (눈빛, 표정) 그거 틀어!

희식   …

남순   네가 나 생각 하는 맘은 잘 알아. 근데… 나한테 중요한 건 이 사
         건을 해결하는 거야. 내 동생 우리 엄마, 심지어 우리 할머니…
         우리 가족 모두가 죽을 뻔했어. 심지어… 수사했던 팀장님도 마
         약으로 돌아가셨어. 간이식! 네가 해 줬음 좋겠어.

희식   …

남순   부탁할게. (전화 끊는)

         전화 끊어지고 비장한 표정이 되는 희식과 눈빛이 단단해지는
         남순의 모습에서.

S#19 헤리티지 클럽 VIP 룸 /D

         대낮부터 한창 술 마시고 있는 김 마담과 태리. 둘 다 혀가 살짝
         꼬여 있다.

김 마담   근데 왜 경찰이 날 안 잡아갔을까?

태리   (그런 김 마담 보는)

김 마담   황금주 대표… 그 여자를 죽이려고 한 혐의가 뻔히 있는데 왜

날 안 잡아? 혹시… 나한테… 뭔가 더… 필요한 게 있어서? (묘한 표정으로 태리 보는)

태리　　뭐가 필요하다고… 류시오 대표 혐의가 안 밝혀지니까 언니도 안 잡는 거지…. (하는데)

김 마담　너! 10억을 들고 튀었으면서 (눈빛, 표정) 왜 다시 돌아온 거야? 왜… 나한테… 다시 온 거야? 알아보니까 그 카페 사장이 황금 주던데….

태리　　(놀라는) 정말이야? 몰랐어.

김 마담　너… 뭐야… 사실대로 말… (하는데)

테이블에 머리 박고 기절한 김 마담. 태리, '어후 저 술고래…' 가슴을 쓸어내린다.
태리, 김 마담 가방 뒤져 패드 꺼낸다.
태리, 기절한 김 마담 손가락 지문 인식 후 고객 명단 파일 찾아내고는 희식에게 파일 보낸다.

S#20 금주의 집 지하 금고 /D

희식, 고민하던 중 태리에게 문자와 함께 해독제 구매 명단이 도착한다.

태리(소리)　일단 VIP들 목록부터 보내요.

희식   왔어.

희식, 그 명단 참마에게 넘긴다. 두 사람 뭔가 한창 작업하는 모습이 이어진다.

S#21 두고 일각 /D

두고 직원들. 창고 나가는 기자들 보며 저마다 걱정 한 가득인 표정. 이때 맨 마지막으로 윤 비서가 나와 그런 기자들 보고 있으면, 직원들을 비집고 양 부장이 나온다.

양 부장   (윤 비서에게 다가가) 저. 오늘 체첵 출근했습니까?
윤 비서   (짜증 섞인 목소리) 그건 양 부장 관할 아닙니까?
양 부장   저 그게….

S#22 두고 류시오의 대표 이사실 /D

류시오, 여전히 기분이 안 좋은 채 앉아 있는. 이때 윤 비서 노크 후 대표 이사실로 들어온다.

윤 비서   대표님. 체첵… 말입니다.
류시오   (보면)

윤 비서	양 부장이 그러는데 비상구에서 누구랑 이상한 통화를 했답니다.
류시오	체책 아니야….
윤 비서	…
류시오	체책이 강남순이야.
윤 비서	(놀라는) 네?

S#23 문 검사의 집무실 /D

문 검사, 황금주 건물 자료들 살펴보고 있으면 앞에는 담당했던 검사가 서 있다.

| 검사 | 지금 싹 다 조사 들어갔는데… 아무것도 없어요. 국세청장이 매년 먼저 찾아가 인사하는 성실 납세자인데다 대통령 표창만 네 번을 받았어요. 우리가 생각하는 이상으로 클린한 부자입니다. 법인 설립 과정부터 시작해서 털 게 없습니다. |
| 문 검사 | 뭔 빽이 있어서 그리 설치나 했더니… 털릴 게 없어서 그랬구먼. |

문 검사의 집무실 내선 전화 울린다. 스피커로 내선 전화 받으면.

| 비서(F) | TBO 정대철 본부장님 전화입니다. 연결해 드릴까요. |
| 문 검사 | 어. (하고, 수화기 들어 전화 받는다) 네. 문성우입니다. |

S#24 낡은 봉고차 /D

쓰봉과 영탁, 기다리고 있으면 누군가 문을 열고 들어온다.
감개무량한 표정의 남길이다.

남길　　　불러 주셔서 감사해요. (들어오고 문이 닫힌다)

마치 독립운동이라도 하듯 비장한 영탁과 쓰봉. (독립운동 바이브의
음악)

영탁　　　위험한 일입니다. 연행이 되거나 수배가 되거나… 조사를 받을
　　　　　수도 있어요. 그래도 하시겠습니까?
남길　　　그럼요. 그딴 게 뭐가 중요해요. 갑시다.

S#25 남인의 사주 카페 /D

준희, 원두 내리고 있으면 누군가 들어온다. 보면, 중간에게 두
들겨 맞은 깡패들이다.
준희, 그들을 환하게 맞이한다. 그들 준희를 싸한 눈빛으로 보는
데서.

S#26 법원 /D

법원에 앉아 있는 황 판사와 원고인, 피고인. 각 변호사, 검사와 함께 뒤로는 사람들이 앉아 있다. 사이로 보이는 남길.

황 판사 2023고단123호사건. 피고인 한정식 씨. 판결 선고하겠습니다. 앞으로 나오세요. (피고인 걸어나오면) 선고합니다. 피고인 한정식 씨에게 징역 3년을… (하려는데)

남길 (뮤지컬 톤으로) 누가 죄인인가…!!

일동 (주목하면)

황 판사 어허!! 앉으세요!!

남길 (뮤지컬 톤으로) 대한민국 민주주의 시민으로써!! 빼앗긴 마약 청정국 타이틀을 다시 되찾으려 하오!!

남길, 핑거 스냅을 하자 법원 벽 아래로 묶어 둔 현수막들이 '좌라락' 내려오는데.
현수막에는 황 판사가 헤리티지 VIP 룸에서 뇌물을 받고 좋아하는 모습이 확대되어 담겨 있다. 포토샵도 했는지 황 판사 볼에 분홍색 블러셔가 엉성하게 칠해져 있는데.
앙증맞은 효과음과 함께 어떤 현수막에는 '쁘띠 판사 뇌물 조앙' 글자도 박혀 있다.

황 판사 저… 저 놈 끌어내!!

남길 (뮤지컬 톤으로) 신성한 법원을 관장하는 판사가 마약 유통에 앞장선다니!! 과연 누가 죄인이오!! 그 판사봉에게 물어보시오!!

직원들, 달려 나와 남길을 양옆에서 잡고 끌어내리는데. 남길, 전쟁 통에 끌려가는 장군처럼 바닥에 엎어진 채 끌려 나간다.

남길 이거 놓으시오!! 신에게는… 신에게는 아직… (절통한 비명) 12개의 현수막이 있소오오옥!!!

법원 문이 열리자 남길, 계속해서 끌려가고… 남길이 나가자 문… 다시 '쾅!' 닫힌다.
현수막만 덩그러니 남은 법원. 사람들, 일제히 황 판사를 바라보는 데서.

S#27 TBO 스튜디오 /D

'내 귀에 시사' 스튜디오 안. MC를 비롯한 다른 패널들 사이로 문 검사가 보인다.
잠시 후 오프닝 음악과 함께 카메라 돌아가면.

MC 안녕하십니까. 정바훈입니다. 오늘은 한국의 마약 사건에 앞장섰던 서울지검 문성우 차장 검사를 모시고 이야기 나눠 보겠습니다.

문 검사, 카메라를 향해 여유 있게 웃어 보이면.

S#28   방송국 일각 - 몽타주 /D

- 스태프로 위장한 네 사람. 방송국으로 들어가 각자 포지션대
  로 흩어진다.
- 모니터실로 들어가는 희식과 쓰봉.
- 스튜디오로 들어가는 영탁.
- 편집실 컴퓨터로 파일 업로드하는 참마.

S#29   TBO 스튜디오 /D

문 검사　　마약은 기본적으로 먹는 순간 검출되게 되어 있습니다. 검출이
　　　　　되지 않는 마약은… 제 모든 경력을 걸고 존재하지 않습니다.

문 검사, 거만하게 그렇게 말하고 있는 가운데 스튜디오 뒷배경
에 자료 영상 올라온다. 당황하는 문 검사와 MC.
스튜디오에 스태프인 척 하고 있는 영탁. "2번 카메라 잡아 주
세요."
그리고 뒤에 자료 화면 클로즈업 되며.

[인서트] 편집 영상
택시 기사 인터뷰. (11화 S#33에 나온 수민 모)

수민 모　　(울면서) 다이어트약인 줄 알았는데… 마약이었어요. 부검에서

성분이 검출 안 됐지만… (분노하듯) 해독제를 먹어야 된다고 했 거든요. 정말 너무 비싸서 살 수가 없었어요.

그러자 뒤로 태리와 희식의 대화 소리가 들린다. 그리고 화면에 는 퍼덕거리는 군소 한 마리(남순이 찍은)와 두고 연구소의 모습이 띄워진다.

<자막: 0월 0일. 해독책 판매책과의 수사 녹취 중>

태리(소리) 돈 많은 부자들이 타깃이에요. 그들이 결국 해독제를 사니까….
희식(소리) 그 해독제는 어디서 가져와요?
태리(소리) 그건 몰라요. 정말이에요. 저는 그냥 마담 언니가 시키는 대로만 했습니다. 확실한 건 해독제 사업을 콘트롤 하는 곳이… 두고란 거예요.
희식(소리) 다이어트약 판매한 회원 명단 이 안에 있어요? (대포폰 들어 보이는)
태리(소리) 네.
희식(소리) 대체 몇 명이나 됩니까?
태리(소리) 제가 관리하는 회원은 백 명이지만 다른 사람들까지 합치면….
희식(소리) …
태리(소리) 전국에… 김 마담 밑에서 일하는 중간 유통자가 엄청나게 많아요.
희식(소리) (기가 막힌) 그럼… 그 다이어트약이 그 정도로… 퍼져 있단 소리 예요?
태리(소리) 네.

희식, 송출 막으려는 방송 스태프들로부터 컨트롤러를 지킨다.
쓰봉도 사람들 막는다.
난리가 나는 방송국 안.

S#30 부산 외경 /N

S#31 금주의 별장 일각 /N

금주의 별장에 멈추는 두 대의 차. 문 열고 내리는 금주. 이때 남
길에게 전화 온다.

금주   (전화 받는) 여보세요.
남길(F)   대표님. 난리가 났어요! 지금 당장 인터넷 켜 보세요!

금주, 무슨 일인가 싶어 휴대폰 켜면 포탈 검색어에 실시간으로
두고 / 두고 마약 / 두고 해독제 / 두고 연구소 등등 연관 키워
드가 올라와 있다. 금주와 남순, 그 화면 보며 흐뭇하게 웃는다.

금주   이제 군소 수입 경로만 손에 넣으면 돼. 군소 수입하는 선박 회
          사랑 내가 알아. 이 엄마가 사업가 아니겠어?
남순   엄마 짱 멋져.
금주   인정.

하는데, 힘 없는 남자들 별장으로 걸어가고 있다. 금주와 남순도
마저 별장에 들어간다.

S#32 금주의 별장 /N

금주 일행, 별장 문을 열고 들어서는데 쫙 펼쳐진 금주의 별장
클라스.
모두 입이 떡 벌어져 놀라는 와중에. 이때.

졸자야(소리) (몽골어) 체첵!!!

남순, 익숙한 목소리에 홱 뒤돌면 졸자야가 눈 앞에 있다.
감동적인 음악이 흐르고.

남순   (믿기지 않는 듯, 몽골어) 엄마…??
졸자야   (남순 와락 안으며, 몽골어) 이게 얼마만이니… 잘 있었어??

남순, 눈물 고인 채 "엄마!!" 외치며 재회의 기쁨을 나눈다.
졸자야 역시 남순이 그리웠는지 눈시울이 벌개진 채 남순의 볼
을 만지는 등.

남순   (몽골어) 아빠는??
졸자야   (몽골어) 그냥 엄마만 간다고 했어. 네 아빠 요즘 심장이 안 좋아

서… 의사가 비행기 타지 말랬거든. 너 보고 흥분해서 쓰러지면 어떡하니. 이따 영상 통화하자.

남순　(뒤에 있던 일행들 가리키며, 몽골어) 이쪽은 우리 엄마야… 여긴 내 동생 남인이. 여긴 삼촌 황금동 다 내 가족이야.

봉고　(졸자야 손 잡고 고마움이 가득해) 헬, 헬로. 아임 봉고. 아임 남순 파더. 땡큐 소 머치. 소 머치. 베리 베리 땡큐. (졸자야 안아 주지만 안기는)

S#33 다이닝 룸 /N

다이닝 룸에 마련된 호텔급 식사들. 앉아 있는 사람들 앞으로 한식 세팅되고, 사람들, 식사 시작한다. 금동이는 계속해서 국종한테 전화해 보지만 받지 않는데.

남순　(몽골어) 참. 엄마. 나… 남친 생겼어. 완전 벱이야 벱!!

졸자야　(몽골어) 남자 친구?

남순　(몽골어) 응. (희식 사진 보여 주며) 얼굴 봐. 완전 여름 태양이야. 얼굴이 잘 생겨서 그런지 맘도 고와. 다 잘 생겼어. 속눈썹까지.

졸자야　(몽골어) 그럼 손자를 볼 수 있는 거야? 하하하. (하더니, 갑자기 일어나 춤을 추기 시작한다)

남순　(갑자기 자리에서 일어나 같이 잘름하르 추는)

그러자 금주도 같이 일어나 잘름하르(*잘름하르 아니어도 무방)를 추기 시작한다.

S#34 두고 류시오의 대표 이사실 /N

류시오, 대표 이사실로 들어와 TV 틀면 강희식과 그의 일동들이 방송국에서 난리 피운 뉴스들이 나오고 있는데. 이때 윤 비서가 함께 따라온다.

류시오   강남순 지금 어딨는지 위치 확인했어?

윤 비서   그게… 뉴스 이후 종적을 감추고 위치 추적 방해 장치를 쓴 건지 추적이 안 됩니다. 서울에 있지는 않은 것 같습니다.

류시오   (완전 절망한, 그러나 무표정으로) 다… 죽일 거야.

S#35 동 다이닝 룸 /N

그런 세 사람 황당하게 구경하는 봉고, 남인, 금동. 금주만이 그 바이블 느끼며 세 사람 춤추는 모습을 흐뭇하게 구경한다. 그런 행복한 그들의 모습에서.
[디졸브]

S#36 금주의 별장 /D

남순, 소파에 앉아 희식에게 전화하면 고객님의 전화기가 꺼져 있다는데.

이때 금주가 외출 준비를 마치고 나오는.

남순	간이식 전화 안 받어. 걱정되게….
금주	경찰서에 잡혀 갔어. 유치장에 있어 지금.
남순	경찰이 유치장에?

[인서트] 경찰서 유치장
유치장에 들어가는 희식, 영탁, 쓰봉. 참마. 옆에는 다른 유치장
사내들이 있다.

희식	(철창 툭툭 쳐 보더니) 여기가 이런 기분이구나.
영탁	(유치장 밖을 향해) 어어! 이봐! 어 너! 성경책이나 불경이라도 줘! 도라도 닦게….
쓰봉	화투 줘~ 고스톱이라도 치게. 아님 폰을 주던가! (손 내미는)

- 다시 금주 별장 -

금주	남길인 지금 도망가서 내 강릉 별장에서 배불리 놀고 먹는데… 허나! 그 깡! 우리 딸 남편감으로 아주 딱이야.
남순	걱정되네. 별일 안 생기겠지?
금주	그럼. 걱정 마. 졸자야 부산 구경하고 싶다던데 네가 모시고 다녀. 관광 가이드 한 사람 붙였으니까 교통과 안내는 맡아 줄 거야. 엄마는 볼일 좀 볼게. (나가는)
남순	엄마 고마워. (미소)

S#37 부산항 /D

갈매가 소리가 끼룩끼룩. 경치 좋은 부산항. 배들이 오가는 모습을 보고 있는 금주. 누군가와 통화 중이다.

누군가(F) 회장님. 그 선박 선장님하고는 얘기 잘 됐습니다. 물품 촬영 끝났고요. 부산의 양식장에서 하루 정도 있다가 서울로 이송이 됩니다.

금주 물량은 얼마나 되나요?

누군가(F) 한 번 올 때 2톤 정돕니다. 서울로 이송될 때 최종 목적지까지 블랙박스로 촬영하겠습니다.

금주 그 양식장 주소 저한테 보내세요. 제가 가 보겠습니다. (하는데)

금주, 앞에 보면 브래드 송이 서 있다! 금주, 어이없다. 전화를 끊고는 브래드 송에게 다가간다.

금주 이봐 빵 씨.

브래드 (뒤돌아보며) 황금주 씨?

S#38 브런치 카페 /D

부산 바닷가 전경이 훤히 보이는 브런치 카페 테라스. 저 멀리 멸치잡이 배들과 다른 배들이 뒤섞여 드문드문 떠 있고 테이블에는 맛깔스런 브런치 메뉴가 세팅되어 있다.

두 사람 마주 보며 앉아 있다. 브래드, 철딱서니 없이 빨대로 주스를 빨아 먹고 빵도 먹고 입에 크림도 묻힌 채 너스레 떠는 제스처로.

브래드　　아니 웬일로 부산에 있어요?

금주　　나야 말로 궁금하네. 여기는 웬일이에요?

브래드　　나 고향이 부산이에요.

금주　　월스트리트 출신이라매.

브래드　　(염치 없이) 뻥이죠.

금주　　(황당하게 보는) 지금 사기꾼 커밍아웃 하는 거예요?

　　　　(혼잣말) 기가 막혀… (브래드에게) 당신 도대체 뭐 하는 사람이야. 내가 이 소리만 당신한테 삼십 번을 한 거 같은데….

브래드　　사실 나 고아였어요. 부산에서 태어난 건 맞지만. 러시아로 건너간 것도 멸치잡이 어선 타다가 갔어요. (시선 저멀리 어선에)

금주　　멸치잡이 어선?

브래드　　(담담히 고백하는) 네 멸치잡이 어선… 14살에 고아원에서 쫓겨났거든요. 18세 보호 종료 끝나기도 전에… 사실 나 미국에 가 본 적도 없어요.

금주　　하아… 어쩐지.

브래드　　러시아 가서… 매일 밥 세 끼를 초코파이를 먹었어요. 그때 러시아에 초코파이가 들어왔는데… 러시아 사람들이 초코파이에 환장을 해요. 그래서 그때부터 초코파이를 팔러 다녔어요. 멸치잡이 어선이 초코파이 어선이 되고, 돈을 벌기 시작했어요. 그때

제 닉네임이 초코송이었어요.

금주 그때 그 사진… 그 사진은 대체 뭐예요? 당신이 찢은 사진.

(쐐기를 박듯) 류시오랑 찍은 사진!

브래드 아~ 그 사진… (끄덕) 그거 내 흑역사예요.

금주 ??

브래드 초코파이 실어 온 어선이 멸치잡이 어선이었어요. 밀수를 했다
이 말입니다.

금주 밀수? 초코파이를?

브래드 걸린 거예요. 러시아 국가 경찰에… 그래서 압수 안 된 초코파이
를 러시아 돌아다니면서 팔았어요. 카잔, 우파, 옴스크, 페름, 모
스크바 돌아다닐 때… 처절하게 보따리 장사할 때 찍힌 사진이
에요.

금주 ('헐' 해서 보는)

브래드 그 사진을 탁 들이미니까… 내가 당황한 거지! 화도 나고!

금주 류시오 몰라?

브래드 그게 도대체 누굽니까? 얘기 좀 해 보세요. 이제 내가 궁금하다!

금주 (어이없어 그런 브래드 보다가) 부산에는 왜 온 거예요?

브래드 나… 힘들고 외로울 때 한 번씩 옵니다. (지나다니는 갈매기 보며, 노
래 부른다)

부산 갈매기~~~ 부산 갈~~ 매기~~ 너는 정녕~~ 나를 잊었나~~

금주 (브래드에게 가까이 다가가서) … 닥쳐.

CUT TO

브런치 카페 일각. 밥 먹으러 들어온 봉고와 남인.

남인	아빠. 엄마가 밥은 그냥 별장에서 먹으랬잖아.
봉고	부산 와서 갇혀 있을 거면 뭐 하러 와. 바다를 봐야지.
남인	엄마 알면 또 잔소리 엄청… (하려다가, 테라스 일각에서 뭔가를 보곤) 어?? 엄마??

봉고, 그 소리에 걸음 멈춰 보면 금주와 브래드 송이다. 브래드 송, 크림을 묻힌 채 입술 들이밀고 있는 걸 보는 봉고. 금주, 앞에 앉아 립스틱을 바르고 있는.

- 이하 강봉고 셀프 망상 -

브래드	금주 씨 입술로 얼른 내 크림 닦아 줘요.
금주	기다려요. 어차피 당신이 먹을 립스틱… 더 진하게 바를게요.
브래드	어차피 내가 먹을 거 뭐 하러… 이리 가까이 와요 베베….
금주	당신한테 빨려 들어갈 것 같아.

부들부들 떠는 봉고.

- 현실 -
금주, 립스틱 바르고는. 일어나려 한다.

금주	당신하고 여기 이렇게 있는 것도 시간 아까워. 나 갑니다.
브래드	(그런 금주 손을 딱 잡아 앉히는) 급하시긴.
금주	(다시 자리에 앉는)

봉고, 그 모습 보고 눈가 그렁해 남인이를 데리고 밖으로 나간다.
남인이 끌려 나간다.

브래드   내가 러시아 쪽에 아는 사람이 좀 많아요. 도와줄 일이 있을 거
                     같으니까… 우리 서로 협조적 관계로 들어갑시다. 내가 뭘 도와
                     줄까요?

금주   (그런 브래드 의미심장하게 보는 데서)

S#39 몽타주 /D

- 바다 일각, 밀려나는 파도따라 왔다 갔다 장난치는 졸자야와
  남순. "바다야!! 한국 바다가 이렇게 넓어!!" 행복해 하는 졸자
  야다.
- 거리, 한 손에는 부산 빨간오뎅, 다른 손에는 물떡 들고 구경
  중인 두 사람.
- 부산시티투어 버스, 2층짜리 버스에 타 신기해 하는 졸자야.
  "빠르다", "빠르고 신기해" 같은 감탄사 연발하는.
- 횟집, 탁상에 정갈하게 나오는 회. 하얀 속살에 군침 도는 졸자
  야, 남순. "잘 먹겠습니다!!" 인사 후 야무지게 회를 찍어 집어
  먹으면. 졸자야, 남순이 먹는 모습 지켜보다 포크로 회를 찍어
  따라 먹는다.

S#40 다른 해변가 일각 /D

남순과 졸자야, 다른 해변가 일각을 걷고 있다. (이하 두 사람, 몽골어로 대화)

남순   검색해 보니까 부산은 국밥이 유명하대. 몽골 반탕 같은. 먹으러 가자.

졸자야 바다 보면서 먹자!! 엄만 바다가 참 좋아… 몽골엔 바다가 없잖아.

그렇게 해변가를 막 뛰어가는 남순. 그런 남순을 잡으러 가는 졸자야의 행복한 모습 위로 갈매기가 날아다니고.
아름다운 부산 바다와 행복한 두 사람의 모습에서.

S#41 황국종의 병실 /D

국종, 여전히 분노로 부글부글 하고 있다. 국종, 입술이 찢어진 듯 입술 주변이 너덜너덜한데. 그 바람에 빨대 꽂은 죽을 먹으며 티베트 반야심경을 틀어 놓고 눈을 감고 있는데 떠오르는 회상.

[인서트] 회상 (13화 S#45 확장)

준희   나 길중간! 사랑합니다. 내 여자예요.

국종	(준희 멱살 딱 잡으며) 뭐 이런 개 잡놈이 다 있어.
준희	(젠틀하던 준희는 온데간데없고 갑자기 싹 변해) 이 새끼가 좋은 말로 할 랬더니 안 되겠네… 너 꼬리뼈 아니라 대가리 터지고 싶냐이? 어디서 욕질이여. 잡놈이라니… 우라지게 처맞아 강냉이가 후 두두 털려서 목구멍에 처박혀야 아가리를 안 놀릴 거여?

국종, 놀라서 준희 보는. 그렇게 서로 부라리다 엉겨 붙어 싸움
이 시작된다.
짜치고 모냥 빠지는 싸움이다. 몸을 부둥켜 안고 구르는.
국종을 위에 깔고 국종의 입을 찢는 준희. 국종, 입이 찢어지며
소리 지른다.
분노로 부글거리는 국종. 이때 병실 문이 열리며 누군가 들어온
다. 눈을 부릅뜨는 국종. 보면, 중간과 변호사다.

국종	뻔뻔한… 불륜녀 같으니….
중간	불륜녀? 이런!! (하면서, 접대용 소파 들어 올리려고 하자)
변호사	여사님. 폭력 행사 하시면 재판에서 불리하게 작용할 수 있어요.

중간, 변호사 말에 간신히 참으며 소파 내려 놓으면.

국종	어. 당신 말 잘했다. (변호사 가리키며) 이봐요. 나 벌써 맞았어!! 저 여자랑 불륜한 그 남자가 내 입을 찢어 놨어.
중간	변호사 선임했으니까 당신도 선임해. 선임 비용은 내가 줄게. 인심 좋~~~다.

국종	뭐? 소송? 나… 서준희 그 자식 간통으로 고소할 거야!!
변호사	황국종 씨, 죄송합니다만 방금 본인의 발언 굉장히 불리해지실 겁니다.
국종	뭐요?!
변호사	간통죄 없어진 지가 벌써 7년입니다. 오랫동안 가정에 떨어졌다는 걸… 스스로 입증하신 거예요.
국종	간통죄가 왜 없어져? 그렇게 좋은 죄가 왜 없어져!!!!
변호사	황국종 씨, 세상에 좋은 죄는 없습니다.
국종	아니… 그게… (답답한) 말이 그렇단 거지!! 그게 왜 없어지냐고 그 간통남 새끼 잡아 넣어야 되는데!!!!!
중간	이게 어디서 간통남이래. (머리채 잡으려 하면)
변호사	아 이러지 마세요. (말리는)
중간	(침착) 그래 우리 예의있게 끝내자. 그러니까 당신도 신사답게 굴어.
국종	사랑에 신사고 예의가 어딨어!! 나 당신 절대 못 놔 줘!!
중간	그때 그랬어야지!!!!
국종	(보면)
중간	10년 전… 나 버리고 떠났을 때… 그때 이렇게 했어야지!!!!
국종	그건….
중간	왜, 그땐 팔팔해서 내가 필요 없었냐? 이제 늙고 병드니까 마누라 생각이 사무쳐서 붙잡고라도 있어야겠어? 꿈 깨! (다부지게) 꺼~~져!
국종	못 꺼져! 아니 절대 안 꺼져! 당신은 그냥 내 옆에서 늙어 죽어!
중간	뭐라고… 허…. (또 못 참고 머리 잡아 당기려고 하면)

| 국종 | (변호사 뒤에 숨고) |
| 변호사 | 아 왜 이러세요. 예의있게 하자고 하셔 놓고…. (말리고 난장이다) |

S#42 동 연변 식당 /D

화자, 도베르만하고 다른 연변 동료들과 밥 먹고 있다. 표정이 밝은 화자.

도베르만	니 요즘 팔자 폈다이. 얼굴이 다 훤하다.
화자	엄마가 용돈도 주고 집도 줘서… 요즘 직업학교 다녀. 포크레인 자격증 딸 거야. 나 이제 성실하고 반듯하게 살 거야.
조선족	엄마? 강남순이 엄마 말하나?
화자	응 (수줍은지) 이제 이래 햇빛 받음서 양지에서 놀자. 음지에서 다치지 말고… 니들도 할 수 있어. 내가 도와줄게.

화자, 술기운에 용기내 금주에게 전화해 본다. 휴대폰에 <어머니>라 저장되어 있다.
하지만 신호음이 가는데 전화 받지 않는 금주.

S#43 식당 앞 - 거리 /D

화자, 도베르만과 헤어져 식당을 벗어난다. 그런 화자를 보는 누군가의 시선.

CUT TO
화자, 거리를 걷고 있는데 누군가 화자를 돌려세움과 동시에 칼로 '푹!!' 찌른다!!!! 화자, 옆을 보면… 섬뜩한 눈빛의 킬러. 킬러, 칼을 빼내자 앞으로 고꾸라지는 화자. 킬러, 그대로 사라진다. 일각에 서 있는 류시오의 차. 창문이 열리며.

류시오   거짓말 시키면 내가 죽인다고 했지?
         체첵이 강남순 아니라며.

화자, 눈을 뜬 채 죽어 간다. 눈물을 흘리는 화자의 모습.
류시오, 그런 화자를 내려다보면. 화자, 손에 휴대폰을 쥐고 있는데.
그 휴대폰이 울린다. <어머니>라고 저장되어 있는 금주다.
류시오, 말없이 전화를 받아 본다.

금주(F)   여보세요? 전화가 들어와 있길래 했어. 무슨 일 있는 건 아니지?
류시오   … (전화 끊어 버리는)

[인서트] 브런치 카페 후 동선 (어딘가) /D
금주, 전화가 끊어지자 '뭐지?' 하는 표정으로 전화를 보는.

류시오의 폭주하는 눈빛과 표정에서!!

S#44 문 검사의 집무실 /D

문 검사, 침통해서 앉아 있으면 앞에 소환장이 놓여 있다. 하나
는 류시오, 다른 하나는… 문성우 자신이다!

검사(소리)   차장님, 황 판사님 증언으로 헤리티지 및 류시오와 관련된 혐의
때문에 조사 받으셔야 합니다. 국민들 여론이 들끓고 있으니…
출두하시죠. 바로 위층입니다.

S#45 태극기 휘날리는 청와대 /D

S#46 대통령 집무실 /D

이정식 총경, 경례하고 대통령이 악수를 건넨다. 악수하는 두 사람.

대통령   청장 되자마자 안팎이 시끄러워서… 고생 좀 하게.
이정식   성역 없는 수사! 경찰로서 최선을 다하겠습니다.
대통령   특별히 중점 둘 현안은 있나 지금?
이정식   검찰, 경찰, 언론이 다 얽힌 추악한 사건 하나가 있습니다.
　　　　　건국 이래 가장 악질의 마약 사건입니다! 특검을 추진해 주십시오!

S#47 남인의 사주 카페 /N

중간, 구시렁대면서 사주 카페 문을 열고 들어옴과 동시에 놀란
다. 보면, 도둑이라도 든 듯 쑥대밭이 되어 있고, 준희는 보이지
않는다. 의자며 테이블이며 다 엎어진 상황에 중간. "준희 씨!!!"
부르지만 답은 없고… 대신 카운터에 쪽지 하나만 달랑.
"당신 남자를 구하고 싶으면 **번지 **으로 와."

중간   (쪽지를 보는 순간) !!

S#48 어딘가 /N

모여 있는 험상궂은 깡패들. 준희, 노끈에 묶인 채 무릎 꿇고 앉
아 있으면 얻어맞았는지 얼굴 꼴이 말이 아니다.

깡패 1   감히 할마시가… 우리 두목을 건드려?!
깡패 2   (폰으로 입원한 한국 깡패 사진 보며) 할망구 혼자 이랬을린 없고…
             누가 그랬는지 말해 얼른….

하는데, 순간! '쾅!' 하고 나타난 중간.

중간   감히… 내 남자를… 건드려?

깡패 1, 2, 고개 돌려 보면 서늘한 눈빛의 중간이 걸어오는데.
"중간 씨!!!" 다급한 준희의 외침. 중간, 품에서 무언가 꺼내 보이
면… 마장동에서 쓰던 서슬퍼런 칼이다!

중간   한 명씩 드루와!

깡패 1, 2, 주변 보면 이미 널브러진 깡패들 때문에 달랑 둘만 남
은 상황.
두 사람 역시 잭나이프를 빼들며 기합과 함께 중간에게 달려드
는데!
중간, 칼로 잭나이프를 쳐내자 중간의 힘에 나이프 날이 부러
진다!
깡패 1, 2, 그 모습에 얼어붙어 버리는데! 중간, 바로 깡패 두 놈
을 잡아다 그대로 '휙' 넘겨 아작을 내 버린다. 저 만치 날려 버
리는 중간.
이어 준희 앞으로 걸어가 묶인 노끈을 손으로 '빡!' 뜯어 버리
는데.

중간   (준희 안으면서) 준희 씨. 많이 힘들었죠. 미안해요. 괜히 나 때문
에… 이런 험한 일을 겪게 하고….
준희   (안긴 채 울먹이며) 중간 씨….
중간   나랑 남은 인생 살려면 이런 일 또 있을지도 몰라요. 나… 이
힘… 의미 있는 일에 쓰고 살 건데… 괜찮겠어요?
준희   (끄덕이는) 옆에서 내조 잘 할게요.

중간	(그런 준희 머리칼 쓰다듬으며) 고생했는데 장어 먹으러 가까?
중희	(끄덕) 민물장어… 구이로다….
중간	(일으켜 세워 휙 안는다)

S#49 유치장 /N

비좁은 유치장에서 국밥 먹고 있는 마수대 팀원들.
이때 형사 1이 다가와 유치장 문을 연다.

형사1	나오세요.
일동	…
형사1	신임 청장님 지십니다. 나오세요. 난리 났어요. 나라가 뒤집혔어.
일동	????
형사1	류시오 수배 명령 떨어졌고 출국 금지되고 관련자들 지금 다 옷 벗게 생겼어요.
참마	(제일 먼저 나가며) 수고하십니다~
쓰봉	(눈치보다 슥 나가며) 고생했다~ 너 말고 우리가~

유치장에서 나오는 마수대 팀원들. 이때 이정식 청장에게 전화
온다. 희식, 전화 받는.

[인서트] 어느 일각 /N
희식과 통화하는 이정식.

| 이정식 | 강한 지구대 마약수사팀 전원 복귀 명한다! 특검이 추진됐어! |

희식, 배시시 웃는 모습에서.

S#50 부산 바다 일각 /N

처량하게 벤치에 앉아 있는 봉고. 남인, 양손에 든 길거리 음식에 행복해 하는데.

남인	아빠. 이제 들어가자.
봉고	(남인의 말을 못 들었는지 '벙~')
남인	(왜 저래) 안 들어갈 거야?
봉고	(갑자기 눈물을 흘리는~) 엄마한테… 남자가 있었어.
남인	(실망) 엄마가 그럴 줄은….
봉고	아 정말… 나 왜 눈물 나냐… 슬퍼 막… 우리 이혼했는데….
남인	아빠… 아닐 거야… 내가 엄마한테 물어볼게.
봉고	(얼굴을 손으로 감싸고 운다)
남인	(놀라서 보고 있는) 아빠~~ 아아… 삼촌 맘이 이 맘인가…
	아 정말… 아빠… 왜 울고 그래….
봉고	모르겠어… (철철) 가슴이 막 아파….

S#51 정 비서의 숙소 /N

금주의 별장 내 별채 같은 곳. 정 비서, 침대에 누워 수액을 맞고 있다. 이때 누군가 문을 두드린다. "누구세요" 하면 들리는 익숙한 금동의 목소리. "나예요."
정 비서, 한숨과 함께 링거스탠드를 끌고 문을 열면.

금동	(로봇처럼) 괜찮아요? 많이 힘들죠?
정 비서	안 괜찮고요. 안 힘들어요.
금동	안 괜찮은데 어떻게 안 힘들어요. 말이 안 되잖아요.
정 비서	말장난할 기분 아니에요. 나 쉬어야 해요. (문 닫으려는데)
금동	(박력 있게 문 팍 막고) 나영 씨. 힘들면… 나한테 기대요. (눈빛 징그럽게 쳐다보며) 나….
정 비서	(버럭) 아 진짜 징그럽게 왜 그래 황금동! 너 자꾸 질척댈래? 확! (하고, 문 탁 닫으면)
금동	(나약 피지컬 만렙으로 문의 풍력에 휙 쓰러진다)
정 비서	(다시 문 열어서 나자빠진 금동 보면서 인상 쓰는) 너 내 스타일 아니거든? 난! 센 남자가 좋아 이거 왜 이래! ('휙' 문 닫는)
금동	(그 소리에 절망하는 데서)

S#52 류시오의 차 안 /N

류시오, 가만히 눈 감고 있으면 양 의원에게 전화가 온다.

양 의원(F)	류 대표. 다 끝났어!! 황 판사랑 문 검사… 다 잡혀갔어.

CTA4885 관련 게이트 열렸어. 오늘 취임한 이정식 청장!! 와일드 카드를 쓴 거야. 우릴 다 잡아 넣으려고!!

류시오   지금 이정식 청장 어딨어요? (듣는) 집… 알아요? … (끊는)
(하고는) 양주로 42길 내가 가던 곳으로 가.

기사   네.

S#53   어느 문방구 /N

한적한 도로의 어느 허름한 문방구로 들어가는 류시오.
초로의 문구점 주인은 류시오를 알아보고 돋보기 너머로 그런
류시오 보는.

류시오   볼펜 하나 주세요. 0.5.

주인   (알아듣고 어떤 볼펜 건넨다)

류시오   (볼펜 받아 들고 알수 없는 미소)

S#54   어느 후미진 골목길 안 /N

류시오, 볼펜을 분해하자 안에서 흰 가루가 나온다. 그걸 보는
류시오.
어둠 속 류시오의 뒷모습.
늑대처럼 으르렁 대는 듯한 소리가 가로등 불빛 아래 들리는데.

S#55 도로 - 이정식의 차 /N

도로를 달리는 이정식의 차. 이때 기사가 소리 지르며 브레이크를 '끼이이익—' 밟는다!!
헤드라이트 비추는 사이로 류시오의 실루엣이 보이는데. 보면, 팔과 목에 힘줄이 솟아나 있다! 기사, 차문을 내려 류시오에게 걸어가기도 전에 순식간에 앞까지 다다른 류시오! 그대로 기사 잡아 꺼내고는 차 앞에 내리꽂는다!

이정식   !!
비서 1   청장님 엄호해!!

비서 1, 차에서 내려 총을 꺼내 들기도 전에 차례대로 류시오에게 제압당한다! 이정식, 땅에 떨어진 총을 주워 류시오를 겨누려는데! 시야에서 사라진 류시오! 이정식… 경계를 늦추지 않던 순간!! 뒤에서 이정식의 목덜미를 잡은 채 가드레일에 밀어붙이는데! 류시오, 그대로 이정식을 날려 버린다. 이정식, 그대로 저 멀리 내던져진 채 고통스러워하는데 어느새 다가온 류시오의 구두발이 이정식을 짓밟는다.
류시오, 그대로 이정식의 안면을 구둣발로 찬다. '퍽' 소리 나며 피를 쏟는 이 청장.

S#56 금주의 별장 내 서재 /N

금주, 노트북으로 오플렌티아 중국지사로부터 브리핑 받고 있다. 정 비서, 번역하는.

정 비서   제 동생 무사하고 어떤 문제도 없을 거라고 하네요. (안도, 미소)

금주   세상엔 나쁜 사람 숫자만큼 좋은 사람이 존재하는 거 같아. (하다가) 오늘 내가 군소 양식장에서 찍어 온 파일인데 편집 좀 하자.

그렇게 여유 있는 금주와 정 비서의 모습.

S#57   금주의 별장 - 거실 /N

남순, 졸자야와 과일 먹으면서 TV 보고 있는.
이때 모르는 번호로 (화자의 번호) 문자 온다.

- 휴대폰 화면 -

화자(소리)   안녕? 나 화자야. 강남순 잘 지내?

남순   (답장하는) 응 오랜만이네. 너는 잘 지내?

화자(소리)   응. 나 잘 지내.

이후 화자의 소리는 들리지 않고 메시지 도착 알림음이 계속 울린다. 남순, 보는데 서서히 표정이 어두워진다.

S#58 금주의 집 - 지하 금고 /N

옹기 종기 붙어서 잠을 청하는 마수대 일원들.

희식   근무 규정상 당직이니까 오늘은 여기서 마지막 근무를 합시다.

쓰봉   그래도 너무 금방 떠나는 느낌… 아쉽네.

영탁   (눈앞에 보이는 엄청난 금고를 보고) 저거 금고지? 저기 대체 얼마나 돈이 들어 있을까? 다이아몬드는 얼마나 있을 거며… 희식이 부럽다 진짜.

참마   형 결혼하면 나 입양해요. 나 친부모 새끈하게 생깔 수 있어요.

희식   (싱겁게 웃자)

참마   근데 이 집에 사람 아무도 없는데 여기서 이렇게 불편하게 자지 말고 밖에서 자면 안 될까요?

영탁   기생충처럼 숨어 있어야 된댔잖아.

참마   사람 아무도 없는데요 뭘. 나가서 짜파구리라도 끓여 먹어요. 이왕 기생충인데….

일동   !!! (동시에 일어나 '휙' 밖으로 나가는데)

S#59 동집 - 다이닝 홀 /N

짜파구리를 끓여서 먹고 있는 팀원들. 참마가 막내라 끓여서 덜어 주고 김치도 찾아서 알아서 잘 먹는다. 그 맛있음에 황홀한 가운데 갑자기 '삐릭삐릭' 소리 들린다.

일동, '이 무슨?' 하다 짜파구리 그릇과 김치 보시기를 들고 얼른
식탁 밑으로 기어 들어간다. 다름 아닌 중간과 준희다. 일동 놀
라서 숨 죽이고.

중간   자기야….
준희   왜 자기야….

팀원들, 식탁 밑에서 황당 그 자체.

중간   우리 그날 보다가 만 넷플릭스나 보까….
준희   그래요. 마저 봐요.
중간   근데… 자기… 짜장라면 냄새 안 나?
준희   그러게요. 나요. 자극적이네요.
중간   그지… (눈빛 이글) 끓여 먹으까?
준희   그럴까요?
중간   (다정하게 보고) 아니 아니… 살쪄….
준희   살이 어딨다고 살이 찐대. (하고는, 중간을 안는다)
         마치 새털처럼 가벼운데….
중간   (아양, 귀염, 콧소리) 아 몰라….

준희, 중간을 안고는 그대로 2층으로 올라간다. 중간에 휘청휘
청 해 가며.
중간, 아양 떨며 '어머~ 나 무거운데… 여기다 힘쓰지 말지~~'
하고 있고, 팀원들 입에 짜파구리 물고 밖으로 나온다.

영탁	이 집 여자들은 다… 좀… 레전드네….
쓰봉	너 각오해야겠다.
참마	아 빨리 치우고 기생충으로 돌아가요. 또 나오기 전에. (하고, 부엌 으로 가는)
일동	(따라가는데)

희식의 폰이 울린다. 희식, 얼른 전화 받는데.

| 희식 | (전화 받는) 여보세요? (듣는) 뭐요… (충격) 청장님이요? |

팀원들, 일제히 집중하고 경각되는. 희식의 눈빛이 마구 몰아
치는.

S#60 엔딩 /N

남순, 휴대폰을 보고 있는데. 굳어진 표정 위로.

화자(소리)	나… 죽었어.
남순	!!
화자(소리)	류시오가 날… 죽였어!!
남순	!!!
화자(소리)	내가… 널… 모른다고 했거든!!!
남순	(충격) !!!!

그런 남순의 충격 어린 모습 위로.

- 이정식을 해친 현장 -
현장에 서 있는 류시오. 그의 손에 피 묻은 화자의 휴대폰이 들려 있다!
류시오가 화자의 휴대폰으로 남순에게 보낸 문자.

남순   ('올 것이 왔구나.' 하는 눈빛으로) 류시오! 이제 드디어 알았구나 내가 누군지!!

            하는데, 류시오의 목소리로 화자의 문자가 크게 뜬다.

류시오(소리) 이제 네 차례야.

            그런 남순의 번뜩이는 눈빛에서.

                                                        <14화 엔딩>

제15화

힘쎈여자 강남순
(Strong Woman Gang Nam Soon)

S#1 도로 (14화 S#55 확장) /N

죽은 직원들 사이로 보이는 이정식 청장. 피범벅이 된 채 쓰러져 있으면 어디선가 기계를 뜯어 내는 기괴한 소리가 들린다. 카메라, 소리 따라가 보면 차에서 블랙박스를 뜯어 내 바라보는 류시오의 모습인데. 한 손으로 블랙박스를 구겨 버리자 작은 스파크를 튀며 박살난다. 그런 블랙박스를 저 멀리 던져 버리는 류시오. (파워풀한 힘으로 인해 크게 날아가는) 이어 이정식 청장에게 걸어가는 모습 위로.

앵커(소리)　방금 들어온 소식입니다. 이정식 신임 경찰청장의 차량이 괴한에게 습격당했습니다.

S#2 봉고차 /N

현장으로 매섭게 달려가는 봉고차.

그 차에 탄 희식, 영탁, 쓰봉.

내비게이션으로 보이는 뉴스. 앵커 밑으로 자막.

<자막: [속보] 이정식 경찰청장 실종. 습격 후 신변 확보되지 않
은 상황>

앵커   차량에 탑승한 경호원들은 전원 사망했습니다.

S#3 도로 /N

폴리스 라인 쳐지고 바쁘게 움직이는 수사관들 위로.

앵커(소리)   경찰은 이정식 청장의 사망에 무게를 두고 시신을 현재 수색 중
에 있으며 납치 및 인질극 가능성에도 초점을 두고….

이때 봉고차에서 내린 희식 일행이 폴리스 라인으로 뛰어온다.
희식, 경찰 공무원증 보인 뒤 일행과 함께 현장으로 들어가면 처
참한 모습인데.

희식   (수사관에게) 블랙박스는요.
수사관   없습니다. 범인이 뜯어 간 거 같아요.

희식과 영탁이 청장이 탄 차량으로 고개 돌리면. 유리창 너머로

블랙박스가 뜯겨져 나간 흔적이 보인다. 희식, 옮겨지는 경호원들 사체와 떨어진 총들을 보는.

영탁　　바닥에 총알이 없어. 차가 와서 박았나?

희식　　아뇨. 스키드 마크는 하나뿐입니다. 장전 시간은 충분했을 텐데….

쓰봉　　그럼 그 전에 즉사했단 건데… 한 놈이 아닌 거 아냐?

희식　　그렇다고 하기엔 흉기를 쓴 흔적도 없어요. 맨손으로 제압할 정도의 힘이라면… (뭔가 생각난 듯) (눈빛, 표정) 류시옵니다…!

희식, 저 멀리 이정식 청장의 것으로 보이는 핏자국을 날카롭게 바라보는 데서.
[디졸브]

S#4　장례식장 /D

환하게 웃고 있는 화자의 영정 사진. 조선족들은 식사 중이고. 금주와 남순이 상복을 입은 채 조문객들을 맞이하고 봉고는 음식을 나르고 있다. 화자의 영정 사진 앞에 서는 누군가. 보면, 도베르만인데. 애써 눈물 참으며 절을 마친다.

남순　　미안해. 나 때문에 벌어진 일이야.

도베르만　　(연변어) 애초에 가짜 딸 행세로 얽히고 들어간 건 우립니다. 햇빛 받으며 살자더니… 우리 같은 팔자는 안 변하나 봅니다.

금주	아니. 세상에 함부로 죽어도 되는 팔자 따원 없어요.
도베르만	(보면)
금주	장례는 내가 책임질 테니 화자 아니 명희 친구들 전부 다 데려 와요. (눈시울 붉어진) 삶의 마지막만큼은… 행복하고 귀하게 보내 주고 싶으니까….

S#5   장례식장 복도 /D

봉고, 쭈뼛거리며 침울한 금주에게 다가온다.

봉고	당신 말이 맞았어.
금주	…
봉고	첨엔 가짜 딸도 모자라 남순일 죽일려고 했대서… 마냥 나쁜 앤 줄로만 알았는데… 남순이 정체를 숨겨 줬다고? 사람이… 기회 를 주면… 변할 수 있나 봐.
금주	차라리… 기회를 주지 말 걸 그랬어. 그냥 감옥에 들어가 살게 할 걸… 그럼… 이렇게 죽진 않았을 거잖아.
봉고	…
금주	(울고 난 후라 눈이 발갛다) (그러다) 류시오~ 어찌 잡아 죽여야 할지… 내 고민은 그거뿐이야. (이를 악다문) 악의 끝이 어떤지 세상을 향 해 보여 줄 거야.
봉고	(그런 금주 한참 보다가 어렵게 말문 꺼낸다) 근데 저기… 말이야.
금주	(보면)

봉고	이 타이밍에 할 말은 아니긴 한데… 또 이 타이밍 아니면 얘기할 기회가 없는 측면도 있고 그게… 그러니까….
금주	뭔데 그래?
봉고	(망설이다) 당신… 남자 생겼어?
금주	뭐??
봉고	부산 갔을 때 남인이랑 밥 먹으러 핫 플레이스 검색하고 갔다가… 당신이 웬 남자랑 거기… 아주 다정하게 마주 보고 있는 걸 봤어.
금주	(대뜸) 사기꾼이야! 혐의도 중구난방이고 카테고리도 부정확하고….
봉고	(안도하며) 사기꾼? 다행이네.
금주	(그런 봉고 보며) 내가 하는 일! 목숨 내 놓고 하는 일이야. 만약에 말야… 내가 이러다 죽게 되면! 애들 잘 부탁해.
봉고	뭐? (버럭) 그게 무슨 말이야? 당신이 왜 죽어? 아니 왜 그런 소릴 해? 그렇게 위험한 일을 왜 해? 죽지 마! 당신 죽으면 나 못 살아~
금주	오버 좀 하지 마. 넌 중간이 없어.
봉고	(멍청하게 보며) 중간? 장모님?
금주	(그런 봉고 한심하게 보는)

S#6　장례식장 /D

남순, 화자의 영정 사진을 보고 있으면 휴대폰 벨소리 들린다.

보면, 홍정민인데.

남순	응. 정민아.
홍정민(F)	누나. 나 오늘 자격증 땄어요!!
남순	그래?? (하지만 힘이 없다) 축하해.
홍정민(F)	근데 누나 며칠 전에 두고 대표님이 저를 보자고 했어요.
남순	!!
홍정민(F)	형 그렇게 됐을 때 강남순 누나가 도와줬냐고 물어보더라고요.
남순	(그래서 그리 됐구나 싶다) 그랬구나. 정민아 누나가 지금 좀 바빠서. 나중에 연락하자. (끊는)

이때 식장으로 다시 들어오는 금주. 남순, 금주에게 걸어간다.

남순	엄마. 나 가 봐야 될 거 같아.
금주	(보면)
남순	류시오가 알았어! 내가 누군지!
금주	알 때가 됐지. (결심한 듯) 조심해!
남순	(다짐) 응. 이제 시작이야!

S#7 마수대/D

다시 경찰서로 복귀한 마수대 팀원들. 모두 심각하다.

영탁	청장님 뭐 소식 없어?
쓰봉	(전화 내려 놓는) 수색대 애들 밤새 작업 중인데 발견된 게 없대.
희식	청장님 살아 있어요. 뭔가 요구할 게 있으니 데려간 겁니다.
영탁/쓰봉	그렇겠지. / 응.
희식	우리~ 파벨을 이용해요. 파벨이랑 류시오를 이간질 시키면 돼요.
일동	(보면)
희식	파벨하고 류시오가 사이가 안 좋으니까… 이 컨디션을 최대한 활용하는 겁니다.
참마	야. 류시오 시크릿폰 말이야… 그거 도청할 수 있지?
참마	그때 형수님이 준 자료는 휴대폰에서 **빼낸** 자료라서… 도청하려면 따로 프로그램 깔아야 돼요. 프로그램 까는 방법은 류시오가 폰에 온 메시지를 클릭하면 되는데….

희식, 답답한듯 머리 쓸어내리면, 이때 희식의 휴대폰으로 문자가 도착한다.

태리(소리)	4885 VIP 고객 명단이에요.
희식	(그걸 보며 뭔가 떠오른 듯) 하! (참마에게 휴대폰 보여 주며) CTA4885 고객 명단이야. 여기 있는 한국 이름… 영어 이름으로만 바꿔서 류시오한테 보내. 앞에 러시아 국가 번호 7 붙여서. 그럼 류시오가 클릭을 할 테니까.
참마	오오~

이때 마수대로 들어오는 누군가. 보면, 남순이다.

일동, 그런 남순을 당황해서 보고 인사하는 등.

남순 류시오가… 내 정체를 알았어.

희식 !!

남순 화자를 죽였어. 그리고 나서 나한테 문잘 보냈어. 화자 폰으로.

희식 화자… 이명희가 죽었어?! (헉)

남순 (비통한) 응. 류시오가 화자를 찾아갔었나 봐. 날 아냐고… 근데
      화자가… 날 숨겨 줬어. 그거 때문에… 죽인 거 같아.

희식 폭주하고 있어. 청장님도 납치하고.

남순 내가 상대할 거야. (전화 거는)

일동 (그런 남순 보는)

S#8 어딘가 /D

같은 시각. 피를 토한 채 목이 돌아가 죽어 있는 범.
그 앞에 누군가 다리 꼬고 의자에 앉아 죽어 있는 범을 바라본
다. 보면, 류시오다.
류시오, 싸늘한 눈빛으로 집무실을 나가는데.

S#9 류시오의 차 안 - 동 마수대 /D

류시오가 차에 올라타자, 전화기 울리는. 보면, 체첵이다.

류시오, 올것이 왔다는 표정으로 전화 받는.

- 이하 교차 -

류시오	여보세요?
남순	나야.
류시오	…
남순	왜 날 안 죽이고 다른 사람들만 죽이고 있냐? 비겁하게?
류시오	(피식)
남순	왜… 겁나냐?
류시오	하나만 문자… 두고에… 일부러 들어온 거야?
	날 추적하기 위해서… 신분을 속이고… 다 거짓으로….
남순	어. 널 잡아야 하니까!!
류시오	너 사람 아주 기분 나쁘게 만드는 재주가 있네.
	내가 젤 싫어하는 게 거짓말인데.
남순	그러니까 나랑 만나!!
류시오	(폭발) 강남순!!!!!
남순	약쟁이 살인마… 우리 둘 중 누구 하난 죽어야 끝날 거 같지 않아?
류시오	(비릿하게 웃는)
남순	(눈빛, 표정) 딴 사람 괴롭히지 말고… 나랑 둘이 붙자!
류시오	… 그 무엇도 네 뜻대론 안 될 거야. (전화를 확 끊어 버린다.)
남순	(얘기 덜 끝났는데 전화 끊자 빡 돌아서 분노) 이 시키가 말도 덜 끝났는데 전화 끊고 이 씨… 비겁한 시끼… 씨# 개## (씩씩)
일동	(그런 남순 욕설에 놀라서 보는)

378 × 379

- 다시 차 안 -

류시오, 전화 끊고는 차가운 표정 유지한다.

이때 시크릿폰이 울린다. 류시오, 슈트에서 시크릿폰을 꺼내 확
인하면 모르는 번호로 온 러시아 문자다.

<자막: (러시아어) 새로 추가된 CTA4885 VIP 명단입니다.>

류시오, 이상하다는 듯 보는 데서.

S#10 동 마수대/D

남순	(별떡) 류시오 위치 추적해 내가 바로 잡으러 갈 테니까.
참마	위치 추적 안 됩니다. GPS도 꺼 놓고 추적 루트는 전부 막아 놨 어요. 시크릿폰도 마찬가지고요. 추적 됐음 진작 검거했죠.

하는데!! 연결 성공음과 함께 창이 뜬다!!

참마	(류시오가) 봤어요!!
일동	(집중)
참마	(희식 보며 놀라) 형!! 류시오한테 전화 와요!! (전화 연결됐다는 표시)
일동	(그 말에 숨죽여 화면 바라보면)

누군가(F)	(러시아어) 범… 네가 죽였어?

참마, 노트북에 입력되는 러시아어를 번역하기 시작한다.

S#11 류시오의 차 /D

전화 받고 있는 류시오. 음성 변조되어 나오는 누군가의 목소리.

류시오	(러시아어) 누구야?
누군가(F)	(러시아어) 노쉬!!
류시오	!!
누군가(F)	(러시아어) 차르폼바!!
류시오	(피식) 그 누구도 날 함부로 할수 없어. 그리고… 난 파벨로 죽지 않을 거야. (전화 끊는, 감정이 자제가 안 된다)

S#12 동 마수대 /D

류시오의 통화 내용 번역된 러시아 말을 보고 있는 희식, 참마, 영탁, 쓰봉, 그리고 남순.

영탁	차르폼바! 가 뭐지?
일동	('뭘까…' 하는데)
참마	(컴퓨터로 검색하더니) 차르폼바… 러시아 핵폭탄 이름이에요.
쓰봉	뭐?

참마	러시아에서 살상 무기로 사용했었던 가장 강력한 수소 폭탄.
쓰봉	(공포) 뭐야 그럼… 설마 테러 지령은 아니겠지?
참마	그 다음 류시오 말을 봐선… 그건 아니에요.
쓰봉	(번역기 읽으며) 파벨로 죽진 않을 거다… (눈동자 반짝이며) 아… 죽
	으라는 지령이네.
참마	맞네. 지들끼리 찢어졌네요.

이때 참마의 다른 모니터에 수신음이 잡힌다.

참마	(놀라서) 이명희 폰 켜졌습니다! 기지국 추적해 볼게요!
남순	내가 갈게. 화자 폰 찾으러. (나가고)
희식	같이 가. (나가면서 영탁, 쓰봉에게) 다녀올게요.

남순과 희식, 함께 경찰서를 나가는 모습 위로.

앵커(소리)	속보입니다. 신종 마약 CTA4885 판매 혐의로 수배 중인 두고
	대표 류시오와 금전적인 거래를 나눈 다수의 정재계 인사들에
	게 특검 수사가 시작됐습니다.

S#13 어딘가 (복싱장 같은 아지트) /D

류시오, 절망적인 모습으로 앉아 있다. 시크릿폰이 울린다.

윤 비서(F)   대표님… 소환장이 날아 왔습니다.

류시오, 그 말에 전화를 끊고는 뭔가 마음을 다잡는 모습 위로.

앵커(소리)   특검이 마약 관련으로 이뤄진 것은 이번이 처음인데요. 문성우 차장 검사가 류시오에게 협박을 받았다는 증언이 확보되면서 류시오를 둘러싼 CTA4885 관련된 혐의가 확정된 상태입니다.

S#14   희식의 차 안/N

희식의 차에 타 있는 남순, 화자의 휴대폰을 든 채 멍하니 보고 있으면 화자의 카톡 내용들이 있다.
조선족들에게 금주를 자랑하는. "우리 엄마 최고다", "엄마 딸이라서 행복하다", "남순이 보고 싶어 다음에 만나면 제대로 사과해야지" 등.
메시지를 확인하는데. 남순, 눈물이 '핑' 돈다. 그런 남순의 모습 위로 라디오 소리 들리는.

앵커(소리)   이에 따라 두고의 임원 및 감사진에 관심이 쏠리고 있습니다. 여야 국회의원들이 두고의 사외이사 및 감사진으로 선임되어 있었습니다. 두고 대표 류시오는 현재 출국 금지 및 수배가 내려진 상황이며….

남순, 휴대폰을 희식에게 준 뒤 섬뜩한 눈빛으로 변한다.

남순   출국 금지면 해외로 못 나가는 거지?

희식   응. 특검팀까지 꾸려진 이상 풀리기 어려워. (답답한) 위치 추적도 안 되고, 문제는 파벨과 류시오가 사이가 틀어졌어. 파벨도 류시오를 추적 중이야.

남순   그런데도 류시오가 아직까지 멀쩡하단 건… 파벨도 모르는 자기만의 장소가 있단 거야. 아지트 같은.

희식   류시오가 파벨한테 저렇게까지 하는 걸 보면 확실한 게 있는 거야. 자기가 빠져나갈 구멍….

남순   (끄덕) 그게 뭘까….

S#15 금주의 집 앞/N

금주의 집 앞에 들어서는 차.
금주, 차에서 내려 걸어가면 익숙한 오토바이가 보인다.
이내 어둠 속에서 걸어오는 젠틀맨.

젠틀맨   범이 죽었습니다.

금주   류시오 짓인가요? 파벨의 상부 조직 행동 대원이 죽었으니 곧 내부에도 균열이 생기겠네요.

젠틀맨   균열이 생긴 건 파벨뿐 아니라 두고도 마찬가집니다.

금주   …

젠틀맨	두고가 현재 서류들을 폐기 처분 중에 있습니다. 그 서류들 중에서 돈세탁 정황으로 보이는 파일을 저희 요원이 입수했고요. (사진 건네며) 염수산이라고 아십니까?

금주, 사진 보면 돈가방을 들고 어디론가 이동하는 염수산의 모습이다!!

금주	너무나 잘 알죠. 우리 서로 시작은 같았지만 나는 양지로. 그 여잔 음지로 갔죠. (피식)
젠틀맨	그 자가 두고의 자금을 세탁한 자입니다.
금주	(다소 놀라는)
젠틀맨	이 자와 골드 회원님이 전에 물어보신 브래드 송이란 자의 만남이 최근 잦아지고 있어요. (두 사람 만나는 사진)

S#16 남대문 시장 일각 고물상 /N

폐지와 고철들이 잔뜩 쌓여 올려진 고물상. 비어 있는 개집과 열려 있는 컨테이너 문. 인기척이 없어 보이는 을씨년한 분위기에 기괴한 고물상의 느낌이 도드라진다.
그런 고물상으로 걸어오는 누군가… 걸음을 멈추고 둘러보면.
이제까진 본 적 없는 차가운 눈빛의 브래드 송이다!!

염수산(V.O) 빨리 왔네?

어디선가 모습을 드러내는 염수산.

고물상의 어딘가를 '휙' 여니 엄청난 현금이 들어 있다.

달러가 든 큰 돈 가방 두 자루를 브래드 송 앞에 던진다.

염수산   다음 세탁소는 여기야. (명함 건네면)

브래드   (티거은행 지점장 석호철. 문구에 피식) 믿을 만한 사람입니까?

염수산   사람을 믿나 돈을 믿지. 코인으로 전부 믹싱하자니 리스크가 커.
코어는 가상 화폐로 털 거고, 푼돈은 그 사람이 처리할 거야. 계
란 한 바구니에 담는 거 아니야.

브래드   (피식)

염수산   내일 미팅 잡아 놨으니까 늦지 않게 와.

브래드   좋아요. (가방 들고 가려다) 내가 부탁한 건 잘 진행되고 있죠.

염수산   (의미심장하게 웃는다) 그럼.

브래드, 염수산이 땅에 내려놓은 돈 가방을 들고 고물상을 벗어
나면.

그런 브래드의 뒷모습을 바라보며 묘하게 미소 짓는 염수산의
모습에서.

[디졸브]

S#17 어딘가 (복싱장 같은 아지트) /D

류시오, 어제와 같은 복장, 같은 자세로 앉아 있었던 상태. 이내

생각이 끝난 듯 윤 비서에게 전화 건다.

윤 비서(F)　네. 대표님.
류시오　　　지금 당장….

S#18 동 마수대 /D

그런 류시오와 윤 비서의 통화를 듣고 있는 희식, 참마, 영탁, 쓰봉, 남순.

류시오(F)　연구소에서 닥터 최 데려와. (하고, 전화 끊기면)
희식　　　닥터 최… 닥터 최…. ('누구지.' 갸우뚱)

참마, 두고 연구소를 검색하다 닥터 최의 사진을 발견하는데.
남순, 그 모습에.

[인서트] (플래시백 13화 S#28 확장) 연구소 여러 곳
남순, 스마트워치를 들어 실험실 전경을 찍으려는데!
순간 연구원(닥터 최)의 고개가 뒤로 '확' 꺾인다!

남순　　(번뜩) 이 사람… 군소 실험실에 있던 그 사람이야. (희식 보며) 이 사람!! 우리가 데려와야 해!!

이때 희식에게서 태리로부터 문자 파일이 도착하며 태리한테
바로 전화가 오는데.

희식   여보세요?

태리(F)   마지막 고객들 명단이에요. 용량이 커서 나눠 보냅니다. 저 이거
           빼내느라 정말 힘들었어요. 약속 지켰으니 형사님도 약속 지켜
           줘요.

희식   수고했어요. (전화 끊는) (참마 보며) 닥터 최 마저 알아봐. (영탁, 쓰봉에
           게) 지금 마약 고객 명단 넘길게요. 이 사람들부터 확보해 주세요.

두 사람   (바로 일어나 가는) 알았어.

참마   류시오가 파벨하고 맞다이 뜨는 이유를 알겠네요.
           믿는 구석이 저 사람이네! (광기 어린 눈빛으로 검색 시작하는)

이때 남순에게 전화 온다. 보면, 졸자야. 남순, 복도로 나간다.

S#19 경찰서 복도 /D

전화 받는 남순.

남순   (몽골어) 여보세요.

졸자야(F)   (몽골어) 체첵.

남순   (몽골어) 엄마 미안해. 갑자기 일이 생겨서… 급하게 올라왔어.
           지금 서울이지?

졸자야(F)	(몽골어) 너 강남 엄마 금주가 좋은 호텔에서 자게 해 줘서… 너무
	너무 잘 잤어. 돈도 많이 주셨는데 받아도 될까?
남순	(몽골어) 받아. 그리고 사건만 해결하면 나 남친하고 몽골로 여행
	갈게. 엄마 아빠 집에.
졸자야(F)	(몽골어) 우와… 아빠가 너무 행복해 하겠다.
	나 지금 봉고랑 남인이랑 같이 있어.
남순	(몽골어) 알아. 몽골 잘 돌아가… 사랑해 엄마.

남순, 전화 끊고는 표정 단단해져서 씩씩하게 다시 들어간다.

S#20 마수대 /D

남순, 돌아오면 참마가 모니터를 돌리며 닥터 최 사진을 띄운다.

참마	(희식에게) 이름은 최기태, 1981년생, 근데 이 양반 입사 직전에
	교도소에 있었어요.
남순	(자리에 앉아 같이 듣는)
희식	교도소?

참마, 닥터 최 프로필이 나온 목록과 체포된 현장 사진들 보여
주며.

| 참마 | 동물병원에서 쓰는 마취용품을 마약으로 가공해서 팔다 잡혔더 |

라고요. 그 이후에 누군가 보석금을 지급했고, 바로 연구소에 입사했어요. 희식이 사람이 4885 제조와 해독제 개발을 했네. 연구소의 키맨!

그래서 데려갔군. 파벨과의 협상 카드로 쓰려고.

화면 속 또라이 같은 표정의 닥터 최가 점점 줌 인 되면서!

S#21 허름한 권투 시합장 /D

버려진 권투 시합장. 류시오, 닥터 최와 통화 중이다.

류시오   (가스라이팅 시키듯) 내 말만 들으면 돼. 착하지….

닥터 최(F)   윤 비서 따라 가면 되는 거예요?

류시오   그럼 그럼… 내가 시키지 않은 일은 절대 하면 안 돼. 그 누구도 따라가선 안 돼. 알았지? (달래는)

닥터 최(F)   네.

류시오   윤 비서 바꿔 봐.

윤 비서(F)   네.

류시오   닥터 최 거기다 숨겨 놔. 그리고 강남순 가족들… 위치 추적해.

류시오, 텅 빈 연습장을 바라보다 전화 끊고는 시크릿폰으로 노쉬에게 전화한다.

노쉬(F)	(러시아어) 뭐야.
류시오	(러시아어) 나 수배 중이야. 내가 잡혀가면 모든 게 끝나. CTA4885도, 해독제도, 그리고… (눈빛, 표정) 닥터 최도!!
노쉬(F)	(러시아어) 원하는 게 뭐지?
류시오	(러시아어) 잘 들어. 지금부터 파벨은 온 사력을 다해 날 지킨다. 필요하면 러시아 연방수사국 정도까진 움직여 줘야 가능할 거야. 파벨한테 그건 아무것도 아니잖아?
노쉬(F)	(러시아어) 안톤!!!!

S#22 마수대 /D

류시오(F)	(러시아어) 닥터 최 넘겨받고 싶으면 내 출국 금지부터 풀어.
노쉬(F)	(러시아어) 닥터 최 위치부터 말해!!

숨 참으며 듣는 남순, 희식, 참마! 이어지는 류시오의 러시아어 대사. (자막 없이)

류시오(F)	(러시아어) 도강문방구… 거길 찾아봐.

이어 통화가 바로 끊어지자 참마, 부리나케 러시아어를 번역하기 시작한다!
속도감 있게 번역되는 류시오와 노쉬의 통화 내용들!

S#23 권투 연습장 /D

혼자 숨어 있는 류시오. 여기저기 다친 카일이 그런 류시오 옆에 서 있다.
이때 윤 비서가 들어온다.

류시오   확인됐어? 강남순 가족들 어딨는지?
윤 비서   네. 황금주 씨 전남편의 휴대폰 위치가 잡혔습니다. 서울입니다.
류시오   다 죽여. 모두 다.
윤 비서   근데… 강남순을 몽골에서 키워 준 엄마란 사람이 함께 있습니다 지금.
류시오   (그 소리에 눈꼬리가 꿈틀댄다)

S#24 동 마수대 /D

번역되는 화면을 바라보는 세 사람! 그러자 잠시 후, 도청으로 알아낸 닥터 최의 좌표 (러시아어) 번역이 끝났다는 새창이 뜬다!

참마   (노트북 보며) 양주로 42길… (눈빛, 표정) 도강문방구…!!
            닥터 최 좌표입니다!

남순, 그 말에 폭발적인 속도로 경찰서를 빠져나간다!
희식, "강남순!!!" 부르며 쫓아 나간다.

S#25 두고 연구소 일각 /D

검은 차량이 여러 대 주차되어 있는 두고 연구소 일각.
검은색 정장 입은 파벨 한국 요원들이 일사분란하게 걸어 나와
각자 차량에 타면.
맨 마지막 직원이 통화하며 내려온다.

요원 1   (러시아어) 양주로 42길 지금 출발합니다.

S#26 거리 /D

같은 시각. 전속력으로 질주하는 희식의 봉고차.
앞으론 남순이 또다시 폭발적인 속도로 뛰어가며 희식의 봉고
차를 훨씬 앞지르고 있다. 신호등이 빨간 불에 걸리자, 봉고차
멈춘다.
어느새 시야에서 사라진 남순.

CUT TO
남순, 천리안을 발동시킨다.
그러자 시야가 확 멀어지면서 도강문방구를 찾기 시작하는데!!!
표적이 도강문방구에 찍히자 다시금 화면 확대되면 주인 뒤로
볼펜 액상들 갖고 노는 천진난만한 닥터 최의 모습이 보인다!!!

남순   (희식에게 전화해) 나 먼저 가 있을게. 현장에서 봐.

남순, 천리안으로 봤던 표적을 향해 미친 듯이 달리기 시작하면 적응 빠르센지 여전히 놀라는 희식. 신호등 불이 바뀌자 희식의 봉고차도 전속력으로 달리기 시작한다.

S#27 도강문방구 밖 일각 /D

도강문방구 일각에 멈춰선 검은색 차량들. 직원들, 전부 다 내려 차량이 들어갈 수 없는 비좁은 골목길로 뛰어 들어가면.

S#28 거리 - 도강문방구 /D

남순, 미친 듯한 속도와 점프력으로 주택 지붕과 담벼락 등을 뛰 어내리며 도강문방구로 달려가는 모습이 달리는 파벨 한국 요 원들과 마구잡이로 교차되고!!

S#29 도강문방구 (16화에 회상 씬으로 나올 예정) /D

'쾅!!' 문 열고 들어온 파벨 요원들. 문방구 주인, 초점 없는 눈동 자로 멍하니 직원들만 바라보고 있는데. 아무리 뒤져봐도 닥터 최는 보이지 않는다.

"없습니다!", "여기도요!" 소리에 요원 1, 다급히 노쉬한테 전화한다.

요원 1   (러시아어) 닥터 최 없습니다. 아무래도 안톤이 거짓 좌표를 보낸 모양입니다.

S#30 금주채널 /D

금주, 아이패드로 희식에게 받은 닥터 최의 정보를 보고 있다. 그때 김 기자가 다가온다.

김 기자   대표님 라이브 공지 띄웠습니다. 시작할까요?
금주   응. 나영이는 아직 부산에 있어. 치료를 제대로 마쳐야 하니까.
김 기자   네.
금주   김 기자 오늘이 마지막 뉴스야!! 마지막이니만큼 김 기자 하고 싶은 거 다 해!

S#31 촬영장 /D

지현수, CF 촬영 중인. "잠시 끊었다 가겠습니다~" 소리와 함께 쉬는 시간에 들어가면 스태프들이 달라붙는다.

의자 깔아 주고, 핫팩 주고, 메이크업 다듬어 주는 등 호황이 따로 없는데.

지현수　금주채널 틀어 봐. 라이브 공지 떴잖아.

스태프 1　아 맞다!! 잠시만요. 금주채널 어플 생겨서 폰으로도 볼 수 있어요.

스태프 1, 금주채널 어플에 들어가면 화면이 안 나오는데. '왜 안 나오지?'라는 눈빛으로 휴대폰 보고 있으면 잠시 후 화면이 켜진다.

김 기자　안녕하세요. 금주채널의 김기대 기자입니다.
최근 CTA4885와 류시오를 겨냥한 특검이 추진되었다는 소식… 들으셨을 겁니다. 국민 여러분들께서 보여 주신 지속적인 관심에 감사 인사드립니다.
김 기자, 진지한 눈빛으로 인사 후 다시 카메라 보며.

김 기자　이로써 금주채널 뉴스는 오늘이 마지막입니다. 저희는 할 일을 다 했습니다. (뿌듯)
CTA4885의 위험성을 알리려는 취지가 닿은 만큼, 더 이상 유령 채널이 아닌. 정식 채널로 승인받은 후 다양한 컨텐츠로 인사드리겠습니다. 고객들의 니즈를 반영한 수위 높은 19금 드라마, 29금 코미디, 39금 다큐멘터리 등!! 추후 방영 예정이니 많은 관심 부탁드립니다.

- 촬영장 -

황당하게 보고 있는 지현수. 갑자기 어이없게 웃기 시작한다.

지현수　　아 진짜… 황금주… (박수 치는) 죽인다. 은혜로운 마리아… 역시…
　　　　　기대를 저버리지 않아.

스태프 1　오빠 알아요 금주채널 사장이란 사람?

지현수　　알다마다… 나한테 2억 (하다가, 정색해서는) 몰라 전혀. (하는데)

[인서트] (플래시백 6화 S#52)

노 선생　　성모 마리아가 환생하면 그런 모습일 거 같아.

지현수　　은혜로운 마리아… 줄여서 은마라고 할까요?
　　　　　이제 은마님 신세 그만지고 이 호텔을 나가야 할 거 같습니다.

노 선생　　그래 염치가 있어야지 사람이.

지현수, 순간 표정 심각해지는. 위로 강박적으로 귓등을 때리며
반복되는 노 선생 소리.

노 선생(소리) 염치가 있어야지 사람이… 염치가 있어야지 사람이…
　　　　　이 염치 없는 새끼야!!!!

지현수, 갑자기 머리를 절레거리며 소름 끼쳐 한다. "내가 왜 이
래 미쳤나 봐." 하는데, 매니저가 심각한 눈빛으로 지현수에게
다가온다.

매니저	나 좀 봐!

CUT TO
지현수, 나가면 매니저, 화가 난 듯 서 있다.

지현수	왜요?
매니저	SNS에 네 폭로글 올라왔어!!
	CTA4885 다음으로 네가 핫키워드다!!

지현수, 매니저 폰을 뺏어 네이투 판에 노 선생이 올린 글을 본다.
점점 표정 일그러지더니 '컥' 하는 지현수.

매니저	너 이 글 사실이야?
지현수	('멍!' '벙!')
매니저	너 (폰 뺏어서 읽어 보는) 메트로스퀘어 ** 타워에서 여자랑 동거했
	다며! 그러다 돈 생기고 배우 되니까 배신까고!
지현수	(어이없는) 동거요? 헐… 아니… 거기 그러니까… 거긴 천막이에요.
	이름도 그냥 내가 페인트칠해서 쓴 건데….
매니저	지금 이거 때문에 CF랑 예능 잡힌 거 다 취소됐다.
	너 위약금 준비나 해 새끼야! ('확' 가는)
지현수	(너무나 어이가 없어 '벙!')

S#32 동 권투 경기장 /D

류시오의 시크릿폰에서 벨이 울린다. 류시오, 파리하게 비참한
모습인데.

류시오   (러시아어) 여보세요.
노쉬(F)   (러시아어) 너… 우리한테 거짓말했어.
류시오   (러시아어) 거짓말?
노쉬(F)   (러시아어) 닥터 최는 없었어.
           (러시아어) 우리 요원들이 갔을 땐 아무도 없었어!!!
류시오   (러시아어) 그럴 리가 없어. 혹시 나한테 새로운 VIP 명단 보냈어?
노쉬(F)   (러시아어) 뭐? VIP 명단? 안톤. 차르폼바를 받은 대상한텐 그 어
           떤 정보도 들어가지 않아.

류시오, 그 말에 갑자기 눈빛이 '확' 굳어 버리는데!!

S#33 동 마수대 안 /N

남순이 닥터 최가 들어 있는 자루를 들고 온다.
자루를 바닥에 놓자 당황하는 참마.
남순은 지친 듯 의자에 앉아 몸을 젖혀 뻗고 참마는 바닥에 있
는 자루를 조심스레 열어보자 갑자기 자루가 꿈틀.
'으악 놀라는 참마, 뒤로 나자빠진다.
닥터 최, 자루를 헤집고 엉망진창 된 얼굴로 자루에서 나온다.

남순   (몸은 여전히 뒤로 젖힌 채) 마침 문방구 주인이 자리를 비웠더라고. 들고 왔어 바로.

닥터 최, 온몸에 마늘 냄새가 난다. 마늘 자루였는지.

닥터 최   마늘 자루였나 봐… 나 마늘 싫어하는데… (온몸을 긁고 괴로운, 그러다) (갑자기 토가 나오는지 구토를 시작하는 - 구토 모자이크 처리)

참마   (기함한다)

남순   아… 멀미한다 저 사람.

닥터 최의 구토 소리와 참마의 비위 상하는 모습 이어지는.

남순   내가 자루에 넣고 뛰어왔거든.

참마   희식이 형이랑 같이 갔잖아요.

남순   도강문방구 온 파벨 애들 검거한다고… 지원 요청하고 대기하고 있어야 해서 난 그냥 뛰어왔어. 힘들다. (그제야 참마 보는)

참마, 닥터 최가 바닥을 기고 토하고 진상 부리는 - 임재범 노래 "너를 위해" 난 위험 하니까… 전쟁 같은… 전쟁 같은… 전쟁 같은… 버퍼링처럼 반복.
닥터 최, 토사물 위에서 기고 있다.
난리도 이런 난리가 없는데. 이때 희식이 들어온다.

희식   나 러시아 마피아를 검거… (행복한 미소 지으며 들어오다 그런 닥터 최

보며 황당한데)

CUT TO

참마는 밀대로 바닥을 청소한다. 고무장갑 끼고 구차하기 짝이 없고.

희식은 닥터 최를 진지하게 노려본다.

희식	당신이 류시오의 키맨이야?
닥터 최	(배시시 웃는다. 갑자기)
일동	(황당)

남순도 그런 닥터 최를 황당하게 보는. 닥터 최, 실실 웃는다.

닥터 최, 참마를 보면서 이상하게 웃는다. 기분 나쁜 참마.

이때, 쓰봉과 영탁이 들어온다.

희식	고객들은 확보했어요?
영탁	어. 수사협조문하고 공문 쫙 돌려서 각 마수대팀들하고 올킬 했다.
	그때 미술 학원 방화 사건 알지… 강 요원이 애들 구한… 그 사람도 마약으로 죽었더라고. 리스트에 있었어.

[인서트] 미술 학원 방화 사건

참마	헐.

쓰봉	(닥터 최 보면서) 이 사람이 닥터 최?
닥터 최	(빙그레 웃기만 한다)
영탁	근데 왜 이렇게 웃냐. (살피는) 맛탱이 간 거 같은데….
닥터 최	(실실 웃으며 능치듯, 참마에게) 잘 생겼네~?
참마	(청소하다 빡쳐서 기분 나빠 보면서) 아 진짜….
쓰봉	(다가와 얼굴 자세히 보면서) 4885한 건 아닌 거 같은데…
	이봐 당신이 마약 만들고 해독제도 만들었어? 병 주고 약 주고?
닥터 최	(빙그레 웃으며 쓰봉 본다)
	당신들은 절대 류시오 못 잡아. 아하하하~~~ 아하하하!!!!
일동	(표정 멍청해져서 그런 닥터 최 미친놈 보듯 보는데)
희식	맞아. 우린 못 잡아. 그래서… 너로 잡을까 해.
닥터 최	(웃다 표정 경직돼서 뻘쭘하게 보면)

희식, 닥터 최의 휴대폰을 뺏어 류시오에게 문자한다.
<두고로 와.>

S#34 경찰서 밖 /N

남순, 경찰서 밖으로 나가면 희식이 따라 나온다.

희식	괜찮겠어?
남순	류시오 못 잡으면 두고라도 통째로 가져올 거야. 걱정 마.
희식	자료는 진작에 다 파기했을 거야. 두고 수색영장이 너무 늦게 떨

어져서.

남순	하….
희식	몽골 어머님은 비행기 타셨어?
남순	밤 비행기라서 쇼핑하다 가신대. 아빠 좋아하는 술도 사고 이것저것 ….
희식	너무 정신 없어서… 인사도 못 드렸네.
남순	(피식) 나중에… 같이 놀러가 몽골에… 거기서 내가 양젖 짜서 먹여 줄게. 허르헉도 해 주고….
희식	(피식, 그러다) 널… 괜히 이 일에 개입시킨 거 같아.
남순	무슨 말이야 그게.
희식	류시오가 미쳐 날뛰다 그 불똥이 너한테 튈 거 같아서. 내가 겁나는 건 그거야.
남순	내가 할 일이야. 애초에 내가 한국에 온 것도 널 만난 것도 다 내 운명이야.
희식	(보면)
남순	신이 나에게 이런 특별한 힘을 준 건 분명 이유가 있을 거야. 난 평범하게 살 수 없어. 설령 이러다 내가… 죽더라도.
희식	왜 그런 소릴 해?
남순	난 말야 간이식? 죽고 사는 거는 신의 뜻이라고 생각….
희식	(하는데, 너무나 과잉으로 화를 낸다) 안 돼!
남순	…
희식	절대… 죽으면 안 돼… 절대… (흥분해서) 네 목숨이라서 네 맘대로 죽어도 된다고 생각한단 거야? 야! 너 진짜 못돼 처먹었다. 그럼 나머지 사람들은? 어…. (눈시울 붉어져서는)

| 남순 | 아니… 그게… 누가 죽는 댔냐… 왜 그냐…. |
| 희식 | (과한 자신의 반응을 누그러뜨린다) |

남순과 희식, 서로 쳐다본다. 그 침묵 속에 두 사람 눈빛 깊어
진다.

희식	(남순 딱 잡고) 죽지 마! 알았어!
남순	(끄덕, 말 잘 듣는다) 응… 알았어. 안 죽어~
희식	(그런 남순 보는 눈빛에서)

S#35 두고 여러 곳 /N

남순이 분기탱천했지만 심각하고 진지한 표정으로 두고를 걸어
들어온다.
그러다 복도에서 백 대리를 만난다.

백 대리	도대체 어떻게 된 거야? 자긴 회사 그만둔 거야? 아니… (조용한 곳으로 끌고 가 작은 소리로) 양 부장님이 그러는데 자기가 스파이래. 진짜야?
남순	네.
백 대리	(황당하게 보는) 뭐?
남순	그동안 협조해 줘서 고맙습니다. 백 대리님 이 회사 빨리 그만두는 게 좋을 거예요. 제가 할 수 있는 말은 그겁니다.

백 대리	(어이없다) 힐러리… 왜 이래 나한테….
남순	류시오 대표 러시아 마피아예요… 대외협력팀이 그동안 한 일은 마약을 러시아에 나른 일입니다. 그 파카… 마약이에요.
백 대리	(기함하는) 뭐?!
남순	윤 비서님 회사에 있나요?
백 대리	(멍한) 아니….
남순	하긴 있을 리가 없죠. 그 사람도 출국 금지 명령이 내려졌어요. 도주의 우려가 있어서.
백 대리	(장난 아닌데)
남순	백 대리님도 곧 조사 받을 거예요. 하지만 죄가 없다면 상관없을 겁니다. 내가 봐도 백 대리님은 아무것도 모르고 있었으니까.

남순, 그렇게 류시오의 대표 이사실로 쳐들어간다.

S#36 두고 류시오의 대표 이사실 /N

남순, 들어와서 류시오의 대표 이사실을 샅샅이 뒤지기 시작한다. 그런 남순의 모습 위로.

희식(소리)	결국 류시오의 마지막 키는 해독제 포뮬러야. 그때 훔쳐 온 컴퓨터엔 없었어. 네가 보여 준 연구소에도 없었고.

남순, 류시오의 대표 이사실을 뒤지지만 어디에도 보이지 않는다.

답답한 남순.

S#37 동 권투 연습장 / N

류시오, 연습장 중간 의자에 앉아 있다. 이미 도착해 있는 문자
를 보고 있는데.
닥터 최로 온 번호다. <두고로 와.>

윤 비서(소리) 낮에 러시아에서 받으신 문자… 악성 프로그램이랍니다.

[플래시백1] 류시오의 대표 이사실 (12화 S#21) / D

남순   전화가 울려. (눈빛)
류시오   (일어나 자리로 가 서랍을 연다)
남순   (눈치껏 뭉개고 시오의 전화를 염탐하려는)

류시오, 울리는 휴대폰을 가만히 보고 있다.
결국 전화 받는 류시오. (두 사람 러시아어)

[플래시백2] 류시오의 차 안 (8화 S#36) / D
남순, 프린트된 파일을 자신의 가방 위에 두고 시계가 프린트를
비추도록 어색하게 자리 잡은 뒤 열심히 따라 읽고 있다. (희식이
듣도록)

류시오   강남순… 강남순!!!!!!

이때 윤 비서가 연습장으로 들어온다.

류시오   일부러 나에게 접근해서… 내 시크릿폰을 가져가서 해킹했어.
            연구소… 헤리티지 클럽… 모두… 다! 강남순 짓이야.
            강남순이 닥터 최도… (눈빛, 표정) 데려갔어.
            갈갈이 찢어 죽여 버리고 싶어. (살기가 느껴지는데)

이때 윤 비서의 폰이 울린다. 전화 받는 윤 비서.

윤 비서   대표님… 다 세팅 됐습니다.

류시오의 차가운 표정에서.

S#38 서울 번화가 /N

봉고의 차가 서고 봉고가 먼저 내려 졸자야의 캐리어를 들어
준다. 남인이 따라 내린다.

졸자야   (서툰 한국말) 감사합니다.
봉고   남순의 웨딩데이. 플리즈 컴 어게인.
졸자야   (서툰 한국말) 우리 딸 체첵… 잘 키워 주셔서 감사합니다.

| 봉고 | 체첵과 함께 살면서… 참… 행복했습니다. (눈시울 붉어지는) |
| | 아뇨… 제가 더… 감사해요. 평생… 잊지 않겠습니다. |

그렇게 봉고를 안아 주는 졸자야. 그리고 봉고.
졸자야, 남인을 안아 준다.

| 봉고 | 컴투 코리아 어게인. 씨유 넥스트. 바이 바이. (격한 몽골식 인사) |
| 남인 | 바이 바이. |

그렇게 헤어지는데. 그런 그들을 보고 있는 어떤 시선.
봉고의 휴대폰이 울린다. 봉고, 확인하면.

| 금동[소리] | 엑스 매형 빨리 병원으로 와요. 나 죽을지도 몰라요. |
| 봉고 | (보면서) 미치겠네 진짜…. |

S#39 황국종의 병실 /N

금동, 퀭~~ 한 눈빛으로 앉아 있다. 국종은 망연자실해 기대 앉
아 있다.
금동, 휴대폰 보면 중간이 준희와 찍은 여행 사진을 보내 놨는
데. 한숨 쉬는 금동.
이때 피곤한 눈빛의 봉고가 남인과 걸어 들어온다.

봉고	엑스 처남… 걸핏하면 힘들다 죽을지도 모른다. 버릇이야. 이제 좀 의연해져야지 나이가 마흔인데.
금동	힘들어… 엄마는 그 아저씨와 여행 갔어요. 치가 떨려요 정말.
국종	(눈을 질끈 감는)

봉고, 금동과 국종 번갈아 보다 결심한 듯.

봉고	(벼르고 벼르다 눈치 보며) 장인어른. 이제 그만 장모님 놔 주세요.
금동	(화 나는) 뭐?
봉고	저랑 살아요 그냥.
국종	내가 내 마누라 놔 두고 왜 자네랑 살아!! 미쳤어?
봉고	장인어른. 너무 오래 집을 비우셨어요. 남순이 때문에 그렇게 된 거라고 하시니까… 제가 책임질게요.
국종	내가 왜 자네랑 사냐고!!
금동	엑스 매형까지 왜 이래요… 나… 힘들어.
봉고	엑스 처남도 내가 데리고 살게. 우리 모두 한집에서 다 같이 살자. 장인어른 나 남인이 엑스 처남 이렇게… (절규하듯)
남인	(치 떠는) 난 싫은데. 정말 싫은데… 이렇게 다 모여 살면 인생이 발전이 하나도 없을 것 같아.

S#40 거리/N

여기저기 돌아다니며 구경 중인 졸자야. 그런 졸자야를 따라다니는 수상한 시선.

보면, 모자를 푹 눌러쓴 중년 사내가 양주가 든 쇼핑백을 들고
졸자야에게 다가간다. 그 사내를 보고 있는 졸자야의 표정에서.

S#41 두고 류시오의 대표 이사실 /N

남순, 대표 이사실을 쑥대밭으로 만들며 혹시 모를 4885 재고
를 찾고 있지만 없다.
이때 류시오에게 전화 온다. 남순, '쿵!!' 하는 눈빛으로… 비장하
게 전화 받는.

남순	여보세요?
류시오(F)	(한참 후 들리는) 체첵.
남순	!!
류시오(F)	아니 강남순!!
남순	…
류시오(F)	우리 좀 만나야겠지? 두고 말고… 다른 곳에서.
남순	이제 다 끝났어. 그러니까 그냥 자수하고 스스로 죄를 인정해!
류시오(F)	(그 말에 한참 웃다) 너 몽골 엄마… 공짜를 아주 좋아하시더라고.
남순	…
류시오(F)	그때 두고 물류 창고 마약을 찾느라 물건 빼돌릴 때… 네가 부
	모님 얘기를 꺼냈잖아? 그때 생각했지… 참 착한 딸이구나~
남순	…

류시오(F)	친엄마 찾았어도 키워 준 부모는 여전히 소중한가?
남순	무슨 말을 하고 싶은 거야? (눈빛, 표정) 너 설마 우리 엄마한테….
류시오(F)	그때 내가 테스트했던 폐공장으로 와.
	경찰 데려오면 네 엄마… 바로 죽어.

남순, 전화 끊고는 숨이 가빠진다. 동시에 올 것이 왔다는 날카로운 눈빛이 되는데.

[인서트] 마수대 /N
이 상황 보고 있던 희식. 바로 남순에게 전화 건다.

- 이하 교차 -

남순	여보세요.
희식	같이 가.
남순	간이식! 걱정 마. 내가 해낼게.
희식	같이 가!
남순	아니… 내가 할게. 나 믿어 봐. (몽골어) 신은 이미 우리 편이니까.
	신은 이미 우리 편이란 뜻이야. 나 절대… 안 죽어. 걱정 마!
희식	안 돼! 너 혼자 못 보내.
남순	같이 가면 우리 엄마가… 위험해져. 류시오 우리 엄마한테…
	뭔 짓을 한 거 같아. (미치겠는데)
희식	(답답하고 괴로운)
남순	미안… 혼자 가야 돼. (단호한 눈빛)

S#42 금주의 차 /N

운전 중인 금주. 이때 요원에게서 전화 온다.

요원(F) 염수산 위치 찾았습니다. 용산 테크빌 상가 A-303호입니다.

금주, 전화 끊고는 액셀 밟으며 야밤의 질주 시작하고!!

S#43 낡은 전자상가 /N

불 꺼진 전자상가. 모든 가게들이 스크린샷을 내리고 문 닫은 가운데. 유일하게 불이 켜진 어느 낡은 컴퓨터 수리점이 보인다.
누군가 그 수리점을 향해 걸어가는데.
보면, 금주다. 금주, 가게로 들어서려는 순간 누군가 금주의 팔을 잡는데!! 험상궂게 생긴 사내를 보자. '피식' 웃으며 가뿐하게 팔을 꺾는다.

사내 아악!!
염수산(V.O) 오랜만이네 황 사장?
금주 (돌아보면)
염수산 여기까지 다 오고. (순간 표정 험악해지며 쓰러진 사내들 보더니)
(눈빛 험악해져 칼 딱 빼들고) 죽고 싶어?
금주 (거침없이 다가가) 형님….

염수산	(보면)
금주	아무리 돈에 환장을 했어도 마약쟁이들이랑 손잡으면 안 되지….
염수산	뭐?
금주	브래드 송 지금 어딨어요.
염수산	그걸 왜 나한테 물어.

사방에서 칼, 도끼, 방망이 따위를 들고 나타나는 다른 사내들! 금주, 사내들이 달려듦에도 아랑곳 않고 괴력으로 도장 깨기 하듯 부수기 시작하는데! 칼이 부러지면. 사내의 이빨이 부러지고. 도끼가 두 동강 나자. 사내의 다리도 두 동강 난다! 마지막 한 놈까지 깔끔하게 처리하자 염수산, 너무나 놀란 표정으로.

| 금주 | 소문 못 들었어요? 나랑 우리 엄마가 소뼈를 손으로 부셔서 부자된 거? 어딨어요 브래드 송!! |

S#44 티거 은행 일각 /N

브래드, 전화 받으며 티거 은행 일각에 들어선다.

| 사내(F) | 어떤 미친 여자가 죄다 쑤셔놨습니다…!! 힘이… 장난이 아니에요!! |

이때 차량 한 대가 앞으로 '확!' 끼어든다. 내려오는 창문, 보면…
금주다!!

CUT TO - 주차장 일각 -
서로를 바라본 채 서 있는 금주와 브래드 송.

금주	여태까지 사모들한테 사기친 돈. 하나도 빠짐없이 전부 다 뱉어.
브래드	난 멋대로 삼킨 적 없어. 오히려 돈을 불려다 줬지.
금주	불릴 수밖에 없었겠지.
브래드	(보면)
금주	그래야 더 큰 돈을 너한테 맡길 테니까. 넌 그들이 원하는 차명 계좌 페이퍼 컴퍼니를 만들어 주는 척 하면서 그 돈을 다 뺏을 작정이겠지… 거기다 강남 부자 사모들의 검은 돈들~ (피식) 네가 뭔 짓을 해도 고소조차 못하잖아?
브래드	황금주 씨… 이러지 말고… 원하는 걸 얘기해요.
금주	내가 원하는 거? 네 진짜 정체!
브래드	(갑자기 그런 금주 보면서 웃는)
금주	네가 류시오와 찍힌 사진… 네가 염수산과 접선하는 이유… 너! 뭐 하는 놈이냐? 서른한 번째 물어본다. 너 뭐야 새꺄….

S#45 동 마수대 /N

마수대와 희식, 심각하게 앉아 있다.

남순의 폰 위치를 확인하고 있는 참마. 심각하게 그 상황 보고 있는 희식과 마수대 팀원들.

참마 폐공장에 들어갔어요. 지금.

희식 안 되겠다. 나 갈게. 가야겠어. (그대로 나가는데)

참마 형… 내가 좌표 계속 팔로우 해서 넘길게요.

영탁 같이 가, 희식아.

희식 아뇨. 혼자 갈게요. (하고는, 서랍 안에 둔 총을 꺼내는데)

그런 희식을 걱정스레 보는 팀원들. 희식, 나가고.

영탁 수사 인력 배치하고 류시오 체포하자 그냥.

쓰봉 안 돼 그건 강 요원이 위험해져. 이미 인질이야.

영탁 우리 둘이라도 가자고. 희식이 혼자 보내는 건 아니지.

쓰봉 그래. 가자. (그러다 참마 보면서) 넌 자리 지켜. 위치 추적해.

참마 (한숨) 실시간으로 보고할게요.

S#46 폐공장 /N

프레스기만 우두커니 남아 있는 그때 그 공장. 남순, 커다란 공장 문을 한번에 '쾅!!' 열어 젖히고는 들어간다. 보면, 가운데 생수병 묶인 번들이 놓여 있고 류시오는 없다.

| 남순 | 류시오!!! 어딨어!!! |
| 류시오[V.O] | 생각보다 빨리 왔네. |

어둠 속에서 모습을 보이는 류시오.
류시오와 남순의 강렬한 눈빛이 부딪치고!!

| 남순 | … 원하는 게 뭐야. |
| 류시오 | 한때 마음을 주고 받은 파트너로써… 마지막 테스트를 해 볼까 해. |

류시오, 남순에게 작은 통 하나를 '툭' 던진다.
남순, 바닥에 떨어진 통을 열어 보면 CTA4885 가루다!!

남순	!!
류시오	내 마약이 강한지. 몽골 엄마를 생각하는 네 마음이 강한지. 보고 싶어졌거든.
남순	(분노로 눈빛이 이글거린다) 대체 무슨 짓을 한 거야 우리 엄마한테?
류시오	(피식 웃는데)

[인서트] 택시 안 /N
졸자야, 쇼핑을 마치고 가득 들고 있다. 손에는 양주 쇼핑백이 들려 있다.

| 류시오 | 체책… 당신 엄마가 지금 폭탄을 들고 있어. |

남순, 손에 쥔 마약 가루를 보고 있다.

류시오	그 마약을 먹고. 1시간 동안 물을 먹지 않으면. 폭탄은 터지지 않아. 저 물통 밑에… 폭탄 작동 센서가 달려 있거든.
남순	!!!
류시오	근데 말야. 목이 너무 말라서 물통을 건드리기만 해도 센서는 작동해.
남순	…
류시오	그러니까 네가 물을 마시면 폭탄이 터진단 소리야. 그럼 네 몽골 엄마도 거기 있는 많은 사람들이 다 죽겠지.
남순	!!
류시오	어때 할 만하지?
남순	(손이 떨리고 분노로 눈빛이 이글대는데)
남순	다른 사람 건들지 말라고 했을 텐데.
류시오	(보는) 모든 결정은 내가 해! 넌 선택말곤 할 수 있는 게 없어!
남순	한 시간 버티면~! 내가 이 마약을 이겨 내면! 류시오! 패배를 인정해! 그리고 죄의 댓가를 받아!
류시오	…
남순	어때 할 만하지?
류시오	(그런 남순 한참 보다가) 좋아. 해 봐.

남순, 선택의 여지가 없다. 통에 있는 가루약을 찍어서 그대로 삼킨다.
남순, 먹고는 걸어가는데 바로 휘청인다. 그대로 무릎에 힘이 풀

려 숨을 헐떡이는.

류시오   (쓰러진 남순 앞에 다가와서) 네가 먹은 마약은 한 시간 안에 무조건
           죽어. 타는 갈증으로 심장이 터질 수도 있지.
           너도 네 몽골 엄마도 다 죽어.

           남순의 심장은 미친 듯이 뛰기 시작한다. 남순의 시야가 어지러
           워지는데!!
           류시오, 그 모습을 지켜보다 그대로 폐공장을 나간다.
           남순, 괴로워하며 몸을 비틀고 눈물 콧물 흘리며 죽어 가는데.
           CCTV가 그런 남순의 모습을 찍고 있다.

S#47 동 폐공장 밖 /N

           류시오, 쇠사슬로 단단히 공장 문을 잠그고 도어에 시한폭탄을
           장착한다.
           그리고는 폰으로 뭔가 터치해서 전송하는.

S#48 동 주차장 일각 /N

           브래드, 서서히 금주에게 다가와 매서운 눈빛으로 노려본다.
           그러다 피식 웃는.

브래드	황금주 씨… 나랑 같이 떠날래요. 당신이랑 내가 힘을 합치면….

하는데, 금주의 폰이 울린다. 그리고 문자가 도착하고 파일이 전송된다. 금주 시선은 브래드 노려보다 파일 열어보면서 손과 눈이 떨리는 금주.

- 화면 -
남순이 마약을 먹고 갈증으로 미친 듯이 울부짖는 영상이다.

금주, 입을 틀어막고는 절규하는데.

S#49 희식의 차 안 - 금주의 차 안 (교차) /N

희식, 불안함으로 운전 중인데 금주한테 전화 온다.

희식	여보세요.
금주	(오열) 강 경위… 큰일 났어요… 우리 남순이가… 남순이가!!!
	(말을 더 이상 잇지 못하는데)
희식	(듣는, 사색이 되는 데서)

CUT TO
빠르게 운전 중인 희식.
빠르게 운전 중인 금주. 핸들을 가파르게 꺾어 유턴으로 다시 달려 나가며 돌진하는 금주. 숨을 헐떡이며 괴로워한다. 금주, 호흡 곤란이 온다. 숨이 벅차다.
급브레이크 밟으며 멈춰 서서 들숨 날숨 하며 심장을 움켜쥐는 금주.

금주   남순아… 남순아… 안 돼…. (캑캑)

[인서트] 폐공장 /N
식은땀과 함께 바닥을 기어가는 남순.
타는 듯한 갈증에 목을 긁고, 목을 옥죄는 등 어떻게든 버티려고 하는데. 엉금엉금 바닥을 기는 남순.
눈이 감겨 오지만 어떻게든 버티려던 찰나… 남순의 고개가 '푹' 숙여지고!!
남순의 심장… 서서히 박동 수가 느려지며 심장이 멈춰 가기 시작한다.

남순의 상황이 그대로 고스란히 전달되는 금주.
이때 류시오에게서 전화가 온다. 금주, 전화 받는.

류시오(F)   당신 딸… 죽어. 물을 마실 수가 없거든. (하고, 전화 끊는)

금주, 죽을 힘을 다해 핸들에 손을 올려 출발한다.
죽을 힘으로 그렇게 달리다… 골목길 어느 초등학교 앞에 차를 세운다…

금주, 무언가 생각난 듯 그대로 초등학교 운동장 안으로 사력을 다해 뛰어 들어간다.

- 희식의 차 안 -
희식, 미칠 거 같은데.

S#50 사찰 일각 /N

사찰 체험 중인 준희와 중간. 연등과 촛불로 은은하게 밝혀진 절 일각. 일행들과 함께 불상 앞에서 소원을 빌고 있는데. 소원 비는 게 끝나자.

중간   준희 씨. 소원 뭐 빌었어요?
준희   중간 씨랑… (부끄럽다) 백년해로 하게 해 달랬어요.
중간   (쑥쓰럽다) 아몰랑~~ 나돈데….

이때! 중간의 심장이 '쿠쿵!' 울리면서 표정이 심각하게 굳어 진다.
중간, 동기 감응을 거세게 느꼈는지 가슴팍을 움켜쥐고 '헉!' 놀 라면.
준희도 덩달아 놀라는. "중간 씨!"

S#51 초등학교 운동장 /N

휘청거리며 뛰어 들어오다 넘어지다 그렇게 사력을 다해 걷다 뛰다를 반복하는 금주.

그러다 결국 '휙' 쓰러지는데. 가까스로 일어나 수돗가에서 물을 틀어 물을 마신다!

S#52 희식의 차 안 /N

희식, 울면서 전화한다.

희식　　나예요. 해독제를 구해 줘요. 당장… 제발….

[인서트] 김 마담의 집 (16화에 연결 씬 나올 예정)

태리　　(눈치 보며 전화 받는) 해독제 나한테 없어요.

희식　　빨리 구해요. 무조건 (버럭) 당장!!! 안 그럼… (절규) 당신 죽을 줄 알아!

희식, 거칠게 전화 끊고 미친 듯이 액셀 밟는다.

S#53 동 사찰 /N

식은땀 흘리며 가슴팍에 손을 얹고 힘들어 하는 중간.

준희   중간 씨 괜찮아요?

중간   (뭔가 직감한 듯 금주에게 전화한다)

한참 동안 연결되지 않다. 드디어 전화 받는 금주!

중간   (이미 직감했다는 듯) 그래… 무슨 일이야?

금주(F)   (흐느낀다) 엄마… 우리 남순이 어떡해!!

중간   너 왜 그래. 울지 말고 똑바로 말해 봐!!

금주(F)   남순이한테… 마약을 먹였나 봐. (숨이 거칠다) 동기 감응으로 깨
          워 보려고… 물을 계속 마셔 봤는데… 아무 반응이 없어.

중간   … 동기 감응은… 힘을 써야 연결 돼. 남순이 지금 어딨어?

금주(F)   나도 모르겠어… 엄마도 느껴서 알잖아… 이대로 가면 남순이
          죽어!!

중간   … (비장한 눈빛) 내가 할게. 걱정하지 마. 엄마가 남순이 깨울게!!

중간, 전화 끊고는 자신을 걱정스레 바라보는 준희를 본다.

중간   준희 씨. 지금부터 내 말 잘 들어요.

준희   (보면)

중간   오늘… 길중간 인생 중 가장 큰 힘을 써야 되는 날이에요.
          (눈빛, 표정) 죽을 만큼…!! 그래서 정말… 죽을지도 몰라요!

준희   중간 씨….

중간	(눈시울 붉어져서) 그것만 알아줘요. 당신은… 내 인생 가장 사랑한 남자였어요. (눈물) 날 진심으로 사랑해 준 당신 마음… 그걸로 난 족해요. 사랑해요!

하고는, 어디론가 뛰어간다.
준희 "중간 씨!" 절규하고 따라가는데.

중간	따라오지 말아요. 위험해요. 이건! 내가 해결해야 할 일이에요.
준희	중간 씨!! (뒤따르지만)

중간, 그렇게 뛰어서 어디론가 간다.
사람들은 모두 해산하고 텅 빈 절 일각.
중간, 멈춰 서는. 눈 앞에 있는 커다란 불상을 바라본다.
중간, 불상을 두 손으로 잡고 힘을 주기 시작하는데! (불상의 시선에서 중간이 보이는, 불상을 든 모습이나 자세는 보이지 않는다) 힘에 부치는지 얼굴이 푸르르 떨리기 시작하고 종내에는 한 마리 맹수처럼 이를 드러내는데!

중간	(마음의 소리) 나 내 새끼들 살리고 가겠습니다. (포효하듯) 으아아아아악!!!

중간, 가까스로! 겨우! 무언가 들어 올리는 듯한 모션과 함께!!
동기 감응 CG 시작된다.

S#54 초등학교 운동장 /N

정신 없이 물을 마신 탓에 얼굴이며 옷이며 물에 젖은 생쥐꼴이
되어 쓰러져 있던 금주! 새로운 동기 감응을 하고 심장을 부여
잡으며 눈이 커진다.

금주   남순아~ 일어나!

S#55 동 사찰 일각 /N

중간, 인생의 마지막 힘을 다 쓰고 불상을 내려놓으면 천년의 면
지가 일어난다.

- 느린 화면 -
뽀얀 먼지가 사찰의 검은 밤을 뿌옇게 뒤덮는다.

S#56 몽골 벌판 (남순의 꿈) /N

그 뿌연 먼지가 오버랩 되며 빠빠 말방울 소리가 들린다.

- 느린 화면 -
저 멀리서 달려오는 빠빠!!! '히히힝~~'

말 울음 소리와 함께 방울 소리가 클라이막스로 울린다.
마치 남순의 수호천사처럼 남순에게 달려오는 빠빠의 모습.
음악 (On)

S#57 동 폐공장 /N

남순, 중간의 동기 감응이 전해졌다. '쿵!' 소리와 함께 몸이 움찔
거린다!
심장이 펌핑 되고. 꺼져 가던 숨이 다시 붙어서 호흡이 시작되
는데!
쿵쾅대는 심장 비트 사운드.

S#58 폐공장 일각 /N

폐공장 일각에 도착한 희식. 차를 세우는데.
터지는 울음을 가까스로 참으며 그대로 내려 걸어가려는데 들
리는 엄청난 파열음 '쾅!!!' 폐공장 문이 그대로 부서진다!!
되살아난 눈빛의 남순!!! 부순 문을 허공 위로 그대로 날리는데!!
우주로 저멀리 날아가는 폐공장 강철 도어.
시한폭탄이 '펑' 터지며 하나의 작은 유성이 폭발하는 듯 반짝
인다.
남순의 괴력 소리가 우주를 울린다.

남순   아악!!!!!

Title in "힘쎈여자 강남순 (Strong Woman Gang Nam Soon)"
떠오르면서.

<15화 엔딩>

Title In "사랑과 정의의 이름으로 (Under the Name of love and justice)"

S#1 희식의 차 안 (15화 S#52 확장) /N

희식, 울면서 전화한다.

희식 나예요. 해독제를 구해 줘요. 당장… 제발….

[인서트] 김 마담의 집 - 이하 교차/N

태리 (눈치 보며 전화 받는) 해독제 나한테 없어요.
희식 (미치겠는) 하… 김 마담 지금 어디 있어요.
태리 (눈치 보며 작은 소리로) 지금 언니 집인데 (냉장고 뒤져 본다) 냉장고에 없으면 여기 없는 거예요.

희식   (기가 찬다) 그게 냉장고에 왜….

태리   해독제는 반드시 냉장 보관을 해야 돼요. 실온에 보관하면 안
         돼요.

         희식, 태리의 말을 듣던 순간!!

희식(소리)   냉장 보관… 류시오도 마약을 했는데… 그럼… 두고야!!

         희식, 거칠게 전화 끊고 핸들을 '꽉' 돌린다! 이어 미친 듯이 액
         셀 밟는다.

S#2 폐공장 일각 + 동 폐공장 외부 (15화 S#58 확장) /N

         폐공장 일각에 도착한 희식, 차를 세우는데. 터지는 울음을 가까
         스로 참으며 그대로 내려 걸어가려는데 들리는 엄청난 파열음
         '쾅!!!' 폐공장 문이 그대로 부서진다!!
         되살아난 눈빛의 남순!!! 부순 문을 허공 위로 그대로 날리는데!!
         우주로 저멀리 날아가는 폐공장 도어 한 짝.
         시한폭탄이 '펑' 터지며 하나의 작은 유성이 폭발하는 듯 번쩍
         인다.

         [인서트] 류시오의 차 /N
         류시오, 휴대폰 알림음이 뜨면 영상 확인하는. 보면, 폐공장 문

이 부서져 날아가는.
영상 보는 류시오의 사나운 표정에서.

- 동 폐공장 외부 -
괴력과 마약 파워의 펌핑으로 심장이 날뛰고 숨이 거친 남순. 그
렇게 들숨 날숨 거칠게 걷고 있는데. 탁 멈춰선다. 무언가 본 듯
한 모습에 동공이 커지는 남순. 그 동공에 비치는 누군가… 보
면, 흑화의 정점에 선 류시오다! 빌런과 영웅의 최후의 대결!
두 사람의 혈전이 시작된다!
류시오, 남순을 그대로 올려 집어던진다! 남순, 폐공장 구석에
처박히고.
모든 상들이 그로테스크하게 얽혀지는 가운데에도 사력을 다해
일어나는 남순!

류시오   (비웃듯) 마약의 창조주는 나야. 네가 먹은 마약의 양은 말이야…
           몸을 가눌 수도 없고 힘을 쓸 수도 없어.

남순, 이명과 혼존되어 류시오 목소리가 들려오고.
류시오, 다가와 다시 남순을 그대로 발로 차서 저 멀리 잔혹하게
내동댕이친다.
남순, 폐공장 부서진 문 사이로 처박힌다. 남순, 죽을 힘을 다해
다시 일어나는.
피를 흘리며 기어가다시피 일어나려고 하지만 환청과 환각으로
휘청인다.

432 × 433

류시오, 쇠파이프를 들어 보이며.

류시오   (잔인한 표정과 말투로) 잘 가.

그대로 남순을 향해 던진다! 사람을 뚫어 버릴 속도로 날아가던
그 순간!!

- 느린화면 -
'탁!!' 그 쇠파이프를 잡아 류시오를 노려보는 남순!!

남순   네가 원하는 대론 안 될 거야.

남순, 잡았던 쇠파이프를 류시오에게 던진다! 순식간에 날아간
쇠파이프를 류시오도 여유 있게 잡아내는데! 게임 끝났다는 듯
'씩' 웃으며 걸어가려던 순간!
류시오의 표정이 서서히 굳어진다! 흔들리는 동공이 아래를 보면.
핏방울이 '뚝… 뚝…' 떨어진다! 류시오, 그 쇠파이프가 갈비뼈
아래를 그대로 찌른 채 가장자리에 박힌. 류시오, 이를 악 물고
그 쇠파이프를 뽑아내고 남순에게 달려드는 그때.

희식[V.O]   다 끝났어. 류시오.

류시오, 돌아보면 희식이 총을 겨누고 서 있다. 류시오, '피식' 웃
는다.

희식	손들어!

류시오, 그대로 쇠파이프를 어딘가에 던지자 쌓아 둔 마감 자재들이 '우르르' 쓰러진다. 희식, 그 소리에 흐트러져 소리 난 쪽으로 향한다.
그리고 보면 남순이 결국 쓰러지고 마는데!!
희식, 남순에게 시선이 돌려지기 무섭게 시선 류시오에게 다시 주면.
류시오, 사라지고 없다. 희식, 총을 쏘지만 류시오는 이미 없다!!

희식	(남순에게 달려가) 남순아!!!!!
남순	(정신을 차릴 수 없는 지경인데)
희식	내가 해독제 구할게. (남순 안아 주는)
남순	그 전에… (가쁜 숨 몰아쉬는) 몽골 엄마가 탄 비행기에… 폭탄이 있어.
희식	!!!

S#3   조종실 - 기내 /N

관제팀과 연락 중인 기장, 이륙 준비 시행하려는데. 다급히 연락이 다시 온다.

관제팀(F)	(영어) 피웨이 803. 지금 당장 이륙 취소하고 승객들 대피시키기

바랍니다. 폭탄 신고가 들어왔습니다. 다시 한 번 말합니다. 피웨이 803….

CUT TO - 비행기 안 -
방송 후 한참 동안 출발하지 않자 웅성거리기 시작하는 승객들. 이때 겁에 질린 승무원이 최대한 침착한 표정으로 걸어 나와 방송한다.

승무원　　알려드립니다. 폭발물 신고로 인해 피웨이 항공 803번은 이용하실 수 없습니다. 승객분들께서는 가지고 계신 짐들을 모두 놓고, 내려 주시길 바랍니다. (떨리는 목소리 - 이번에는 영어로 방송한다)

승객들 겁에 질려 서둘러 앞다퉈 나가기 시작한다. 졸자야도 마찬가지.

S#4 희식의 차 / N

희식. 남순을 태운 채 달리고 있다. 의식을 잃은 남순, 식은땀이 가득인데.
희식은 공항 경찰 측과 전화하랴 그런 남순을 바라보랴 미칠 지경이다.

경찰[F]　　승객 명단 확인했습니다. 폭탄 추정 물품 알고 계십니까?

희식   수하물품에… 누군가한테 선물 받은 게 있을 거예요.
       그 선물이… 폭발물입니다!!

S#5 김 마담의 집 /N

태리, 안방까지 뒤져봤지만 나오는 게 없다. 한숨과 함께 방을
나오며 희식에게 문자하는데.

태리(소리)   나 지금 이원오피스텔에 있어요. 김 마담 언니 주소예요.

태리, 문자를 보내는데 누군가의 손이 태리의 폰을 낚아챈다.
깜짝 놀란 태리와 태리 폰을 들고 있는 김 마담.
휴대폰으로 '강희식 경위' 글자가 보이자! 김 마담, 태리 뺨을 내
려친 뒤!

김 마담   (그대로 머리채 휘어잡고) 이 배신자년!!!

S#6 몽타주 /N

- 피웨이 항공 803 수하물 칸으로 들어가는 폭탄 해체반. 무전이
  울린다.

무전(F) 10B. 승객 명단 졸자야. 수하물품에 선물 박스 확인. 주류로 추정된다. 발견 즉시 발파 작업 실시한다.

- 금주병원, 의식 잃은 남순은 베드에 실려 간다! 희식, 절통하고!
- 사찰 일각, 준희가 중간을 깨워 보지만 역시나 의식 없는 중간!
- 강가에 도착한 해체반 차량. 요원, 강가로 뛰어가 폭탄 상자를 던진다!! 뒤이어 솟아나는 거대한 물줄기!!

S#7   준희의 차 안 /N

준희, 울면서 운전 중이면 조수석에는 중간이 눈 감은 채 앉아 있다. 살았는지 죽었는지 모를. 중간 한 번. 정면 한 번 보며, 다급하고도 절통한 눈빛으로 액셀을 밟는 준희.

준희   (울음이 멈추지 않는다) 중간 씨… 조금만 견뎌요… 중간 씨….

S#8   새봄초등학교 일각 /N

새봄초등학교 일각에 서 있는 구급차. 금주 역시, 베드에 실려 가고.

S#9 남순의 병실 /N

남순, 의식을 잃다 쇼크가 왔는지 바이탈 기계가 긴급하게 울리기 시작한다!!
의사 및 간호사들 들어와 남순 상태 체크하고!

S#10 두고 프레쉬 창고 /N

희식, 두고 창고 문을 벌컥 열고 들어오는 결연한 모습으로 걸어가는데. 경호원들, 희식을 가로막고 창고로 들어가지 못하게 하려고 한다.
희식은 아랑곳하지 않고 프레쉬 창고로 걸어가는데도 막는!!
경찰 공무원증 꺼내며 들어가려는데도 막아서는데!

허 팀장[V.O] 비켜서세요!!

경호원들 (물러나면)

허 팀장 창고에 절도 사건이 일어나서 내가 불렀습니다.

그 말에 경호원들, 옆으로 비켜서자 서로를 마주 보는 희식과 허 팀장! 희식, 허 팀장을 바라보면 허 팀장, 다 알고 있다는 듯. 고개를 작게 끄덕이는데.

허 팀장 (창고 문 열며) 조사… (눈빛, 표정) 제대로 해 주세요!!

| 희식 | (그 말에 사태 파악하고 창고로 뛰어 들어가는) |

CUT TO

프레쉬 창고를 뒤지던 희식. 그런데 유난히 냉장 기체가 심하게 뿜어져 나오는 구역을 발견한다. 본능적인 촉감으로 냉장 창고 문을 열자, 해독제가 보인다!

희식, 날카로운 눈빛으로 해독제를 꺼내는데!

S#11 김 마담 집 일각 /N

김 마담, 두 손 동여 묶은 태리 끌고 오피스텔 일각을 나오는데.
김 마담, 차에 태리를 태우려는 순간 두 사람 앞으로 마수대 차량들이 두 대 멈춰 선다. 차에서 내리는 영탁, 쓰봉.

| 영탁 | (경찰 신분증 보이며) 서울 경찰청 마수대에서 나왔습니다. 김정숙 씨 맞으시죠? |
| 김 마담 | !! |

김 마담, 당황하던 찰나 도망치려 하면 쓰봉이 붙잡아 수갑을 채운다.
영탁 옆에 있던 태리도 연행한다.

| 영탁 | 김정숙 씨 그리고 김태리 씨. 마약류 위반 혐의로 체포합니다. |

각각 변호사를 선임할 수 있으며 체포구속적부심을 청구할 수 있습니다.

김 마담, 그 소리에 분을 이기지 못하고 그대로 태리 얼굴에 침을 뱉는 데서.

S#12 금주병원 /N

금주병원에 실려 온 중간. 의식이 없는 중간에 의사와 간호사들이 달라붙어 산소 호흡기와 바이탈 체크를 시작하는데! 중간의 팔을 걷어 내면 무리한 근육을 쓴 탓에 모세혈관이 터져 피멍이 들어 있는데! 준희, 그 모습에 무너져 내린다.

간호사   (다급하게) 길중간 환자! 산소포화도 떨어집니다!

의사, 중간에게 심장 충격을 시도한다!
그럴수록 오히려 맥박이 떨어져 바이탈 사인이 긴급하게 울리기 시작한다!

의사   80!
간호사   (제동하고)
의사   (기계를 중간에게 갖다 대 작동하지만 중간은 반응이 없다) 150!
간호사   (제동하고)

요란하게 울리는 바이탈 사인은 꺼질 줄 모르고… 의사의 AED
는 계속 되는 가운데.
손가락조차 꿈틀거리지 않는 중간의 모습.

S#13 동 병실 밖 /N

주저 앉아 울고 있는 준희. 간절하게 두 손 모아 기도하는 진심
어린 모습을 보고 있는 어떤 시선 - 다름 아닌 국종이다. 그런 준
희를 보자 마음이 짠해지는 표정의 국종.

S#14 금주의 병실 /N

병실에 누워 있는 금주. 남인과 봉고, 심각한 눈빛으로 병실에
있으면 잠시 후 금주가 인상을 찌푸리며 깨어난다.

남인   엄마!!
금주   (아직 정신이 몽롱한 와중에도) 남순이는…!!
남인   누나 아직….

금주, 그 소리에 그대로 밖으로 뛰쳐나가는 데서.

S#15 남순의 병실 /N

여전히 의식 없는 남순을 처치 중인 의료진들. 잠시 후 희식, 병
실 문을 벌컥 열고는 해독제를 생수병에 넣는다! "잠시만요!!"
하고는 의료진들 사이로 들어가 남순에게 해독제 담긴 물을 마
시게 하는데! 모두가 숨 죽인 가운데… 순간!!!
무의식 중에 생수병을 '꽉' 잡는 남순!
생수병 '꽉!!' 구기며 있는 물 없는 물 쥐어짜서 마시는 모습에
희식, 그제야 깊은 한숨 내쉬는데 남순 '끄어억~'
이때!! 금주, 병실 문을 열고 들어오며.

금주   남순아!!!! (하는데)

희식, 금주에게 해독제 담긴 생수병 보여 주며 남순이 괜찮다는
사인 보내고는 과로로 지쳐 그대로 병실 바닥에 기절해 버리면서!
[디졸브]

S#16 류시오의 집 /D

조사 중인 특검팀과 수사관들. 파벨 마피아들이 다녀갔는지 집
안이 쑥대밭이다.

수사관   류시오를 쫓는 자들이 저희 말고 또 있는 것 같습니다.

특검팀장	CCTV 분석해 봤어?
수사관	그 몽골 여자에게 선물을 주고 화장실에 들어가서 변장하고 빠져나갔습니다.

S#17 권투 경기장 /D

류시오, 복부에 붕대를 맨 채 상의 탈의해 있다. 의자에 앉아 눈 붙이고 있으면 시크릿폰이 울린다. 전화 받는 류시오.

류시오	(러시아어) 여보세요.
누군가(F)	(러시아어) 네가 어디 있는지 알아.
류시오	…
누군가(F)	(러시아어) 처음 파벨이 너를 데려갔던 그곳에 있지.
류시오	!!

서슬퍼런 눈빛의 류시오!

S#18 마수대 /D

도청 중인 참마. 전화 끊기자 돌겠다는 표정의 세 형사. 멍청하게 앉아 있는 닥터 최.
세 형사, 번역을 보고 있는데 영탁의 휴대폰이 울린다.

영탁	(쓰봉에게) 어이쿠. 4885 경기 유통책 좌표 떴대.
쓰봉	어어. 같이 가. (참마 어깨 툭 치고는) 닥터 최 잘 봐.
참마	(찜찜하게 닥터 최 보면)
닥터 최	(그런 참마 보면서 배시시)
참마	(짜증 내며) 내 정말 아무도 없으니까 얘기하는데 아저씨… 나 보고 그렇게 쪼개지 마세요… 경곱니다~ (하는데)
닥터 최	나 류시오 어딨는지 아는데…. (배시시)
참마	(그런 닥터 최 어이없게 보다가) 뻥이죠?
닥터 최	뻥 아닌데.
참마	어딨는데요.
닥터 최	모르는데.
참마	안대매요.
닥터 최	알지.
참마	이 아저씨가 진짜… (마수대 바깥 주변 살피더니 안으로 들어와 안경을 벗더니) 야 이 씨발놈아~
닥터 최	(놀라는)
참마	(본진 사투리 발사, 머리를 삭 넘기며) 좋게 좋게 얘기하니까 네 내 우습나. 또라이는 또라이가, 사이코는 사이코가 상대를 해야지. 네 내한테 뭐로 비빌래? (완전 초사이코의 눈빛이다)
닥터 최	(겁에 질린 표정으로 참마를 보면)

참마, 그대로 닥터 최의 목을 '확' 움켜쥔다.

| 참마 | (무섭게 노려보며) 안 불면 네 여서 바로 죽는다. 시체는 마늘 자루 |

에 넣어가 한강에 바로 던지고… 그래도 네 아무도 못 찾는다. 안 찾는다. 알겠나. (버럭) 불어라 이 씹새끼야!

S#19 중간의 병실 /D

금주, 중간의 병실로 뛰쳐나가면 여전히 산소 호흡기에 의지해 의식이 없는 중간.
링거 꽂힌 팔이 시퍼렇고 푸르뎅뎅하게 멍든 모습에. 금주, 억장 무너지는데.

금주   (눈물 고이며) 엄마… 내가 잘못했어… 내가 미안해.

금주, 중간이 누운 베드에 고개를 파묻고 울기 시작한다.

금주   (중간 발 만지며) 하고 싶은 거 다 하게 해 줄게. 제발 살아만 줘… 그 아저씨랑 결혼해. 7성급 호텔에 내 전용기로 신혼여행도 가고… 모나코에 별장도 사 줄게… 줄기세포 시술도 해야지… 엄마 생일 선물로 내가 예약도 잡아 놨단 말야… 엄마~~

금주, 오열하는 소리가 절정에 다다르던 순간!

중간(V.O)   진짜…? 예약 잡았어…?
금주   ('헉!' 놀라서 벙~~)

중간	너무 시끄러워서 깼잖아. 너… 다 들었어. 모나코 별장. 한 입으로 두 말 하면 너 죽을 줄 알아. 그리고… 줄기세포… 하나 더 예약해.
금주	누구?
중간	우리 준희 씨… 손 잡고 같이 할래.
금주	(싸해지면서 어유… 진짜…)

S#20 동 병원 벤치 일각 /D

그 이전, 준희와 중간이 눈물겨워 하며 앉아 있던 벤치.
그 벤치에 준희와 국종이 앉아 있다.

준희	(금주와 통화 중인데, 반색해서) 네 금주 씨. 지금 가겠습니다. (전화 끊고는) 중간 씨… 의식 찾았답니다.
국종	…
준희	(일어나며 앞서다 생각해 주는) … 같이… 가실래요?
국종	혼자 가세요.
준희	(보면)
국종	잘해 주세요. 내가 못해 준 것만큼. 다. (그렇게 먼저 걸어가다 '휙') 맞을 짓 하지 말고 살아요. (결국 찔찔 짜기 시작한다)

국종, 자리에서 일어나 프레임 아웃된다. 쓸쓸하면서도, 슬픈 뒷
모습의 국종.

그런 국종의 뒷모습을 바라보는 준희의 모습에서.

S#21 남순의 병실 /D

희식, 침대에 누워 뒤척이는데. 인형인가 싶어 끌어안고 눈 뜨면, 남순이다!!

남순   잘 잤어?

희식   (벌떡 일어나 주변 둘러보고) 해독제… 맞다. 먹였어.

남순   참마한텐 너 재워서 보낸다고 얘기했어.
        나 구해줘서 고마워… 우리 엄마도…
        간이식. 너가 살린 거야.

희식, 그런 남순 이마에 딱밤 한 대 때리는데. '앗!' 소리치는 남순.

희식   너 씨 진짜…!! (울먹이며) 나… 너 죽는 줄 알고…
        (남순 와락 안고) 내가 얼마나 무서웠는뎅!!

남순   (가쁜 숨 몰아쉬며) 나 안 죽는다고 했잖아….

남순과 희식, 그렇게 안도하는 와중, 희식의 휴대폰 벨소리 울린다. 참마다.

S#22 마수대 /D

참마, 희식과 통화 중인데. 참마 뒤로 보이는 닥터 최, 콧구멍에 휴지 두 개 말고 있는 상황.

- 이하 교차 -

참마   형, 류시오 지금 있는 곳 알아냈어요.
         고봉산 근처 권투 경기장이요. 주소 보내드렸어요.

S#23 동 병실 /D

희식, 전화 끊고는 뭔가 생각하는데 남순은 이미 출동 준비.

남순   간이식!! 출동!!!!!!
희식   오케이!!!! (하고, 일어나는 데서)

S#24 주차장 - 남순의 차 안 /D

주차장에 떡하니 서 있는 차. 남순이 운전석에 탄다. 희식, 어리둥절 조수석에 탄다.

남순	엄마가 사 준 거야. 꽉 잡아.
희식	(불안) 운전은 내가 할게.
남순	아니 내가 해. 내 차니까.
희식	너 연수는 받았니? (하는데)
남순	운전은 실전이랬어! 출발~
희식	('허억', 손잡이 잡고)

S#25 권투 경기장 /D

류시오, 말끔한 정장으로 갈아입고 담담하게 앉아 있는데 문이 '삐걱' 열린다. 누군가 들어오자 어떤 사내의 그림자가 류시오에게 드리운다.

| 사내(소리) | (러시아어) 오랜만이네…. |
| 류시오 | … |

이때 음악이 흐른다. 헝가리 무곡인 '차르다시' (ON)
그 음악 소리에 서서히 표정에 변화가 오는 류시오.
그 사내, 점점 더 가까이 다가오고… 그 사내, 얼굴을 류시오에게 드러낸다.
류시오, 그 사내의 얼굴을 보는데, 그토록 찾던 빙빙이다.
그 사내의 얼굴에 10살 빙빙의 모습이 오버랩 된다.

[인서트] (회상) 지하실 /N

동 음악이 연결되어 흐른다. 지하실에서 다 죽어 가듯 누워 있는 어린 류시오와 빙빙. 창살 박힌 작은 창문 너머로, 작은 빛줄기가 새어 들어온다.

어린 빙빙   (러시아어) 이거… 헝가리 노래야. 벌 받을 때마다 들었어. 이 감옥에서.

어린 류시오 (러시아어) 헝가리… 거기도 파벨이 있겠지?

어린 빙빙   (러시아어) 아니. 거긴… 집시들이 있어.

어린 류시오 (러시아어) 집시?

어린 빙빙   (러시아어) 집시들은… 바이올린을 손에 들고 태어날 정도로 음악을 엄청 잘한대. 하루종일 춤추고 노래한대.

어린 류시오 (러시아어) 우리 꼭… 같이 도망치자. 헝가리로.

그렇게 류시오와 빙빙 손가락 걸고 약속을 하는데.

- 다시 현재 -

류시오, 그런 빙빙의 모습을 보면서 눈시울 붉어지는.

류시오   (러시아어) 빙빙….

빙빙   …

류시오   (러시아어) 살아 있었어?

빙빙   (차분하게 러시아어로) 파벨은 감정이 생기면 버려져.
        너와 내가 특별하지 않았어야 했어. 그날 우리가 도망치기로 약

속한 날… 난 헝가리로 보내졌어. 거긴 집시만 있는 게 아니라 파벨도 있더라.

류시오   …

빙빙   (러시아어) 그 뒤로… 날 죽이지 않고 훈련만 시켰어. 그러다 첫 지령이 떨어진 게 너야. 난 널 죽여야… (눈빛, 표정) 살아.

류시오   (기가 막힌데)

음악은 류시오의 기막힌 감정처럼 격정으로 치닫는다.
빙빙, 총을 꺼내 류시오에게 겨눈다. 류시오, 무너지는 눈빛으로 빙빙을 본다.

S#26 남순의 차 /D

희식, 멀미가 나는지 목을 부여잡고 있다. 남순, 신나게 달리는데.

희식   (전화 하는) 특검 팀장님 강희식입니다. 류시오 좌표 잡았어요. 지원 요청해 주세요. (끊는)

남순   아니 뭐 하러 얘기해? 우리가 잡아야지!

희식   (네 운전 불안해) 아무래도 목적지에 못 도착할 수도 있겠다 싶어서.

남순   죽을 거 같나 브라더?

희식   어.

남순   안 죽는다이~ (하고, 더 밟는)

희식   악!

S#27 동 권투 경기장/D

류시오, 총구를 겨누는 그런 빙빙을 보면서. 러시아어로 나누는 대화.

류시오   넌 다를 줄 알았어. (처연한)

빙빙   …

류시오   평생 파벨이라는 족쇄에 끌려다니다 결국엔 나처럼… 버려질 거야.

빙빙   우린 파벨에 끌려왔을 때 이미 세상에게 버려졌어.

류시오   …

S#28 동 권투 경기장 밖 /D

남순의 차가 먼저 도착한다. 뒤이어 도착하는 쓰봉과 영탁의 차. 희식과 남순 내려서 살피고 영탁과 쓰봉도 경기장 가까이 발소리 죽이며 상황 살피는.

S#29 동 권투 경기장 /D

류시오에게 총구를 겨누고 있는 빙빙을 한참 보다 이내 러시아어로.

류시오	난 세 번을 버려졌어. 한번은 날 낳아 준 부모에게… 또 한 번은 믿었던 여자에게. 그리고… 내가 유일하게 (울먹) 그리워했던 친구에게….
빙빙	(보면)
류시오	(처절한 눈물이 흐르며) 두 번만 버려진 걸로 끝내고 싶어.

빙빙, 그 소리에 무표정해지다 바깥에서 들려오는 특공대의 발소리와 장비 소리들.
류시오는 빠져 나갈 희망이 없음이 직감되고. 빙빙, 겨누던 총을 그대로 류시오에게 건넨다. 받아 쥐는 류시오의 손. 그리고 표정.

S#30 권투 경기장 밖 + 안 /D

희식과 영탁, 총을 들고 경기장 일각에 다다르면 따라가는 남순.
그런 희식과 영탁을 엄호하는 쓰봉과 참마.
특공대로 보이는 경찰들이 무장하고는 권투장 밖에 총을 들고 일제히 조준하는데.

희식	(들어가라는 제스처 취하자)

특공대들, 일사분란하게 움직이며 신속하게 경기장으로 들어간다.

CUT TO - 권투 경기장 -

'쾅!!' 문 열리는 소리와 함께. 희식과 특공대 총을 겨누며 들어가면 링 위에 서 있는 류시오!! 소리가 나는 쪽으로 천천히 돌아보는데!!

희식   류시오!!! 투항해!

류시오, 순간 멈추고 남순을 바라본다. 남순과 류시오의 복잡한 시선이 얽힌다.
남순, 류시오가 총을 들고 있는 것을 보고 직감한다.

남순   류시오 안 돼!
류시오 (자신의 관자놀이에 총구를 겨눈다) 차르폼바….
남순   !!
류시오 (남순을 바라보며) 거룩하게… 죽어라…!!!

'탕!!!' 총알이 류시오의 관자놀이를 관통한다. 희식, 영탁, 참마, 쓰봉도 모두 놀란 채 서 있으면!! 남순의 두 눈동자도 커져 있다!! 류시오, 힘없이 링 위에 쓰러진다!!
바닥에 점점 피가 퍼지고… 그의 눈에서 눈물이 흐른다.
그런 류시오의 모습이 여운 있게 점점 멀어지면서…

(시간 경과)
폴리스 라인 쳐진 채 현장 정리 중인 수사관과 감식반들. 경기장

454 × 455

링 위에는 피가 튀어 있고, 류시오가 누워 있던 자리는 마스킹테이프 처리가 되어 있다.
일각에 흰 천에 덮인 채 실려 나가는 류시오의 시신.
기분이 좋지 않은 희식에게 달려오는 특별수사팀 형사.

형사 강희식 경위님⋯ 윤상철 비서 체포했답니다.

희식 네.

형사 근데 이 권투장 자리가 원래 고아원이었대요.

희식 (그 소리에 반응해서 보는)

형사 근데 몇 년전에 그 고아원이 문을 닫으면서 싼 값에 내놓은 부지를 류시오가 산 모양입니다.

그 소리에 남순, 표정 복잡해지는 순간 형사에게 전화가 온다.

형사 여보세요. (듣다가) 잡혔어? 오케이. (희식 보며) 카일 위치 떴습니다.

희식 어딥니까?

형사 새경병원이요. 수배지 보고 병원 측에서 연락이 왔는데 여태 가짜 신분으로 입원해 있었대요.

희식 (병원??? 입원???)

S#31 금주의 서재 /D

착잡한 표정의 금주. 맞은 편에는 젠틀맨이 앉아 있다.

시사프로 TV에 <[속보] CTA4885 게이트 유력 용의자 류시오 검거 직전 자살> 자막이 뜬다. 금주, 희식과 통화 중. "그래요. 고생했어요 강 경위." 하고 전화 끊는다.

젠틀맨 골드 회원님… 큰일 해내셨습니다.

금주 빙산의 일각만 쳐냈을 뿐이에요. 범죄는 끝나지 않습니다.
일단 지금 시급한 건 해독제 수급이에요. 일단 그 연구원부터 내가 조져야 돼요~ 황금주 답게!

S#32 조사실 /N

김 마담, 수갑 묶인 채 조사실에 앉아 있다.

특검팀장 이정식 청장 어디 있어요. 당신이 데리고 있었잖아.
류시오 비서, 윤상철이가 다 불었어! 당신이 데려갔다고!

김 마담 !! (다 끝났다는 표정이다)

특검팀장 당신도 마약했어?

김 마담 내가 미쳤어요? 그걸 하게? 차라리 죽는 게 낫지.

S#33 병원 앞 거리 /N

저 멀리 경찰차 사이렌이 들려오고… 카일은 목발을 짚으며 다급히 거리를 빠져 나간다. 꺼진 휴대폰을 박살 내 쓰레기통에 버리며 계속 나아가다 공중전화를 발견한다! 공중전화 박스로 들어가 전화 거는 카일! 뒤로 누군가 걸어오는 듯한 실루엣 보인다.

카일   (초조한 눈빛으로 통화 연결음 기다리면)

이때 공중전화 문이 조용히 열리며 카일 너머로 팔이 뻗친다. 통화 종료를 천천히 누르자 카일, 겁에 질린 눈으로 서서히 뒤를 돌아보면… 희식인데!
동시에 카일의 안면을 강타한 뒤 팔을 뒤로 꺾는 희식!
카일이 반항하려 하자 희식, 카일이 깁스한 다리를 '꽉' 짓이긴다!

카일   (비명 소리와 함께 미끄러지듯 쓰러지면)
희식   (수갑 채우며) 마약 유통에 무고한 시민을 납치한 것도 모자라 특수폭행까지 해.
카일   (러시아어) 아파… 아파!!
희식   (수갑 확 뒤로 당기며) 한국에서 체포된 걸 고맙게 생각해.
           (카일과 눈 마주치며) 러시아였음… 당신 벌써 나한테 죽었어.

S#34   거리 - 봉고차 /N

차에 타 있는 남순, 영탁, 쓰봉, 참마. 참마가 운전 중이다. 카일을 체포한 거리에 도착하면 카일, 절뚝이며 경찰차에 올라타고 있다. 희식, 누군가와 통화 중이다. 봉고차를 발견하고는 차에 올라 타는데.

희식   (영탁, 쓰봉 보며 전화 끊는다) 청장님 구출했답니다.

일동   (다행이라는 듯, 안심의 한숨)

희식   CTA4885 거래처는 다 확보했는데… 문제는 해독제 수급이에요.

일동   (집중)

희식   이 사건… 마약 사건처럼 보여도. 해독제가 키포인트예요. 파벨이 회수하기 전에… 우리가 먼저 찾아야 해요.

영탁   야. 두고다. 두고에 있어.

희식   거긴 제가 가지고 온 박스가 전부였어요.

남순, 뭔가 골똘히 생각에 잠긴 표정이다.

[인서트] (회상) 도강문방구 (15화 S#29 확장) /D
남순, 닥터 최가 들어 있는 자루를 이고 가려는데 얼핏 보이는 –
하단에서 새어 나오는 냉동 김(fog).

- 다시 봉고차 -

남순   도강문방구로 가 봐.

일동   (그런 남순 보는)

남순   왜 그 문방구 말야. 닥터 최 숨겨 뒀던 곳.

내가 거기서 뭔가 본 거 같아.

쓰봉   뭘 봤단 거예요?

남순   그 문방구 어딘가에서… 뭔가 스멀스멀….

참마   (그대로 차를 출발시키는 데서)

영탁   작전을 짜자. (옆에 쓰봉 보면) 너 오늘 의상 좋네.

쓰봉   (바바리를 입고 있다) 어쩌라고.

S#35 도강문방구 /N

쓰봉과 영탁, 도강문방구 들어가면. 역시나 멍만 때리는 문방구
주인.
문방구 주인 앞에 선 뒤 아무 말도 안 하고 서 있다.

쓰봉   (볼펜들 만지작이다) 첫눈에 보고 알았습니다.

주인   (보면)

쓰봉   각종 불량식품부터. 문방사우의 모든 것을 취급하는 당신이야
        말로 선악을 관장하는 존재지요. 당신만이 날 볼 수 있어요.
        (갑자기 바바리코트 '확' 젖히더니) 봐요!!! 나의 웅장함을!!!

주인   (인상 '확' 찌푸리며 눈 질끈 감고) 아이씨…!!

CUT TO

남순, 그때 닥터 최를 납치했던 곳으로 슬금슬금 기어 온다. "이
쯤이었는데…."

하지만 자재들로 꽉 막혀진. 남순, 괴력으로 자재들을 아무렇지도 않게 '툭툭' 던지며 찾기 시작한다! 커다란 냉장 창고가 눈앞에 모습을 드러내자!

남순, 창고 문을 연다! 그 속으로 들어가 놀란 듯 서 있으면. 해독제 앰플들이… 꽉 차 있는데!

남순   (스마트워치 들어 화면 비추며) 간이식… 보고 있어?

남순의 스마트워치, 마치 희식의 대답인냥 붉은 빛을 내며 깜빡이고!

S#36   봉고차 /N

도강문방구 일각. 차에서 남순의 스마트워치를 보고 있던 희식, 참마, 영탁.

희식   (참마 보며) 저 영상 뽑아서 특검팀에 보내. (내린다)
참마   네. (들고 있던 태블릿으로 작업)
영탁   우린 저 양반 연행할게. (내린다)
          해독제 실어 가야 되니까 차량 지원 요청하고.

S#37   조사실 복도 /N

누군가 멋지게 진격하고 있다. 카메라 틸트업 하면 다름 아닌 금주다.

조사실 복도에 들어선 금주. 그러자 조사실 앞에서 기다리던 수사관과 형사들이 "안녕하세요." 인사하며 다가온다.

금주   (인사 받는) 안녕하세요.

수사관, 조사실 문 노크하면 특검팀장이 나온다.

팀장   협조 감사드립니다. 저도 금주채널 팬이라서. 그럼 들어가시죠.
금주   (안으로 들어가는)

S#38   조사실 안 /N

금주, 닥터 최 앞에 턱 하니 앉는다. 닥터 최, 우울한데.
유리창 너머로는 특검팀이 그런 금주와 닥터 최를 바라보고 있다.

금주   류시오가 죽어서 슬픈가 보네. 그런 범죄자 밑에서 썩기엔 당신 재능 너무 아깝다 생각 안들어?
닥터 최   류시오 욕하지 마!!! 그는 완벽했어. 모든 실험에 필요한 임상을… 스스로 자기 몸에 실험했고!! 우리는 한 몸이었다고!!
금주   그런 난해한 문장으로 올려치기 오지게 한다. 전과자를 연구원으로 신분 세탁해 주고 빵빵한 인센티브가 좋았던 주제에!!!

닥터 최   그런 거 아니야!

금주   (그런 닥터 최 빤히 바라보다) 당신 옥수수 알레르기 있다며?

닥터 최   !!!

금주   열네 살 때 괴롭히던 친구들이 썩은 옥수수를 먹인 걸로 트라우
마 제대로 왔던데.

닥터 최   …

금주   교도소에서 옥수수 밥으로 거품 물래… 아님…
(눈빛, 표정) 순순히 나한테 해독제 포뮬러 넘길래!!

닥터 최   (그날의 악몽이 생각나는지) 으… 으아아아악!!! (하다가)
내가 트라우마 있을 줄 알았지? 그거 약으로 고친 지가 언젠데.

금주   (이 작전 안 먹히네, 뻘쭘) 사실 나… 당신… 노벨상 받게 해 줄려고
했거든. 백프로 받아 그 실력이면.

닥터 최   (그 소리에 눈빛)

금주   어쩔 수 없지 뭐. 그럼 그냥 감빵에서 썩어. 옥수수 밥, 옥수수 통
조림, 간식은 강냉이로다. (구시렁) 노벨상이 뭐 그리 대단하다고.
상금도 13억밖에 안 되는데 뭐….

닥터 최   노벨상이 돈이 문제야?

금주   그럼 돈이 문제지. 됐어. 더 얘기해 뭐해.
내가 가방끈이 짧아서 최초의 노벨 화학상 수상자 스폰서가 되
고 싶었는데… 다른 사람 찾을게. (일어나는)

닥터 최   잠깐!

금주   (싱겁게 웃으며 뒤돌아보는 데서)

S#39 금주의 차 / N

금주, 닥터 최가 건넨 USB 보고 있다.

금주   인간은 누구나 상을 좋아하지.
어휴 그러고 보면 난 상이라곤 밥상 밖에 못 받아 봤네.

하는데, 울리는 금주의 휴대폰.

금주   여보세요?
남길(F)   대표님 큰일 났습니다.
금주   (피곤) 왜 또?

S#40 골드블루 - 금주의 집무실 / N

금주, 집무실에 앉아 거슬린다는 듯 공문 바라보고 있으면. 밑으로 '방송통신협회장 권기훈' 글자가 보인다.

남길   아무래도 제재 내려온 뒤에 계속 방영한 게 문제 같습니다.
금주   팩트를 말했을 뿐인데….
남길   사실 적시도 명예 훼손이 돼서요.
금주   범죄자 명예는 지켜 주고. 내 명예는 과징금 천억으로 더럽히겠
다. 하! 백 원짜리 한 푼도 못 준다고 전해!!

이때 문을 열고 누군가 뛰쳐 들어온다. 남비서다.

남비서   대표님!!!!
금주   (보다가) 남비서?
남비서   우리 대표님… 지금 어디 있어요?

CUT TO
남비서, 꺽꺽 거리면서 울고 있다.

남비서   사무실은 텅 비었지. 간판도 떼져 있지. 서랍에 오백만 원만 넣
        어 두고 그냥 증발해 버리셨어요.
금주   (이런 개자식 ~ 입 모양으로 - 주먹 '꽝') 한 가지 물어보자. 도대체 그 사
        람 어떻게 알게 된 거야?
남비서   교회에서요. 새벽 기도 드리다가.
금주   (어라?) 교회? 빵 씨가 교회를 다녔단 거야?
남비서   네. 성경 모임에서 봉사하다가 자기랑 일해 보지 않겠냐고 해서.
금주   허… 거기 돈 많은 사람들이 많았나?
남비서   그런 거 아니에요. 좀 특이한 점은… 대표님은 바울을 좋아했
        어요. 바울의 뜨거운 가슴을 닮아야 된다고…
        예수님을 핍박하던 그가 예수님의 진정한 사도가 됐잖아요.
금주   바울?
남비서   네… (엽서 카드 주며) 이런 글을 남기고 떠나셨어요.

금주, 엽서 받으면 브래드 필체로 <은혜로운 폴이 되어라> 글

자가 적혀 있는데.

남길	(보면서) 폴이 바울이에요.
금주	(그 소리에) 폴? 폴! (뭔가 있다)

S#41 고물상 / N

염수산, 고물상으로 걸어오면 부하들이 폐품들을 거두고 있는데. 폐지들을 거둬 내자 랩에 감싸진 돈다발들이 한가득이다. 다른 고물 칸도 마찬가지.

염수산	전부 다 담아. 오늘 내로 배에 실어야 돼.
금주[V.O]	형님은 어디로 뜨시게요?
염수산	(익숙한 목소리에, 고개 돌려) 너 무슨 홍길동이니?
금주	아쉽게도 제가 동에 번쩍 서에 번쩍하는 초능력은 없어서… 짧게 말할게요. 브래드, (눈빛, 표정) 어디다 빼돌렸어요?
염수산	그 개자식 나한테 주기로 한 차명 계좌까지 다 들고 날랐다고!! 그 자식 밀항했어.
금주	밀항이요?
염수산	이탈리아 밀항 배를 구해 달랬거든. 근데 이딴 식으로 튈 줄 누가 알았겠어?!
금주	하아… 그 자식이 핸들링한 자금이 대체 얼마나 됐어요?
염수산	정확히 알 수 없어. 미스터 첸과도 거래를 했었으니까?

금주	(당황한) 그 중국 대부업자 외팔이 첸? 하…. (기가 막힌데)
염수산	외팔이 첸 사라졌대!

금주, 뭔가 알 수 없는 듯한 뭔가 뭔가한 기분… 브래드 송이 어쩐지 거대한 벽처럼 느껴지는 듯한 느낌적인 느낌에 표정 심각해진다.

S#42 강남에서 시작되는 서울 풍경 /D

S#43 금주의 집 /D

중간, 금주, 남순이 아침을 먹고 있다. 그날 겪은 동기 감응에 대한 이야기 중이다.

남순	참 신기해. 내가 힘쓴 게 할머니랑 엄마한테까지 전달되다니.
중간	우리 집안 여자들 내력이야. 금주가 중간에서 버티느라 고생 많았지.
금주	엄마도 이번 일 고생 많았어. 납치도 당했었잖아.
중간	(남순 향해) 남순인 이제 뭘 할 거야?
남순	나! 내 인생 목표가 정확하게 생겼어.
금주	나도!
중간	(그런 두 사람 흐뭇하게 보며) 나도!

금주	뭐야 엄만?
중간	(피식)

S#44 어느 노인 복지 회관 앞 /D

준희가 중간의 손을 잡고 앞에 서 있다.

중간	고마워요 준희 씨.
준희	아니에요. 중간 씨 같이 특별한 능력이 있는 사람은 의미 있는 일을 하고 살아야죠. 내가 중간 씨한테 끌렸던 순간이 언제인지 알아요? 우리 딸 사기 당했을 때 통쾌하게 해결했을 때에요.
중간	(풋) (가슴팍 때리며) 아 몰라… 뭐 그런 거에 끌리고 그래? 나 그럼 더 거칠어진다고.
준희	실컷 거칠어 봐요. 난 감당할 수 있어요. (느끼하게 보다가) 들어갑시다!

S#45 노인 복지 회관 /D

중간과 준희. 복지 회관에 앉아 있으면 상담사가 서류를 들고 맞은 편에 앉는다.

| 상담사 | (서류 건네며) 최근 3개월간 접수된 사기 사건들이에요. |
| 중간 | (서류 넘기면) |

S#46 몽타주 /D

- 노인 앞에 두고 자격증 설명하는 직원.

직원	저희는 시험 같은 거 안 봐도. 몇 가지 답변만 해 주시면 바로 자격증 발급 해 드려요. (하면서, 서류 내밀자)
노인	(그 말에 고개 끄덕이며 사인하는)
상담사(소리)	노인 취업에 혹해서. 무턱대고 개인 정보 넘겼다가 대포 통장이나 불법 대출에 엮이기도 하고.

- 조폭들, 노인을 밀치며 쓰러뜨리자, 엉덩이로 뒷걸음질치는.

| 조폭 | 강의를 들었으면 돈을 내야지!! 어!? (멱살 잡고) 죽고 싶어?! |
| 상담사(소리) | 최근에는 노인 사기 예방법을 가르쳐 준대 놓고 후원금 명목으로 노들을 협박해서 돈을 뜯어내는 사기도 많이 발생하고요. |

S#47 노인 복지 회관 /D

중간, 서류를 덮으며 열받은 듯 "이 새끼들 안 되겠네 증말!!"

상담사	경찰에 신고해도. 워낙 업무량이 많은 데다… 뭘 어떻게 접근해
	야 할지 모르는 노인분들이 대다수입니다.
중간	이런 썩어 문들어져 삭힌 홍어보다 더 삭아도 분 안 풀릴 것들!
준희	(그런 중간 '뿅~' 하게 바라보다) 멋있어요.
중간	가만 안 두겠어. (벌떡)

S#48 골드블루 대회의실 /D

금주, 골드블루 대회의실로 들어서면 30명 정도 되는 법무팀이
일제히 일어나 인사한다. 금주, 상석에 앉자 나머지 변호사들도
앉는데.

금주	우리 법무팀 유례없이 일이 바쁘게 생겼네요.
	우선 방송통신협회. 과징금 불복에 대한 고소 진행합니다.
	CTA4885의 위험성을 알리기는커녕 사실적시 명예훼손이라는
	명분으로 금주채널에 과징금을 부여했습니다. 명예가 실추된
	건 납니다.
	명예훼손으로 맞고소 준비하세요. 손해 배상액은 1,000억!
일동	(일동 노트 기록하는 등)
금주	두 번째, 두고 주주명부에 기록된 이사들과 주주.
	이들은 CTA4885의 존재를 알면서도 묵인하거나 동조했습니
	다. 류시오가 날 살해하려고 했다는 증거가 분명한데도!! 아무런
	입장을 취하지 않는 것. 여지없는 방관입니다.

법무인 1	관련 기업이나 상대가 다 국외인들입니다.
금주	더 잘됐죠. 국제 재판이라도 열어서 법원에 세우겠습니다.
	마지막, (눈빛, 표정) 파벨!!
일동	(보면)
금주	시간이 얼마나 걸리든 돈이 얼마가 들던! (표정, 눈빛)
	어둠의 세력으로 사람을 망치는 그 범죄 집단을 조질 겁니다!

S#49 몽타주 /D

- 거리를 지나다니는 사람들. 배경으로 방통협이 금주채널에 과
  징금 때린 기사가 뜨며 댓글들이 화면 가득 채워지기 시작한다.
  "헐, 이래서 우리나라에 영웅이 없는 거임. 과징금 천억이래."
  "미친 거 아냐? 금주채널 아니었음 그 마약 누가 팠을 건데?"
  "청원 벌써 천만 뚫었음. 방통협 이제 야랄난 듯 ㅋㅋㅋㅋㅋ"
  "응~~ 신고 때려 봐~~~ 금주 플렉스하면 그만이야~~"
- 도강문방구 주인을 넘기고 나오는 남순, 희식, 참마, 영탁,
  쓰봉.
  경찰청 앞으로 기자들 "한 말씀 해주시죠!!" 하며, 빼곡히 모여
  든다.
- 남길, 휴대폰 보고 놀란다. 핫키워드 1, 2, 3위가 황금주, 금주
  채널, 금주 재산이다.

S#50 TV 화면 /D

앵커 　 건국 이래 최고의 마약 범죄인 일명 CTA4885 게이트를 해결한 금주채널 설립자 황금주 씨는 죽을 위기에 처하면서, 그리고 공권력의 여러 압박 속에서도 방영을 멈추지 않았습니다. 국민의 알 권리와 언론의 순기능을 공영 방송사가 아닌 일개 개인이 만든 방송사가 해냈다는 사실에 국민들은 카타르시스와 안타까움을 동시에 느끼고 있는데요. 우리 사회의 숨어 있는 진정한 영웅들…. (소리 잦아드는)

S#51 경찰청 강당 /N

　 기자들과 시상식 가족들로 강당 전부가 꽉 차 있다. 플래시 세례 '팡팡' 터지면 경례 중인 희식, 영탁, 쓰봉, 참마. 경찰 제복을 입고 있다.

사회자 　 강한 지구대 마약 특수수사팀 전원 앞으로 나와 주십쇼.

　 일동, 앞으로 나가면.

사회자 　 이들 마약수사팀은 CTA4885 게이트 사건을 해결하고 관련 유통책 349명을 전부 검거하는 등 국내외 마약 근절에 크게 기여한 바 이에 표창함. 또한 팀원 전원 1계급 특진 임명합니다.

이정식 청장, 한쪽 다리를 절며 지팡이를 짚고 나와 한 명 한 명에게 어깨에 뱃지를 달아 주는. 경례하는 모습 이어지면 희식의 어깨에는 뱃지가 2개다. 경감 특진.

사회자   다음은 경찰청장 특별 채용 경찰 임명식이 있겠습니다.
대상자는! (우렁차게) 강! 남! 순!

하자, 남순이 경찰 제복을 입고 당당히 걸어 나온다.
이정식 청장, 남순에게 임명장 건네는 모습. 그런 남순을 뿌듯하게 보고 있는 희식.

사회자(소리)   귀하는 대한민국 마약 근절에 앞장서 경찰 업무에 적극 협조하였고 일반 시민의 능력 이상의 업력을 보여 왔으며 시민을 사랑하는 마음과 헌신의 정도가 대한민국 경찰청이 진정으로 원하는 경찰상이 자명하기에 경찰청장 특별 채용으로 경찰 공무원 근무를 임명합니다.
서울 경찰청장 이. 정. 식!

박수 치며 환호하는 사람들. 남순, 환하게 웃으며 다시 '경! 례!' 한다.

CUT TO
남순을 헹가래 치는 마수대 팀원과 행복하게 하늘로 날아가는 남순의 모습에서.

S#52 금주의 집 - 다이닝 룸 /N

"아이구 내 손녀… 드디어 내가 널 보는구나." 하며 울먹이는 국
종. 남순, 껴안으며 다독이며 화면 확장되면 - 금주의 집 다이닝
룸에 앉아 있는 온 식구들이 보인다.
중간, 금주, 남순, 남인, 봉고, 국종, 금동이까지 총출동이다.

중간   가족이면서도 가족 아니고 가족인지 남인지 애매한 우리 모두
      가 모인 저녁 식사구나.

금주   내 아버지 황국종 씨의 퇴원, 우리 딸 남순이 경찰 특채를 축하
      하기 위한 자리기도 해요.

중간   내 새 출발을 알리는 자리기도 하고.

봉고   장모님은 그 얘기를 꼭 여기서 하셔야 맘이 편하세요?

금주   오늘만큼은 우리 싸우지 말고 평화롭게 저녁 좀 먹으면 안
      될까?

중간   힘들 거 같아.

남인   우린 싸우면서 정이 드는 정말 안 좋은 습성이 있는 거 같아.

중간   버릇됐어.

금주   그래 뭐… 어차피 이렇게 아사리판이면 나 한마디 할게.

메이드들, 웨건에 음식을 나르는데 푸짐한 음식 보자.

남인   먹고 하면 안 돼 엄마?

금주   (참는다, 음식 세팅하라는 수신호)

음식이 세팅되고 남인은 허겁지겁 먹는다. 일동, 먹기 시작하는.

국종	그 한마디 내가 먼저 한다.
일동	('헉!' 해서 보면)
국종	잘 살라는 거짓말은 안 하겠다. 하지만 놔줄게… (중간 보며) 나 역시 길중간을 사랑하니까!
금동	아빠… 왜 그래….
금주	아빠 생각 잘하셨어요. 소송해 봐야 아빠 져요.
	아빠 살 집은 내가 알아볼게요.
국종	난 아파트 보단 주택이 좋아. 정원도 있으면 좋겠고.
중간	(못마땅해서 보는) 수영장도 넣지 왜?
국종	있음 좋지만 뭐… 나도 재혼할 수 있음 해도 되지? (밥 먹으며) 좀 허약하고 사연 많아 보이는 여인네 좀 물색들 해 봐.
일동	(어이없게 보는)
중간	재혼 얘기 나와서 얘긴데… 난 황금주와 강 서방이 합쳤으면 좋겠다.
봉고/금주	(먹다 사레들린다)
남인	우리 집 대화는 깜빡이가 없이 너무 의식의 흐름이야.
남순	나도 찬성!
중간	사람은 혼자 못 살아. 남순이도 찾은 마당에… 다시 합쳐.
봉고	… 저는… 그렇게 못합니다.
일동	(집중하는)
봉고	황금주는 누군가의 아내로 살 그릇이 아닙니다.
	남순 엄마, 남인 엄마가 아닌… 황금주로써 세상을 담아야 돼요.

중간	(무시하고) 왜 누군가의 아내로 황금주를 보나? 자네가 황금주를 내조하란 거야. 조신하게 금주 내조해. 쟤 혼자 살게 하지 말고!
남인	아빠랑 살아 보니까 아빠 내조 잘해.
봉고	아니라고 말은 못 하겠지만 (금주 눈치 보는)
금주	내 문제는 내가 알아서 할게. (봉고 향해) 우리 따로 얘기해.
봉고	(피식, 수줍) 그러까….
금주	참. 우리 남순이 결혼 문제로! 담주에 상견례를 할까 해.
중간	그 집안이랑 얘기는 했어?
금주	아니 이제 해야지.
금동	제대로 된 반려자는 남순이 밖에 없는 셈이네. 이 집안엔 전부 유사 남편, 유사 부인, 어찌 보면 유사 가족. (하는데)
남인	근데 누나 프로포즈는 받았어?
남순	(생각해 보는) 아니?
남인	우리 집 식구들은 다 너무 일방적으로 자기 위주로 생각하는 경향이 있어. 이거 고쳐야 하지 않아?
일동	…

S#53 마수대/N

영양제 챙겨 먹는 영탁, 금주채널 뉴스 장면 속 정 비서 모습에 미소.
참마는 참치마요 삼각김밥을 먹고 있다.

영탁	(정 비서 보면서) 이 여자 말이야… 금주채널 아나운서… 나 이 여자랑 한번 만났으면 싶어. 나랑 좀 엮어 주면 안 되냐?
희식	정말 맘에 들어요?
영탁	완전.

하는데, 쓰봉이 허겁지겁 놀라는 표정으로 들어온다.

쓰봉	그 도강문방구 주인 말이야. 그 사람 누군지 아냐?
일동	…
쓰봉	류시오 친부야!
일동	(놀라는)
쓰봉	그 사람 마약 반응 보려고 DNA 검사했는데. 예전에 자기 자식 입양 보낸다고 등록된 DNA가 있더라고. 근데 그 자식이… 류시오야! 류시오 부검에서 나온 DAN랑 일치했어.
희식	(그 소리에 '벙') 그럼 일부러 자기 아버지를 찾아서….

S#54 조사실 안 /D

도강문방구 주인이 진술하는 모습.

주인	한 젊은 남자가 찾아왔어요. 멀끔하게 잘생긴….

[인서트1] (회상) 어느 문방구 (14화 S#53) /D

한적한 도로의 어느 허름한 문방구로 들어가는 류시오.
초로의 문구점 주인은 류시오를 알아보고 돋보기 너머로 그런
류시오 보는.

뭔가 슬퍼 보이는 주인의 눈동자 위로.

[인서트2] (플래시백) 동 권투 경기장 (동 회차 S#30) /D
쓰러져 죽은 류시오의 눈이 오버랩 된다. 류시오의 눈에서 눈물
이 흐른다.

남순(소리)　아버지를 왜 찾았을까?

S#55 거리 /D

남순과 희식, 걷고 있다.

희식　　자길 버린 아버지한테… 그렇게 해 준 이유가 뭘까?
남순　　류시오는… 아주 외로웠어. 의지할 누군가가 필요했을 거야.
　　　　세상에 말이야… 자기 맘 알아주는 단 한 사람이라도 있으면…
　　　　살아갈 수가 있다더라….
희식　　류시오가 만일… 파벨에 잡혀가지 않았다면… 평범한 가정에
　　　　입양되어 갔다면 똑똑한 사람으로 자랐을 거야. 어쩌면 정말 성
　　　　공한 기업가가 됐을지도 몰라. 머리가 좋은 사람이야.

그렇게 한참 걷는 두 사람.

희식   어떤 부모를 만나냐가 정말 중요해.
남순   맞아. 난 정말… 운이 좋은 애인거 같아.
희식   난 아빠 되면 정말 좋은 아빠가 될 자신 있는데.
남순   (그런 희식 보는)
희식   만일… (쭈뼛) 딸을 낳았는데… 힘이 정말 세면… 잘 가르쳐서…
       그 힘을 좋은 일에 쓰게 할 자신도… 있는데….
남순   (멈춰 서서 그런 희식 보는) 그거 나한테 프로포즈 하는 거야?
희식   응. (몽골어로 나랑 결혼해 줘) 나드타 게를레츠….

남순, 그 말에 환하게 웃는 모습 위로 빠빠 말방울 소리 '딸랑
~~' 울리면.

남순   (배시시 웃으면서 희식 번쩍 들어 올려 달린다) 빠빠… 나 프로포즈 받았
       다!!!
희식   (매달려 뛰면서) 아직 안 끝났어. 반지… 반지….

그런 남순과 희식의 뛰어가는 모습이 예쁘게 담기는데.

[인서트] 지구대 일각
텅 빈 지구대 일각. 희식의 데스크 서랍에서 빠빠 말방울 소리가
울린다.
태초의 운명처럼.

S#56　금주호텔 /D

'둥당둥당!!!' 웅장한 도입부와 함께 마련된 상견례 자리.
슈트 차림의 희식, 긴장했는지 물을 연신 마시면. 남순은 해맑게
웃고 있고.
금주, 중간, 봉고, 희식의 부모가 마주 보며 앉아 있다.

희식 모　(남순 보며) 몽골에서 왔다고… 했죠? 고등학교도 거기서 나왔
　　　　어요?

남순　　　네! 2번 학교요. 제가 살던 곳은 시골이라. 1번 학교랑 2번 학교
　　　　가 끝이에요.

희식 모　(난감한 미소) 대학은… 하긴… 나왔을 리가….

금주　　　저도 대학 안 나왔어요.

중간　　　우리 아들은 나왔어요. 애 동생은 서울대 출신.

희식 모　예~~ (하는데)

금주　　　여기 제 호텔이니까 편하게 주문하세요.

　　　　나중에 사돈 되면. 아무 때나 조식 먹으러 오시고요.

희식 모　(그 말에 놀라서) 아… 이 호텔이… 그러니까… 안사돈이 소유주란
　　　　말씀이세요?

금주　　　네 뭐… 부끄럽네요. 대학도 못 나온 제가 호텔도 겨우 6성급.

　　　　아 그리고 결혼하면 강 서방 명의로 건물 하나 선물로 줄까 해요.

희식 모　(물 마시다 쏟을 뻔)

금주　　　도산대로에 5개, 압구정 로데오 거리에 있는 건물 4개, 신사역
　　　　이랑 논현역에 각각 6개, 3개… (하는데, 전화 와서 전화 받는) 네… 아

그 빌딩? 그냥 아현재단에 기부해. 월세 7천5백이니 애들 후원은 될 거야. (전화 끊고는) 어디까지 얘기했나요?

희식 모　('벙!' 해 있자)

희식　어머님. 저 건물 필요 없어….

희식 모　(옆에서 희식 허벅지 꼬집고) (에너지 '확' 업 되어서) 날짜는 언제쯤으로 생각하세요?

좀 화악 땡기죠.

중간　저희도 집안 전통이 있어서… 최대한 빠르면 좋아요

희식 부　전통… 이요?

중간　저희 집안이. 꼭 딸을 낳아야 하는 집안이라서요.

반드시 대를 이어야 합니다.

희식 부　(기가 막혀서 보면)

희식 모　어휴… 딸을 하나 낳아 되니까 우리 애기 (남순 보며) 체력만 된다면 열둘 낳죠. (희식 보면서) 너 노력 좀 해!

중간　(웃으며 멕이는) 오버하지 마세요 사돈. 열을 어떻게 낳아.

희식 모　(눈 찡긋하며 웃는) 하면 하죠~

중간　(금주에게) 신접 살림은 강남에서 하도록 하자. (희식 보면서) 우리 강 서방이 강 씨니까 강남에서… 딱 됐네. 성도 맘에 들어.

희식 모　(뭔 소린지 모르는) 그게 무슨 말씀이세요? 그럼 얘가 안 씨면 안국동에다 집을 구한단 말씀….

중간　네 집안 사명이에요. 동네를 지켜야 하니까. (여유 있게 조곤조곤 설명)

희식 모　그럼 얘가 우 씨면 우이동, 구 씨면 구산동… 연 씨면 연희동에다….

중간　그럼요. 최근 결혼한 애는 남편이 남 씨라 남가좌동으로 이사 갔

어요.

희식 모   그럼 박씨 면… 대체… 어디로….

중간   박달재라도 가야죠. 집안 전통이니까… (하다가) 방학동 정도로
          타협 합니다. 하하하… 저희 집안 유연성을 중시합니다. 하하
          하….

희식 모   (황당하지만 돈 많아서 다 좋다. 웃는)

S#57 거리/D

지나다니는 사람들 사이로. 거적데기 담요 덮은 채 절망 중인 입
성 좋은 한 남자.
보면, '멍!' 하게 앉아 있는 지현수다. 그런 지현수 앞에 누군가
서는데.
지현수, 인기척에 고개 들면.
풀 메이크업에 쫙 빼입은 노 선생이다! 지현수, 그런 노 선생을
알아보지 못하는.

노 선생   (5만 원 건네며) 희망 잃지 마세요.

지현수   저 노숙자 아닌데…. (하지만, 일단 받는)

지현수, 찬찬히 보더니 눈빛 확 변하며.

지현수   노 선생!

노 선생	(비웃듯 보는)
지현수	(일어나 불끈) (사람들 눈치 보며 작은 소리로) 나한테 왜 이래? 우리 잠깐 만나고 헤어진 걸로 나한테 이렇게까지 해야 했어?
노 선생	삼각김밥 한중간을 떼어 줄 때 내가 어떤 맘이었는지 알아? 헌옷 수거함에서 다른 구역 애들 패가면서 너한테 명품 입힐 때!!! 내가 어떤 맘이었는지 알아? 네가 왜 노숙자 중에 킹카였는데!!
지현수	사랑이 변한 게 죄야?! 그 대가가 이렇게까지 혹독해야 해?
노 선생	(나름 심각, 치정극 여주처럼) 사랑했던 여자… 없다며?
지현수	???
노 선생	잡지 인터뷰에서 그랬잖아. 진짜 사랑했던 여자 없었다고! 난 널 진짜 사랑했는데! (하고, 줬던 돈 5만 원 뺐는다)
지현수	아니 줬다 뺏는게 어딨….
노 선생	(기가 막힌다) 너두 네 맘 줬다 뺏었잖아. 이 거지 새끼야!!

노 선생, 가 버리면. 지현수, 절망해 푹 쓰러져 절규하는데.

S#58 희식의 집 앞 /D

집 앞에 서는 남순의 차. 희식과 남순, 내려서 서로 바라보면.

희식	들어 가. 내일부터 근무잖아.
남순	나한테 뭐 해 줄 거 없어?

희식	???? 뭐???
남순	아~ 저번에 우리 집 데려다줬을 때 내가 해 줬던 거~~
희식	(그 말에 남순 볼 잡고 입술에 뽀뽀한다) 이거?
남순	음~ 아니?

희식, "그럼 뭐야…" 하며 멀어지려던 찰나! 남순이 희식의 넥타이를 확 잡아채 끌어당긴다. 다시 한 번 입 맞추는 두 사람, 그렇게 로맨틱한 키스 이어지면서.

S#59 골드블루 /N

금주와 마주 앉아 있는 젠틀맨, 차를 마시고 있다.

금주	노쉬는 아직도 한국에 있나요?
젠틀맨	노쉬에 대해 업데이트 된 정보는 아직 없습니다.
	근데 재밌는 정보를 받았어요. 노쉬가 한국에 온 이유.
금주	…
젠틀맨	원래 노쉬는 파벨에서 가장 잔인한 킬러 출신이랍니다.
	파벨 보스인 사바키는 몸이 약해 새로운 보스가 필요했던 겁니다.
	그래서 노쉬를 새로운 후계자로 밀고 있었습니다, 마피아의 정통성을 지키고 싶었던 거죠. 극악무도하고 잔인하기만 했던, 금융에 문외한 노쉬를 공부시키려고 한국에 보냈답니다. 금융 공부!

금주	금융 공부!!?
젠틀맨	사바키가 그에게 금융과 경제에 대해 가르치려고 한 거죠. 돈세탁부터 배우게 한 것 같은데. (웃음) 노쉬가 그만하고 싶다는 암호문을 종종 보냈더라고요.
금주	체질에 안 맞겠죠. 돈 보다는 칼이 쉬울 테니···.
젠틀맨	(다가와 은밀하게) 류시오가 죽으면서 파벨 아시아 지국에 균열이 일어났어요. 그 말은··· 노쉬의 정체를 곧 알 수 있단 겁니다. 균열은 정보를 새게 하니까요.
금주	(눈빛, 표정)

S#60 밀항선 안 방 (다른 장소 가능) / N

온통 핏자국으로 물든 밀항선 안 방. 화장실로 들어가는 누군가
의 발. 세면대. 물을 트는 누군가의 손. 칼을 내려 놓은 뒤 천천히
손을 씻고는 피 묻은 칼도 씻어 내는데.
그 뒤로 신음하는 사내의 소리가 들리면서. 보면, 두 팔이 없는
사내가 피를 흘리며 쓰러져 있다. 화장실에서 날카로운 칼을 내
려놓고 거울을 보는 그 누군가.
상의 탈의한 채 너무나 무섭고 잔인한 표정의 브래드 송이다!

S#61 강한 지구대 / D

강한 지구대 1층. 남순이 순경복을 입고 출근한다.

박 소장   참 사람 일 몰라… 그때 그 게르 몽골 소녀가 지구대로 올지 어 찌 알았겠어?

남순   (경례) 열심히 하겠습니다. 뭐든 시켜만 주십쇼!!

박 소장   (피곤한 표정) 살살해. 그게 날 돕는 거야.

지구대 일원들, 각자 자리에서 업무 보려던 이때, 갑자기 사이렌 이 울리며.

방송(E)   마약 특본에서 공동 대응 요청이 왔습니다.

남순, 모니터에 뜨는 신고 위치를 보자.

남순   위치 확인했습니다! 출동합니다! (얼른 나서는)

S#62 마약 특별수사팀 /D

참마는 모니터로 좌표 확인 중. 희식, 헤드폰 끼고 도청과 남순 이 스마트워치 모니터 동시 확인 중. 영탁과 쓰봉, 또 다른 마약 유통책들을 끌고 온다.
그런 바쁜 모습이 스케치 되는.

참마	(갑자기 생각난듯) 근데 형… 류시오가 쓰던 시크릿폰요… 그거 못 찾았죠 현장서….
희식	(시선 모니터) 응.
참마	근데 그거 계속 사용 중이에요. 사용자 코드명이 빙빙이고. 거기서 (찜찜하게 보는) '차르폼바!'가 떴는데….
희식	!
참마	상대가… 골드예요!
희식	!!

S#63 상가 일각 /D

상가 일각에 도착한 남순. 불 켜진 상가 2층을 조용히 보다 스마트워치를 보며.

남순	지금 바로 작전 개시한다.

뛰어가는 남순의 스마트워치로 다급히 울리는 희식의 문자. "야 강남순!!", "야!!"

S#64 강당 일각 /D

'노인 자격증 도전!' PPT가 띄워진 강당 일각. 강사가 인사하자 노인들, 박수 치고 강사 환호해 주면.
"지금부터 후원 타임이 있겠습니다." 한다.

노인   저… 내가… 현금이 없어서 그러는데….
강사   돈도 없는 주제에 감히 내 강의를 들으러 왔어?
             (직원에게) 문 닫어!!!! 후원금 내기 전까지 한 놈도 보내지 마!!!

직원들, 문 닫으려는데 이때 무언가 문에 막힌다. 사이로, 중간
이 보인다!
중간, 아무렇지 않게 문짝을 떼 버리자 문짝에 붙어 있던 직원들
넘어지고!

강사   이 할머니가 돌았나… 죽고 싶어?!

중간, 달려오는 강사 뺨을 대충 후려치자 괴력에 강당 끝까지 날
아가는 강사!

중간   (노인들 향해 마이크 뽑아 들고 그 강사 딱 밟고는) 난 길중간! 이름은 중간
             인데 그 무엇하나 중간인 건 없지! 앞으로 노인 사기 치는 새끼
             나한테 다 뒈진다. (하고는, 그 강사 주먹으로 '퍽!!!')

S#65 풍광 좋은 어딘가 (서울시가 내려다 보이는 곳) /D

금주, 팔짱을 두르고 비장한 표정으로 어딘가를 응시한다. 그런 금주의 표정 위로.

[인서트] (회상) 금주의 서재

희식   어머니… 몸 조심하셔야 해요. 노쉬가 어머니를 다음 타겟으로 잡고 있어요.

하는데, 울리는 휴대폰. 오플렌티아다.

정보원(F)   노쉬 신원 확인됨. 사진 전송합니다.

긴장된 음악 흐르고 서서히 뜨는 얼굴, 다름 아닌 브래드 송이다!
놀라는 금주 표정 위로.

희식(소리)   파벨은 자기들끼리 마약을 폴이라고 불러요.

[인터컷] 브래드 송이 남긴 마지막 엽서 글자 <은혜로운 폴이 되어라!>

금주, '이 개자식!' 하다가, 결국 비웃듯 웃는.

금주   너였어? 빵? 하하하… 그날 부산에 온 것도… 군소 찾으러! 하하

하. (싸한 표정으로) 딱 기다려. 너 내가 죽인다!

S#66 상가 일각 /D

희식이 숨을 헐떡이며 차에서 내린다. 남순은 보이지 않는데.
이때 2층 상가 복도 쪽에서 "으아아악!!" 비명과 함께 조폭이 창밖으로 떨어진다.
희식, 무서워 조폭을 피하면 계속해서 '휙~~ 휘리릭~~' 떨어지는 조폭들.
마지막 떨어지는 조폭. 희식, 자기도 모르게 공주님 안 듯 받아버리면.
남순이 마지막으로 '훅!!' 뛰어내려 희식 앞에 떨어진다.

희식   (주변 보다가) 야!! 너 내가 과잉 진압하지 말랬지!!
남순   주먹 쓰지 말라며. (삼단봉 보여 주며) 이걸로 그냥 밀기만 했어.
희식   (한숨… 조폭과 눈 마주치자 징그러워 그냥 떨어뜨리는데)
남순   그리고 나 이거 정당방위야. (삼단봉으로 누구 가리키며)
         저걸로 나 쏘려고 하던데?

희식의 눈에 들어온 어느 조폭. '아이고 아이고…' 일어나지도 못하는 조폭 손에… 총이 들려 있다!! 조폭, 간신히 일어나자.

희식   (조폭 머리 한 대 '빡!!!') 야 이 새끼야.

겁대가리 없이 경찰한테 총을 겨눠?! 약쟁이가 어따 대고… 쏴
봐! (계속 때리며) 쏴 봐!!!
그러자 참마, 영탁, 쓰봉이 달려와 희식을 말린다.

참마	(희식 말리며) 형 그만해요!! 이러다 부부끼리 쌍으로 징계 먹어요!
희식	(간신히 분노 참고. 무전기로 지원 요청하는) 백천로 687길. 범인들 검거 했습니다….

이때 총을 들었던 조폭이 칼을 휘두르며 팀원들 위협한다. 팀원
들 '헉!' 물러나면 조폭 그대로 남순을 밀치고 도망친다. 저 멀리
들리는 경찰차 출동 사이렌 소리.

- 느린 화면 -
남순, 그렇게 걸어 그대로 도망가는 조폭을 시선으로 쫓는다.
조폭, 저만치 뛰어 간격을 벌이지만 남순, 천천히 걷는 모습 위로.

남순(N)	내가 한국 드라마에서 본 멋진 대사가 있었는데 뭔지 알아? "적어도 나쁜 놈이 이기는 세상이 돼선 안 된다."였어.

그대로 '다다다다' 뛰며 에어워킹 하는 남순.
간격이 한참 멀어진 그 조폭을 허공에서 에어워킹 해 그대로 덮
친다!!!
그런 남순의 모습 위로!!

남순(N)   내가 할 거야! 나는야~ 힘쎈여자 강남순~~~!!! 빠쌰!!!!!

테마곡 흐르면서.

<16화 엔딩>

S#에필로그 1   치킨집 /N

치킨집에서 치킨 먹고 있는 사람들. 국종, 봉고, 남인, 금동, 무기력한 그들의 모습들.

국종   금주 어디 갔어?
봉고   장충동요!
국종   족발 먹으러?
봉고   아뇨. 윤희 처제 만나러.
금동   아빠 알잖아. 충동이!
봉고   충동이?

S#에필로그 2   장충동 족발 거리 /N

허름한 장충동 족발 거리. 모든 족발집 문 닫은 가운데. 유일하게 불 켜진 족발집이 있다. '충동 왕!! 족발' 간판으로 걸어가는 누군가. 보면, 금주다!!

CUT TO
마감했는지 손님 없는 족발집. 금주 앞에 커피 내려놓는 사촌 동생 윤희.

윤희	어쩐 일이야 언니?
금주	가게 확장하라고 돈 보내 줬더니… 여태 안 했어?
윤희	그게… (난감한) 애 합의금으로 쓰다 보니깐….
금주	윤희야. 충동이… 지금 어딨어?
윤희	배달 있다고 있으랬는데… 그새 어디 간 거야. 근데 왜?
금주	나 충동이가 필요해. 네 아들 내가 좀 쓰자.
윤희	어휴… 제발 데려가. 인간 좀 만들어 줘.
금주	불러 줘.
윤희	(안쪽 보며) 야!!! 장충동!!!!!! 장충동!!!!

금동[소리]	걔 Y염색체 이상으로 남자애가 힘이 세잖아.
봉고[소리]	금주가 걔를 스카웃 하려는 거 같아.

S#에필로그3 PC방/N

어느 남자(장충동), 게임을 하고 있다. 현란한 손놀림 위로.

492 × 493

윤희(소리)   야 장충동! (엄청난 청력으로 에코가 울리는)

게임에 지자 짜증이 나는지 그대로 컴퓨터를 '툭' 주먹으로 치
자 그대로 컴퓨터를 주먹이 뚫고 지나가고 PC방 전원이 나간다.

남인(소리)   대박! 그 형 어마무시한데! 돌연변이라서!!!

< Fine >
'힘쎈여자 강남순'을 시청해 주신 시청자 여러분!!
힘쎈 에너지로 힘쎈 행복 가득하세요.
- 힘쎈여자 강남순 제작진 일동 드림 -

힘쎈여자 강남순 하권

초판 1쇄 인쇄
2023년 11월 20일
초판 1쇄 발행
2023년 11월 28일

글
백미경

펴낸이
백영희

펴낸곳
너와숲ENM

주소
14481 경기도 부천시
부천로354번길 75, 303호

전화
070-4458-3230

등록
제2023-000071호

ISBN
979-11-93546-02-4 04680
979-11-93546-03-1 (세트)

정가
22,000원

©백미경

이 책을 만든 사람들

편집
유승현
마케팅
한민지

제작처
예림인쇄

디자인
글자와기록사이